東仁文學賞

25회 수상작품집

나의 가장 나종 지니인 것

박완서

朝鮮日報社

제25회 **東仁文學賞** 수상작품집

나의 가장 나종 지니인 것

박완서

25회 동인문학상이 뜻하는 것

　동인문학상은 소설가 박완서(朴婉緖) 씨를 올해 수상자로 선정하면서 25회를 기록하게 됐다. 동인문학상은 지난 1955년 월간 '사상계'가 제정한 것으로 중·단편 소설을 대상으로 한 국내 문학상 중 가장 오랜 역사를 지니고 있다.

　동인문학상은 68년 '사상계'의 폐간으로 10년 동안 운영이 중단됐다가 79년 동서 문화사가 상을 인수했으나, 85년 이후 또다시 폐지될 위기에 처했다가, 87년 제2회 수상 작가이자 조선일보 편집국장을 지낸 선우휘(鮮于煇) 선생 등 문단의 구원 노력을 받아들인 조선일보사가 주관하기 시작했다.

　25년의 긴 전통을 지닌 이 상은 제1회 수상자 김성한(金聲翰) 씨를 비롯 선우휘(鮮于煇), 오상원(吳尙源), 손창섭(孫昌涉), 이범선(李範宣), 서기원(徐基源), 남정현(南廷賢), 전광용(全光鏞), 이호철(李浩哲), 송병수(宋炳洙), 김승옥(金承鈺), 최인훈(崔仁勳), 이청준(李淸俊), 조세희(趙世熙), 전상국(全商國), 오정희(吳貞姬), 이문열(李文烈), 김원일(金源一), 정소성(鄭昭盛), 유재용(柳在用), 박영한(朴榮漢), 김문수(金文洙), 김향숙(金香淑), 김원우, 최 윤, 송기원(宋基元) 씨 등이 차례로 영예를 누렸다.

동인문학상의 심사 과정은 역대 수상 작가와 문학 평론가 등의 추천 위원단이 후보작을 선정하고, 최종심 심사 위원들이 수상작을 결정하는 방식으로 진행돼 왔다.

동인문학상은 100년 한국 현대 문학사에서 한국적 단편 소설의 토대를 세운 김동인(金東仁)의 문학적 업적을 기리기 위해 제정된 상인 만큼 철저하게 단편 소설의 미학을 중시하고 있으며, 70년대 말 이후 작가들의 중편 창작이 활발해지면서 중편까지를 그 대상을 삼고 있다.

역대 수상작을 보면 56년 첫 수상자 김성한 씨의 「바비도」 이후 선우휘 씨의 「불꽃」, 오상원 씨의 「모반」, 손창섭 씨의 「잉여 인간」 등은 전후의 황폐한 상황 속에서 실존적 상처와 일그러진 내면형의 인간 군상을 그린 경향에 속한다.

60년대 들어서 남정현 씨의 「너는 뭐냐」, 전광용 씨의 「꺼삐딴 리」, 이호철 씨의 「닳아지는 살들」 등 4.19 이후 사회 현실과 세태에 대한 풍자, 분단과 전쟁으로 이어진 불구의 역사에 대한 비판 의식 등이 강하게 표출된 작품들이 수상작으로 선정됐다. 특히 66년 수상 작가 김승옥 씨의 「서울, 1964년 겨울」은 50년대 전후 문학 시대가 마감되고 4.19 세대의 문학이 개막한 것을 알리는 문학사적 분수령을 상징하는 작품이었다. 다음해 최인훈 씨의 「웃음 소리」, 이청준 씨의 「병신과 머저리」 등으로 이어지면서 문학적 감성과 문체가 변화되는 흐름을 반영했다.

유신 시대와 지식인으로서 문인의 민주화 운동 참여가 격렬하게 대립했던 70년대 들어 동인문학상이 계속되지는 못했으나 계간 '창작과 비평' '문학과 지성'을 중심으로 뛰어난 단편 소설들이 발표됐고, 연작 단편과 중편 소설이 많이 생산되면서 그 어느 때보다 소설이 활기를 띠었다.

결국 그 활기를 대표했던 작가 조세희 씨의 「난장이가 쏘아올린 작은 공」이 79년 동서 문화사에서 인수한 동인문학상의 제13회 수상작으로 선정됐다. 그 뒤를 이은 전상국, 오정희, 이문열, 김원일, 정소성 씨 등은 70년대를 지나 80년대 수상 작가로 각광을 받게 되었다.

그러나 동서 문화사가 재정 악화로 더 이상 동인문학상을 운영하지 못하는 사태가 일어나자 87년부터 조선일보사가 상을 인수, 수상 작가 고료도 200만 원에서 다른 문학상의 수준인 500만 원으로 올렸다. 유재용 씨의 「어제 울린 총소리」, 박영한 씨의 「지옥에서 보낸 한 철」, 김문수 씨의 「만취당기」, 김향숙

씨의 「안개의 덫」, 김원우 씨의 「방황하는 내국인」, 최 윤 씨
의 「회색 눈사람」, 송기원 씨의 「아름다운 얼굴」 등이 조선일보
사의 동인문학상 수상작들이다.

　전통적 단편 소설의 경지를 다듬고 있는 유재용, 김문수 씨
가 있는가 하면 한국의 현실을 주변부 지역의 삶이나, 지식인
의 내면 풍경에서 더듬어 가는 박영한, 김향숙, 김원우,
최 윤, 송기원 씨 등도 있어, 80년대 한국 소설의 다양한 성과
와 개성을 담고 있다. 동인문학상은 지난해 24회부터 수상 작
가 고료를 1,000만 원으로 인상, 상의 내적 수준에 걸맞는 대접
을 하기로 했다.

　올해는 불혹의 나이로 등단한 뒤 국내의 주요 문학상을 두루
수상하면서 이순(耳順)을 넘긴 오늘날까지도 가장 활발한 현역
작가로 꼽히는 박완서 씨에게 상이 돌아갔는데, 수상작 「나의
가장 나종 지니인 것」이 거둔 원숙한 문학적 감동뿐만 아니라
작가의 쉼없는 창작 활동이 수상자 선정의 이유가 됐다.

朝鮮日報社
동인문학상 운영위원회

차례

25회 동인문학상이 뜻하는 것   8

수상작●박완서
나의 가장 나종 지니인 것   17

우수 후보작●공선옥
피어라 수선화 47

공지영
꿈 77

구효서
테라스에 앉은 조라 119

김소진
파애(破愛) 155

신경숙
빈집 185

윤대녕
은어 낚시 통신 221

윤영수
바람의 눈 ……………………… 257

정 찬
별들의 냄새 ……………………… 301

수상 작가 대표작●저문 날의 揷話 5 …………… 354

심사 경위● ………………………… 381

심사평●김우창 ………………………… 384

　　김윤식 ………………………… 386

　　김주연 ………………………… 387

　　유종호 ………………………… 388

　　이호철 ………………………… 389

수상 소감●계면쩍은 걸 어쩝니까 …… 390

박완서 소설과 인생●가장 진실한 것에 대한
　　　감동과 미학/엄광용 ……… 394

나의 가장 나종 지니인 것

박완서

박완서

朴婉緖

1931년   경기 개풍 출생.
1970년   장편『裸木』여성동아 공모에 당선.
1976년   창작집『부끄러움을 가르칩니다』일지사에서 출간.
1977년   중편집『창 밖은 봄』열화당에서 출간.
1978년   창작집『背叛의 여름』창작과 비평사에서, 장편『魃魅期』수문
　　　　서관에서 출간.
1980년   단편「그 가을의 사흘 동안」으로 한국문학 작가상 수상,
　　　　장편『살아있는 날의 시작』전예원에서 출간.
1981년   단편「엄마의 말뚝 1」로 이상문학상 수상.
1983년   장편『그해 겨울은 따뜻했네』민음사에서 출간.
1989년   장편『그대 아직도 꿈꾸고 있는가』삼진기획에서 출간.
1991년   창작집『저문 날의 삽화』문학과 지성사에서 출간.
1993년   단편「꿈꾸는 인큐베이터」로 현대문학상 수상.
1994년   창작집『한 말씀만 하소서』솔에서 출간.

나의 가장 나중 지니인 것

전화 바꿨습니다. 어쩐 일이세요? 형님이 전화를 다 주시구. 거는 건 언제나 제 쪽에서였잖아요. 말도 저만 하고 형님은 듣기만 하셨죠. 여북해야 혼자서 마냥 지껄이다가 문득 형님은 시방 수화기를 살짝 문갑 위에 올려놓고 딴 일 보고 계실 거다 싶은 생각이 들 적이 다 있었겠어요. 그러면 저도 입 다물고 전화기를 귀에다 바싹 대고 기다렸죠. 숨도 크게 안 쉬시는 고상한 우리 형님이시니 무슨 소리가 들릴 리 없죠. 형님은 나빠요. 어쩜 그렇게 인기척이라곤 없이 남의 말을 들을 수가 있어요. 연결된 전화통에서 아무 소리도 안 들리는 느낌이 어떤 건지 아마 형님은 모르실 거예요. 절벽 같아요. 내가 뛰어내리지 않으면 누가 떠다밀기라도 할 것 같은 절벽 말예요. 그래요. 형님은 제 수다가 정 듣기 싫으면 이제 그만해 두게, 말로 하시지 그러실 분이 아니라는 건 저도 알아요. 마음이 꼬이면 별 생각을 다 하나 봐요. 그렇지만 절벽 같은 적막 끝에 들려 오는 소리도 뭐 그렇게 정 붙는 소리는 아니더라구요.

듣고 있네, 계속하게나.

사극에 나오는 대비 마마처럼 이렇게 감정이 섞이지 않은 형님의 목소리를 들을 때마다 창석이 처가 참 안됐단 생각이 들어요. 형님은 맏며느리를 직장에 그냥 다니게 한 것만 큰 선심 쓴 것처럼 말씀하시지만 형님 같은 시어머니 모시기가 얼마나 힘들겠어요. 알아요. 형님 생각으로야 모시게 한 적도, 잔소리한 적도 없으시겠죠. 그렇지만 절벽 같은 침묵과 잔뜩 꾸민 목소리는 안 힘든 줄 아슈, 뭐. 형님 화나셨어요? 네에, 참 하실 말씀이 있으셔서 거셨을 텐데 제 소리만 했네요. 그저께가 증조모님 제사였다구요? 이를 어쩌나. 그만 깜박했어요. 형님도 잊어버리셨다구요? 우리 둘 다 잊어버렸으니 제사를 못 지냈겠네요. 못 지낸 건가, 안 지낸 건가. 창석이 처가 기억해 냈을 리는 만무하구. 형님이 그런 일에서 며느리를 제쳐놔 버릇하기가 잘못이에요. 너 아니면 안 되는 일이다라고 못박아 준 책임도 질까말까 한 게 요즘 아이들인데 처음부터 신경 쓸 것 없다는 식으로 길들여 놓고 뭘 그러세요. 형님도 아시죠. 창석이 처가 즈이 방 달력에는 친정집 대소사를 조카들 생일까지 동그라미 쳐 놓은 거. 모양으로 쳐 놓은 동그라미는 아닐 테니 일일이 챙겼을 거 아녜요. 형님, 미안해요. 내가 왜 안 하던 짓을 했을까. 조카며느리 흉을 다 보구. 형님도 흉보고 싶을 땐 좀 보세요. 남만 무안하게 만들지 말구.

그나저나 형님 잘 됐지 뭐예요. 이 참에 아주 이대 봉사로 줄이세요. 우리한텐 증조지만 이젠 창석이가 제준데, 그애로

치면 고조 아녜요. 요새 누가 사대 봉사씩이나 해요. 가정 의
례 준칙에도 이대까지만 하라고 돼 있답디다. 기억 나는 조상
까지만 지내자는 게 얼마나 합리적이에요. 하긴 형님은 증조할
머니 뒤까지 받아 내셨으니 기억 나는 정도가 아니겠네요. 단
석 달이라도 그게 어디예요. 증손부한테 아랫도리까지 내보이
시다가 돌아가셔선 또 해마다 그 손으로 지극 정성 차린 제사
받아 잡숫고 그만하면 호강하셨죠. 안 그래요? 그나저나 형
님, 혼령이 정말 있을라나. 계시다면 조금은 섭섭하셨겠지만
그러려니 했을 거예요. 사대 봉사까지 받아 잡숫는 혼령이 요
즈음 세상에 어디 그리 흔할라구요. 혼령도 호강이 지나치면
딴 혼령들한테 미움받을지도 모르잖아요. 굶고 가서서 안되었
단 생각일랑 마세요. 혼령이 먹은 자리 난 건 여적지 못 봤으
니까. 자리도 안 나게 먹을 거면 아무 데선 못 얻어먹겠어요.
형님네 동네엔 서울서도 이름난 먹자 골목까지 있겠다 형님네
아파트까지 찾아오시는 동안 시장기만 면하셨을라구요. 속세
음식에 질려서 절레절레 머리를 흔들고 가셨을 텐데요, 뭐. 알
아요, 저도. 운감이란 제사 음식에 한한다는 것쯤. 돌아가신
조상이 운감을 못 해 큰일났단 생각보담은 저를 나무라고 싶으
셔서 전화 거셨으리라는 것도요. 그래요. 해마다 형님한테 제
삿날을 일깨워 드린 건 저였죠. 그렇지만 제가 안 알려 드리면
잊어버릴 형님인 줄은 정말 몰랐다구요. 저는 다만 제삿날을
사흘이나 이틀쯤 앞두고 나박김치 담으러 갈 날을 의논드린다
는 게 자연히 제삿날을 아는 척하는 구실을 했을 뿐인데 저를
그렇게 믿고 계셨다니, 형님 이제부터 저 믿지 마세요.

뭐 외는 건 질색이에요. 특히 숫자는 안 돼요. 요전에 밖에
서 집에다 전화 걸 일이 있었는데 전화 카드를 집어넣고 나서

숫자판을 누르려는데 집 전화 번호가 생각나지 않지 뭐예요. 황당하더군요. 어둑어둑할 무렵이었어요. 차들은 헤드라이트를 켜고 질주하고, 길 건너 상가엔 네온이 켜지기 시작하더군요. 수화기를 들고 망연히 서 있었죠. 뒤에서 기다리던 청년이 빨리 걸라고 재촉을 하더군요. 성질이 급하거나 버릇없는 젊은이 같진 않았어요. 참을 만큼 참다가 나온 소리였을 거예요. 나한테 시간이 정지돼 있었다고 해서 남들까지 그러했을 리는 없으니까요. 저는 청년을 돌아다보면서 말했죠. 우리 집 전화 번호 좀 가르쳐 줘요. 청년이 비실비실 뒷걸음질을 치더니 몸을 돌려 줄행랑을 치더군요. 머리로 아무것도 생각해 낼 수가 없으니까 온몸이 꺼풀만 남은 것처럼 무력해지던데 그런 늙은이를 청년이 뭣하러 두려워했을까요? 형님. 참 묘한 기분이었어요. 내가 살아 있다는 게 믿어지지 않았으니까요. 기억이 지워졌는데 어떻게 살아 있다고 할 수 있겠어요. 거리를 오고 가는 사람들이나 요상하게 춤추는 불빛들이나 다들 실재하는 것들이 아니라 내 눈에만 그렇게 보이는 환상이다 싶었어요. 건물이고 차들이고 형체는 지워지고 거기서 내뿜는 불빛만이 서로 얽히고 설키는 게 마치 물체들의 혼령이 너울너울 자유롭게 교감하는 것 같더라구요. 마음이 편안하고도 슬펐어요. 세상을 하직하면서 한평생의 헛되고 헛됨을 돌아다보는 기분이 그런 거 아닐까요. 편안한데도 이상하게 위로받고 싶었어요. 형님, 그날 제가 스스로를 위로할 실마리를 어디서 찾았는 줄 아세요? 느닷없이 얼마 전에 텔레비전을 통해서 본 어떤 성우 생각을 해냈어요. 형님도 누구라고 이름만 대면 알 만한 아주 유명한 성우였어요. 성우 경력이 이십 년이 넘는다니 우리보다 젊어봤댔자 십 년 안짝일 텐데 가꾸고 살아서 그런지 사십대도 안 돼

보입디다. 그런데도 좀처럼 모습을 드러내지 않아 목소리하고 이름으로만 알려진 인기인이죠. 그가 성우 생활에 얽힌 이런저런 에피소드를 들려 주다가 어느 날 갑자기 자기 이름이 생각나지 않더라는 얘기를 하지 뭐예요. 웃길려고가 아니라 아주 심각했어요. 이십여 년을 차분한 목소리로 주로 음악 프로를 진행해 오면서 처음과 마지막에는 꼭 자기 이름을 멘트해 왔으니까 자기처럼 제 입으로 제 이름을 여러 번 말한 사람도 대한민국에 흔치 않을 거라면서, 그러나 어느 날 생방송을 끝내고 진행에 누구누구였노라고 말을 하려는데 이름이 생각나지 않더래요. 그래도 노련한 방송인답게 당황하지 않고 이름은 내일 말씀드리겠습니다라고 했다나요. 그때 그 생각을 하니까 내 집 전화 번호가 생각나지 않는 것이 좀 덜 불안하더라구요. 별것도 아닌 걸 뭐 다 꿰다가 위안을 삼으려는 걸 보면 정신을 놓칠까 봐 겁이 나긴 났었나 봐요. 제 마음은 저도 잘 모르겠어요. 정신이 나간 상태를 즐기는 줄 알았는데 실은 두려웠나 봐요. 얼마나 그러구 있었는지 모르겠네요. 전화는 못 걸었지만 그날 밤에 집에 찾아 들어가긴 했으니까요. 우리 집 동 호수는 안 잊어버렸냐구요? 제 집을 누가 동 호수로 찾수? 다리가 저절로 집까지 데려다 주니까 가는 거죠. 정신으로 기억하는 것과 몸으로 기억하는 게 어떻게 다른지 모르겠어요. 그나저나 혼령이 정말 있을라나.

아이들이 전화도 안 걸고 늦었다고 야단치더라구요. 우리 집은 거꾸로예요. 걔들이 어른이고 나는 물가에 내놓은 어린애라니까요. 그날도 친구 회갑을 호텔 뷔페로 먹고 나서 차 마시고 수다 떨고 하다 보니 좀 늦었길래 그거 고하려고 전화 걸려다가 그만 그리 된 거였어요. 그애들이 날 그렇게 길들였다니까요. 내가 무슨 여고생인 줄 아는지, 어디 갈 때는 가는 장소와 돌아올 시간을 분명히 하고 나가라, 나가서도 제시간에 못 돌아올 일이 생기면 반드시 전화 걸어라, 이런 식이에요. 걱정하기 싫다 이거겠죠. 전화 번호 잊어버렸단 얘기는 하기 싫어서 딸년들 호령을 잠자코 듣기만 하다가 내 방으로 들어와 버렸는데 평소하고 달라 보였나 봐요. 그애들이 안 하던 짓을 하더라구요. 창희년이 내 방까지 따라 들어와 따지는 거예요. 창희가 제 언니에 비해 성미가 좀 파르르하잖아요.

엄마, 해도 너무해, 이제 그만 해. 오빠 죽은 지 벌써 칠 년째야, 오빠만 자식이야. 딸은 자식 아냐. 언니가 왜 여태 시집도 못 가고 있는 줄 알아. 엄마 모실 신랑 고르느라고 좋은 사람 다 놓친 거라구. 엄만 그것도 모르구 있지. 알 리가 없지, 관심도 없으니까. 난 엄마 입에서 딸 혼기 놓쳐 큰일이라고 걱정하는 소리 한 마디만 들어도 원이 없겠어. 세상에 그런 엄마가 어딨어. 언니 나이나 알아? 것도 모르겠지. 오빠가 나이를 안 먹으니까 우리도 생전 스물셋, 스물하나인 줄 알죠? 하긴 세월도 엄마 같은 바윗덩이한테 부딪치면 딱 멎어야지 별수 있겠어. 난 언니 같은 효녀 될 자신은 없지만 그래도 엄마한테 잘하려고 애써 왔어. 이젠 지쳤어. 언니도 곧 지칠 거야. 엄마한테 잘하는 건 밑 빠진 가마솥에 물 붓기야. 엄마가 우리한테 어쩌다 보이는 관심이 뭔 줄 알아? 저 계집애들 중 하나를 잃었으면 내가 이렇게 원통하진 않았으련만, 하는 표정으로 우리를 볼 때야. 그런 표정 정말 소름 끼쳐. 엄만 우리가 살아 있는 걸 미안하게 만들어. 우리도 우리에겐 한 번뿐인 인생인데 그래야 돼? 엄만 정말 해도 너무해.

글쎄 이렇게 퍼붓더라구요. 형님도 잘 들어 두슈. 창숙이년이 에미 때문에 여태 시집을 못 갔답니다. 그만하면 천하에 광고 칠 만한 효녀 아니겠수. 내가 딸년들 나이 먹는 거 일일이 신경 쓰고 살지 않는다는 건 사실이지만서두 즈이들한테 얹혀 살 생각 같은 건 꿈에도 해 본 적 없건만, 기가 막혀서. 이제 와서 이런 소리 해도 아무 소용이 없게 됐지만, 저 실은 창환이도 결혼하는 즉시 내보내려고 했지 데리고 살 생각 안 했어요. 왜는 왜예요? 형님 때문이지. 형님이 좀 오래 시집살이 하셨수. 시집살이 면한 지 겨우 삼 년 만에 과부 되시고 며느리 보셨으니 두 내외만의 오붓한 재미도, 혼자 사는 자유 맛도 모르시잖아요. 그 세대는 그렇게 살 수밖에 없는 시대이기도 했지만 형님 시집살이는 그래도 어진 시어른 때문에 보기 좋았더랬어요. 저는 애를 들쳐업고 시장도 가고 밥도 해먹을 때, 형님네 애들은 할머니 할아버지 손바닥에서 금이야 옥이야 방바닥에 등 붙일 겨를이 없는 걸 제가 얼마나 부러워했는지 형님도 아시죠. 제가 샘 내는 소리를 비치면 형님은 난 애 들쳐업고 밥 해먹기가 소원이라네, 라고 한숨 섞인 소리로 말씀하시곤 했죠. 그건 저를 위로하려고 꾸민 소리가 아니라 은밀하고 애틋한 형님의 속마음이라는 걸 여자끼리의 직감으로 느낄 수가 있었죠. 형님뿐 아니라 아주버님도 같은 생각일 거라는 것까지도요. 부부끼리 고통의 나눔이 없이 어떻게 형님처럼 완벽하게 좋은 며느리 노릇을 할 수가 있겠어요. 형님은 또 우리 집에 들르실 때마다 아이들하고 지지고 볶으면서 사는 걸 보시고는 부러운 듯이, 자네네 사는 것에 비하면 나 사는 건 반 세상이라네, 라고도 하셨죠. 나는 우리 창환이가 장가 들어 반 세상 살게 하고 싶지가 않았어요. 온 세상을 다 주고 싶었답니다. 암, 온 세상을 주어야 하구말구요. 아들도 같이 살 생각

을 안 했는데 딸하고 같이 살 생각을 꿈에라도 했겠어요. 먹고
살 게 없다면야 또 모르죠. 사람 목숨은 모진 거니까, 나는 절
대로 자식 신세 안 진다는 입바른 소리를 어떻게 하겠어요. 그
이가 다행히 연금을 남겨 줬으니 이런 흰소리라도 할 수 있는
거죠. 그래도 자식들이 말이라도 그렇게 하는 걸 고마운 줄 알
라고요? 네에, 형님 고마울 것까지는 없어도 탄할 생각까지는
안 했는데 그 다음 소리가 맹랑하잖아요. 세상에 에미 가슴에
비수를 꽂아도 분수가 있지, 감히 그런 소리를 어떻게 입 밖에
낼 수가 있을까요? 형님. 전 한 번도 창환이 목숨을 제까짓
것들과 비교하거나 바꿔치기해서 생각한 적 없어요, 맹세코.
아들 딸을 층하하지 않겠다는 지어먹은 마음 따위하곤 달라요.
창환인 전무 후무한 하나뿐인 창환이고 아무하고도 비교할 수
없이 잘났기 때문이에요.

하긴 내 딸 나무래 무엇하겠어요. 내가 창환일 잃고 나서 친
척이고 친구고 멀쩡하게 아들 잘 기른 사람들이 나한테 괜히
미안해하는 거, 나 알아요. 아들 자랑 하다가도 내 앞에선 입
을 다물고, 장가 보낼 때 나한테 청첩장을 보낼까 말까 망설이
고, 내가 행여 즈이들이 부러워 마음 상할까 봐 그런다는 거
알아요. 명애라고, 형님도 아시죠? 우리가 성북동 살 때 아래
윗집 살면서 부추전만 부쳐도 담 너머로 나눠 먹던 제 여고 동
창 말예요. 걔 아들하고 창환이하고도 국민 학교에서 중학교까
지 동창이었다구요. 서로 사는 내막 속속들이 알고 마음이 통
해 숨기는 거 없기는 형님보다 훨씬 가까웠더랬죠. 형님도 물
론 그러시겠지만 시집 쪽 친척은 아무리 촌수가 가까워도 어느
정도 이상은 친해질 수 없는 껍질 같은 걸 가지고 대하게 되더
라구요. 창환이가 그 지경 당하고 나서도 어느 친척도 명애만

큼 놀라고 슬퍼하지 못했을 거예요. 내가 통곡하면 같이 통곡
하고, 펄쩍펄쩍 뛰면 같이 펄쩍펄쩍 뛰고, 내가 몸져누웠을 때
는 하루도 거르지 않고 온갖 죽을 다 쑤어서 날랐죠. 형님도
죽 쒀 온 적 있으시다구요? 꼭 안 듣는 척하시다가도 틀린 말
은 한 마디도 못 참으신다니까, 글쎄. 그런 명애도 즈이 아들
장가 들일 때는 나한테 쉬쉬하더라니까요. 혼인날 딴 동창한테
듣고 알았어요. 식장이 찾기 어려운 변두리 동네 교회라 나한
테 길을 물어 온 동창도 내가 그때까지 모르고 있다는 걸 알고
는 처음에는 안 믿다가 나중에는 자기 생각이 명애에 못 미쳤
노라고 사과를 하면서 제발 모르는 걸로 해 달라나요.

　형님 제가 뭘 잘못했다구 이렇게 손도를 맞습니까? 제가 손
도를 맞는다는 건 창환이의 죽음을 부끄럽게 여기는 게 되거든
요. 그럴 수는 없었어요. 저는 떨치고 일어나 즉시 준비를 하
고 환하게 웃으며 결혼식장으로 달려갔죠. 명애가 어쩔 줄을
몰라했지만 저는 늠름하게 굴었어요. 마음으로부터 축하도 했
구요. 명애 아들이 장가 드는 거 저 정말로 안 부러웠어요. 걔
아들하고 창환이하곤 댈 것도 아니니까요. 껄렁한 대학도 삼수
까지 해서 들어갔고 젊은 애가 야망이 있나 이상이 있나 오로
지 말초 신경만 발달해 가지고 달고 다니는 여자가 맨날 바
뀐다더니 아마 그 중에 하나가 배라도 불러 왔나 봅디다. 부자
도 아닌 집에서 졸업도 하기 전에 서둘러 식을 올린 걸 보면.
그런 녀석이 어떻게 창환이하고 비교가 됩니까? 말도 안 되
지. 그렇다고 형님 제가 남의 잘난 아들을 보면 마음이 아린
줄 아시진 마슈. 우리 친정 조카 얘긴 형님도 종종 들으셨죠.
친정에 번듯하게 출세한 사람 없기는 형님네나 우리 친정이나
마찬가지지만 그래도 전 친정으로 해서 으스대고 싶을 때는 늘

그 장조카 자랑을 하곤 했으니까 형님도 생각나실 거예요. 재학 중에 고시 패스한 애 말예요. 참 우리 집에서 보신 적도 몇 번 있죠. 머리만 좋은 게 아니라 인물도 자알났죠. 그애가 장가 갈 때는 창환이 잃은 지 일 년 안이기도 했지만 글쎄 친정 식구들이 하나같이 이 하나밖에 없는 고모가 오지 말았으면 하는 눈치더라구요. 내 참 아니꼽고 더러워서. 누가 그까짓 판검사를 대수롭게 알 줄 알구. 그 동안 나도 민가협 엄마들 덕에 의식화된 것도 있고 해서 죽은 우리 창환이가 산 법관보다 골백번은 더 잘나 보이더라구요. 그러니 내가 걔 결혼하는 것 보고 꿀리거나 부러울 게 뭐 있겠어요. 더군다나 그 며칠 전엔 민가협 엄마들 따라 민주 투사 공판하는 거 방청하러 가서 말도 안 되는 죄목을 나열하는 법관을 실컷 야유하고 퉤퉤 침까지 뱉고 온 끝인데 그 새파란 법관이 부럽기는커녕 한심해 보입디다. 민가협 엄마들 덕에 언짢은 기색 하나도 안 하고 그날도 고모 노릇을 얼마나 씩씩하게 잘 해냈다구요.

형님, 밍개헵이 아니라 민가협이라니까요. 딴 발음은 똑똑하게 잘 하시면서 그 소리는 왜 그렇게 어눌하게 얼버무리시나 몰라. 형님 일부러 그러시는 거 아녜요? 저하고 그 사람들을 한 묶음으로 능멸하려구요. 아이구 깜짝이야. 그 소리에 뭘 그렇게 화를 내세요? 암만해도 찔리는 데가 있는갑다. 형님 미국 딸네 집에 한 달도 못 있다 오셔 가지고도 밧데리를 꼬박꼬박 배러리라고 하셨잖아요? 그렇게 잘 따라하시는 형님 혀가 민가협 소리를 못 할 리가 없을 것 같아서요. 능멸까지는 안 하신다고 해도 못마땅해서 일부러 그러실 거예요. 아무튼 전 듣기 싫어요. 요다음부터는 그러지 마세요. 별걸 다 갖고 시집살이 시킨다구요? 그러문요, 동서도 시집은 시집이죠. 형님은 뭐 저한테 시집살이 시킨 적 없는 줄 아시우.

형님, 제가 어디까지 말씀드렸죠? 아, 네에, 아들 장가 들일 때 다들 절 따돌리는 것 같다는 얘기였죠. 자격지심이라구요? 그럴지도 모르죠. 따돌리는 것만 아니꼬운 줄 아세요. 너무 잘해 주는 것도 싫어요. 그게 다 한통속이거든요. 형님만 해도 창석이 장가 들일 때 저한테 얼마나 신경을 썼어요. 그 바람에 창석이 처가만 혼났죠. 저한테까지 시어머니하고 똑같은 예단을 해 왔으니 속으로 얼마나 욕을 했겠어요. 시아버지 예단을 안 해도 되니까 작은어머니한테 대신했을 거라고 형님이 아무리 그러셔도 저는 그게 그 집에서 자발적으로 그렇게 한 게 아니라는 거 알아요. 창석이 장가 들 땐 창환이 죽은 지 오 년도 넘었을 텐데도 제가 그렇게 신경이 써지던가요? 폐백 받을 때도 형님은 저를 영감님처럼 곁에 앉히셨죠. 처음에는 쌍과부가 나란히 폐백 받기가 민망해서 사양하다가 좌중의 분위기가 어째 이상하게 가라앉는 것 같아 제가 졌죠. 창환이 생각이 나서 언짢아하고 있는 것처럼 보이기가 싫었어요. 그건 사실이 아니니까요. 저 창석이 장가 갈 때도 조금도 안 부러웠어요. 창환이를 창석이하고 비교하는 마음이 없었으니까요. 그때 형님은 아주버님 안 계신 핑계로 절 부득부득 끌어다 앉히셨지만 아주버님이 계셨더라도 마찬가지였을 거예요. 남들이 처첩을 거느리고 폐백을 받는 줄 알건 말건 상관 안 하고 새며느리한테 저를 시부모와 똑같이 인식시키려 드셨을 테죠. 우리 그이도 아주버님 돌아가신 후 조카들한테 잘하려고 우리 아이들은 뒷전이었던 건 형님도 인정하시죠. 그래 봤댔자 겨우 형제간의 나이 차이만큼밖에 더 못 살았지만서두요. 남의 집 남자들보다 좀 단명한 거 하나가 흠이지 형님이나 저나 중매로 혼인했어도 남편은 잘 만났었다 싶어요. 우리 그이가 회갑도 못 넘기고 세상 뜬 데 대해서도 여한 없어요. 창환이를 앞세우지 않고 자기가 휘딱 앞서 갔으니 참 복도 많다 싶어 부럽다 못해 얄밉기까지 한 걸요. 제가 부러운 건 오직 그이뿐이에요. 자다가도 그이가 부러워 가슴이 저리기 시작한 밤을 홀딱 세우고 말죠. 그러나 그건 남의 산 자식을 부러워하는 것하곤 달라요. 창석이가 나무랄 데 없는 아이라는 건 저도 인정해요. 그러나 우리 창환이하곤 그릇이 다른 걸 비교가 되나요. 부모 속 안 썩이고 명문대학 척척 들어가고, 졸업도 하기 전에 대기업에서 모셔 가고, 윗사람 눈에 얼마나 들었으면 중매까지 서 줘서 좋은 집 규수한테 장가 들고, 형님이 아들 잘 기른 거야 세상이 다 아는 일이죠. 그렇지만 형님, 창석이가 대학 들어간 해가 언제예요? 바로 80년 아녜요. 80년에 대학 들어간 애가 세상이야 어찌 돌아가든 알 바 아니라는 듯이 공부만 팠다는 건, 제 보기에는 인간성이 의심스러워요. 어떻게 그럴 수가 있었을까? 사람이 그러면 못쓴다구요. 우리 창환이도 창석이보다 삼 년 뒤에 같은 대학에 들어갈 때만 해도 창석이처럼 공부밖에 모르는 아이였죠. 그러나 우리 창환이는 캠퍼스의 최루탄 냄새를 괴로워했어요. 그건 창석이도 마찬가지였다구요? 그야 그렇겠죠. 지나가던 사람도 눈물 콧물을 짜면서 펄쩍펄쩍 뛰었으니까요. 창석이는 몸으로 괴로워했을 뿐이지만 우리 창환이는 마음으로 더 많이 괴로워했다구요. 그래요, 우리 창환이가 운동권이 아니었다는 건 형님 말이 맞는지도 몰라요. 에미도 눈치를 못 챘으니까요. 그러나 그걸 누가 단정을 하겠어요. 자식을 겉을 낳지 속까지 낳는 건 아니란 말도 그래서 생겨난 거 아니겠어요. 그런데 그게 왜 그렇게 중요하죠? 말끝마다 형님은 꼭 그 소리를 하시더라, 마치 오금을 박듯이. 이럴 때는 전화로 얘기하고 있다는 게 얼마나 다행인지 몰라요. 아녜요. 전화로 말하면서도 전 형님의 시선을 느껴요. 대단한 비밀을 알고 있는 사람이 그걸 모르는 사람을 바라볼 때의 기분 나쁜 눈길 말예요. 그래봤댔자 우리 창환이가 단순 가담자에 불과할 거라는 것밖에 형님이 저보다 더 알고 있는 게 뭐가 있겠어요. 그게 왜 그렇게 중요하죠? 처음에야 저도 그게 미치게 억울했죠. 그놈의 쇠파이프가 눈이 멀어도 분수가 있지 앞장 선 열렬한 투사들 다 제쳐놓고 하필 우리 창환이었을까, 하구요. 그러나 죽음은 어차피 돌이킬 수 없는 운명인 거 아닌가요? 게다가 철저하게 개개의 것이구. 그게 너무 무서워서 우선 피하고 싶었어요. 우선 개별적인 것에서 피하는 방법은 휩쓸리는 일이었죠. 집단적인 열정 속으로. 형님도 기억하시죠. 우리 창환이의 장엄한 장례식을요. 백만 학도가 창환이를 열사로 떠받들었죠. 형님, 제발 그렇게 말씀하시지 마세요. 젊은이들이 제 몸에다 불을 붙여 시대의 횃불을 삼으려 든 세상이었잖아요? 죽은 목숨을 횃불 삼으려 든 것쯤 아무것도 아니었죠. 형님이나 저나 하도 궁핍한 어린 시절을 보내서 그랬던가, 먹을 것 흔하고 흥청망청 물건 아쉬운 것 모르는 세상만 꿈인가 생신가 좋기만 하던데, 젊은이들 눈엔 세상이 얼마나 깜깜했으면 제 몸으로 불을 밝히려 들었을까요? 중요한 건 창환이가 운동권이었나 아니었나가 아니라 죽음까지 횃불로 삼지 않을 수 없을 만큼 시대가 깜깜했다는 거 아닐까요.

형님, 우리가 참 모진 세상도 살아냈다 싶어요. 어찌 그리 모진 세상이 다 있었을까요? 형님. 그나저나 그 모진 세상을 다 살아내기나 한 걸까요? 형님은 당연히 비웃으시겠지만 세상이 정말 달라졌다면 그 달라지게 한 힘 중엔 우리 창환이 몫도 있다고 생각해요. 그래요, 허튼 소리 같지만 저는 수도 없이 창환이의 부활을 경험했죠. 민가협 엄마들한테 세뇌 받아서 그렇게 됐다는 식으로 말씀하시지 마세요. 누가 누굴 세뇌해요. 그 지경을 당하고도 하루하루를 죽은 목숨처럼 살지 않을 수 있는 유일한 방법이었을 뿐이에요. 6·10 항쟁 때도 형님이 저한테 얼마나 깊은 상처를 입혔는지 모르고 계시죠? 그땐 창환이 죽은 지 얼마 안 돼서이기도 하지만 뭔가 심상치 않은 일이 생길 것 같아 정신을 번쩍 차리고 일어났더니 형님이 뭐랬는 줄 아세요. 자식을 잡아먹고도 데모가 그렇게 좋으냐고 악을 쓰셨죠. 언제는 언제예요, 육십 때라니까요. 형님 제발 육십하구 육이구하구 헷갈리지 좀 마세요. 그걸 어떻게 안 헷갈리느냐구요? 헷갈릴 게 따로 있지 그걸 어떻게 헷갈려요. 전 형님이 육십하고 육이구하고 헷갈리는 거, 사일삼하고 사일구도 분간 못 하는 거, 오일육하고 오일팔이 왔다갔다하는 거, 정말 참을 수가 없어요. 어떤 때는 내 앞에서 일부러 그렇게 시침을 떼는 게 아닐까 싶어지면 형님하고 다시는 상종도 하기가 싫어져요. 그런 날짜는 그렇게 잘 외면서 증조모님 제삿날은 어떻게 그렇게 감쪽같이 까먹었느냐고요? 형님이 그렇게 나오실 줄 알았어요. 오금을 박는 데는 선수이시니까요. 좋아요, 솔직히 말씀드리죠. 증조모님 제사가 저한텐 하나도 안 중요하니까 잊어버릴 수도 있는 거죠, 뭐. 창환이 잃고 나서 저에게 일어난 가장 큰 변화가 뭔 줄 아세요. 그때까지 중요하게 생각해 온 것이 하나도 안 중요해지고, 하나도 안 중요하게 여겨 온 것이 중요해진 거예요. 증조모님 제사도 안 중요해진 것 중의 하나일 뿐이지, 다는 아녜요. 그런 변화엔 저 스스로도 놀랄 수밖에 없었어요. 처음엔 내가 남이 된 것처럼 낯설기까지 했죠. 내가 돈 게 아닌가 싶기도 했구요. 그래서 될 수 있는 대로 남들한테는 예전처럼 굴려고 애썼죠. 창환이 잃고도 여전히 제삿날을 형님보다 먼저 아는 척할 수 있었던 것도 아마 그런 노력의 일환이었을 거예요. 아니면 타성이든지. 형님도 그런 타성은 있잖아요. 제수 차리는 데는 지극 정성이면서 날짜 돌아오는 건 저만 믿고 내 몰라라 하는 습관 말예요.

제삿날 말고 또 안 중요해진 게 뭐가 있느냐고요. 많지요. 이루 말할 수 없이 많지만 과연 형님이 이해하실 수 있으실라나 몰라. 형님을 무시해서가 아니라 제삿날처럼 그렇게 꼭 집에서 말할 수 있는 게 아니기 때문이에요. 이를테면 전엔 남이 나를 어떻게 볼까가 중요했는데 이젠 내가 보고 느끼는 내가 더 중요해요. 남을 위해서 나를 속이기가 싫어요. 무엇보다도 피곤하니까요. 가장 쓰잘데없는 걸로 진 빼기 싫어요. 또 있구 말구요. 그전엔 장만하는 게 중요했는데 이젠 버리는 게 더 중요해요. 형님보담은 좀 덜했지만 저도 물건 욕심이 꽤 있었잖아요. 누구네 집에 가서 예쁜 접시나 찻잔만 봐도 어디 께인가 물어 보고, 역시 다르다고 감탄하고, 눈독 들인 건 기어코 장만하고, 그게 사는 재미였죠. 육십 년대든가, 형님이나 저나 아직 새댁 티가 남아 있을 적 말예요. 그때는 모든 물자가 귀할 때이기도 했지만 우린 사재기 선수였잖아요? 화학솜이 처음 나왔을 땐데 그까짓 화학솜 이불이 뭐가 그렇게 신기했는지 이불계를 모아서 두 집이 한 채씩 그걸 장만했었죠. 그러고 보니 제가 지금 쓰고 있는 자개 장농도 곗돈 타서 장만한 거네요. 갖고 싶은 걸 애써 장만하고 나면 그리 기쁘더니만 지금은 그 모든 것들이 다 짐스러워요. 왜 그게 거기 있을까, 몇십 년 손때 묻은 것들이 뜨악하고 낯설어지기도 하죠. 잠 안 오는 밤이면 주로 하는 짓이 뭔 줄 아세요? 장농이나 찬장 속을 들들 뒤져서 버릴 것을 찾는 거예요. 버릴 것 천지지요, 뭐. 남들은 쓰자니 마땅찮고 버리자니 아까운 거 천지라고 하더니만 전 아까운 게 하나도 없어요. 딸들 눈이 무서워서 한꺼번에 못 버릴 뿐이지요. 또 장농 같은 거야 무슨 수로 버리겠어요. 누굴 주든지 고물상을 부르든지 해야 할 텐데, 그것도 번거롭고 고물상이나 남의 집에 그게 있다는 것도 신경 써질 것 같아요. 그게 혹시 손때가 묻은 것들에 대한 책임감이라면 그것도 소유욕의 일종인지도 모르겠네요. 아무튼 세상에 귀한 거라곤 없으면서 버리기도 쉽지 않은 건, 내 눈 앞에서만 없어지는 게 아니라 아주 없어지길 바라기 때문이에요. 가끔 아궁이가 있는 집이라면 패 땔 수도 있을 텐데 하는 생각도 해 보죠. 그것도 생각뿐이지 요즈음 물건들은 그렇게 쉽게 재도 안 되는 것들이 잖아요. 생때 같은 목숨도 하루아침에 간 데 없는 세상에 물건들의 목숨은 왜 그렇게 질긴지, 물건들이 미운 건 아마 그 질김 때문일 거예요. 생각만 해도 타지도 썩지도 않을 물건들한테 치어 죽을 것처럼 숨이 답답해지네요. 죽는 건 하나도 안 무서운데 죽을 것 같은 느낌은 왜 그렇게 싫은지 모르겠어요.

내가 물건이 싫으니까 남에게도 물건을 선물한 적이 없어요. 물론 창환이 잃고 난 후에 생긴 새 버릇이지만서두요. 그전에야 형님도 아시다시피, 친정이나 시댁 어른들 생신이나, 조카들 손주뻘 되는 아이들의 혼사나 돌잔치 등 무슨 날이 돌아올 때마다 뭘 선물할까가 즐거운 고민이었죠. 돈을 절약하기 위해서이기도 하지만 두고두고 지니게 하고 싶은 욕심으로 저는 친척이나 친구들의 기념할 만한 날 돈으로 부주를 한 적이 거의 없었죠. 마땅한 물건이 잘 떠오르지 않을 때는 손수 재봉틀을 돌려 옷가지나 소품을 만들어서 선물을 장만하기도 해서 형님한테 알뜰이 지나치다는 눈총도 꽤 맞았을 걸요. 그러면서도 형님은 그런 제 손재주를 은근히 부러워하셨죠. 실상 그건 손재주만 갖고 되는 노릇이 아니라 눈썰미와 상대방에 대한 관심이 있어야 되거들랑요. 요샌 그런 짓 안 해요. 거의 다 돈으로 해결하죠. 꼭 뭘 사 가지고 가야 할 데는 먹을 걸 사가요. 외식으로 때우든지. 물건으로 나를 생각나게 만들고 싶진 않아요. 물건으로 남을 짓누르는 것 같아 안 하고 싶어요. 그렇다고 뭘 주고 싶은 사람이 아주 없는 건 아니죠. 오랫동안 예쁘게 연애하다가 결혼한 신혼 부부가 인사를 왔다든지, 친구가 미국 사는 자식을 따라 아주 이민을 떠난다든지 할 때는 뭔가 주고 싶어져요. 그래도 물건은 아녜요. 호화로운 식사를 한 끼 사죠. 즐거웠던 기억이 물건보다는 속절없으니까요.

그런 특별한 경우가 아니더라도 전에는 어떡허면 같은 돈이라도 낯나게 쓰나가 중요했었는데 지금은 안 그래요. 흐지부지 쓰는 게 훨씬 더 중요해요. 낯나게 쓴다는 게 뭔가요? 남에게 잊혀지지 않을 만한 부담감을 주는 거 아닌가요? 그러기 싫어요. 같이 차 마시고 나서 찻값을 내는 거, 몇이서 택시를 같이 탔을 때 택시값을 혼자서 내는 것 따위가 흐지부지 쓰는 건데 바보같아 보이기 십상이지 누구 하나 고마워하지 않는 씀씀이죠. 그렇지만 차 한잔씩 마시고 나서 서로 눈치 보는 그 짧은 동안이 싫어요. 일상의 바퀴가 삐그덕 소리를 내면서 잘 안 구르는 것 같은 느낌이 들거든요. 흐지부지 쓴다는 건 바퀴에 기름을 치는 행위에 다름아니죠. 그러잖아도 하루하루 살기가 힘이 들어 죽겠어요. 조금이라도 덜 힘들 수 있는 방법이 있는데도 힘들일 거 뭐 있어요. 일상의 바퀴에 기름을 치는 일은 하나도 표가 안 나서 남들은 낭비라고 생각하지만 나에겐 여간 중요한 씀씀이가 아니고, 물론 안 아까워요. 창숙이 창희는 그런 나를 여간 못마땅해하지 않아요. 낭비벽이 있다고 생각하나 봐요. 그냥 놔뒀다가는 살림 다 들어먹을 것 같은지 즈이들 버는 돈도 나를 안 갖다 주고 즈이끼리 저금도 붓고 해서 아마 상당히 모았을 거예요. 밥값은 내죠, 밥값도 안 내놓고 제 낭탁만 할 아이들도 아니구요. 스크립터, 디자이너, 이런 직업을 형님은 좀 우습게 보시는 것 같지만 얼마나 고소득이라구요. 걔네들 내는 밥값만 가지고도 나 하나 얹혀살 만해요. 연금은 흐지부지 쓰기에 부족함이 없구요.

형님이 무슨 권리로 혀까지 차시면서 못마땅해하세요? 하긴 하루하루를 살기가 무거운 수레를 끄는 것처럼 힘들다는 걸 형님이 아실 리가 없죠. 저도 창환이를 잃기 전까지는 저절로 살아졌어요. 세월이 유수 같았죠. 한참 자라는 아이나 달력을 보지 않고서는 세월이 빠르다는 걸 느낄 겨를이나 어디 있었나요. 너무 빨라 거스르고 싶었나 봐요. 젊어 보인다는 소리 듣는 게 제일 기분이 좋았으니까요. 지금은 아네요. 젊어졌다는 소리도, 좋아졌다는 소리도 꼭 욕같이 들려요. 그렇다고 늙어 보인다거나 야위었다는 소리를 듣고 싶은 것도 아네요. 그런 소리 들으면 내가 하루하루를 얼마나 힘들게 보내고 있다는 걸 들킨 것 같아서 기분이 안 좋아요. 왜 우리 나라 사람들은 만나면 젊어졌다 좋아졌다, 아니면 어디 아팠느냐, 못쓰게 됐다는 식으로 남의 신체를 가지고 들먹이는 인사를 그렇게 좋아하는지 모르겠어요.

전에는 중요하던 게 지금은 하나도 안 중요해진 게 또 뭐가 있냐구요? 형님이야말로 왜 안 하던 짓을 하실까? 전혀 귀담아 들으실 것 같지 않은 얘기에 관심을 보이시니 말예요. 전에는 형체가 있어 눈에 보이는 것만 중요한 줄 알았는데 그 후엔 아니었어요. 눈에 안 보이는 걸 온종일 좇을 적도 있어요. 아녜요. 육체와 영혼의 문제가 아니라구요. 그건 나한테는 너무 거창해요. 장미꽃과 향기의 문제예요. 장미꽃은 저기 있는데 향기는 온 방 안에 있다. 향기는 도대체 어떤 모양으로 존재하는 걸까? 고작 그 정도예요. 우리 집 행운목이 올해 꽃을 피웠잖아요. 꽃모양이나 빛감이 볼품 없어서 핀 줄도 몰랐어요. 어느 날 집에 들어서니까 온 집안이 향기로 가득 차 있더군요. 현기증이 날 정도였어요. 꽃향기 때문에 질식도 할 수 있다는 게 실감이 되더군요. 그 향기가 좋았단 얘기는 아녜요. 물건은 분명히 하난데 두 가지 방법으로 존재할 수도 있다는 문제에 며칠 동안 몰입할 수가 있었죠. 알아요, 꽃이 지면 향기도 없어진다는 거, 근데 그 소릴 왜 그렇게 야멸차게 하시죠? 접때는 창숙이가 쇠꼬리를 하나 통째로 사왔습디다. 몇 번에 나눠서 과먹으라는 거예요. 나 누린 음식 싫어하는 거 번연히 알면서 무슨 심산지, 에미 꼴이 꼭 바스라질 것처럼 기름기가 없이 남부끄럽다고 창희년까지 옆에서 거들고 나서더군요. 싸가지가 없어도 분수가 있지, 에미더러 제년들 체면 세워 주도록 피둥피둥하란 소린지 뭔지. 탄하기도 싫어서 하라는 대로 큰 스텐통에다 넣고 고기 시작했죠. 물도 넉넉히 부었고, 바닥이 이중이라나 삼중이라나, 아무튼 두껍게 특수 처리한 스텐통이라기에 믿거라 하고 온종일 고아 댔더니 그만 바싹 태워 버렸지 뭐예요. 성의가 없어서라고요? 맞는 말씀이에요. 제 몸 보하자고 성의가 날 에미가 어딨겠어요. 고약한 냄새가 진동을 할 때서야 겨우 불 위에 뭘 올려놓았다는 걸 깨달았으니까요. 그놈의 꼬린지 뭔지 숯뎅이가 되니까 바싹 오그라붙어 얼마 되지도 않던데 냄새는 왜 그렇게 지독한지, 온 집안에 가득 차서 아이들한테 안 태운 척 속여먹을 수도 없이 만들지 뭐예요. 꼬리는 오그라붙은 게 아니라 팽창을 한 거였어요. 숯뎅이는 즉시 없앴지만 고약한 냄새는 달포도 넘어 가더라구요. 구석구석 그 냄새가 안 스민 데가 없어요. 요새도 돌아누우려면 그 냄새가 혹 끼칠 때가 있는 걸 보면 베갯잇 사이에도 끼어 있나 봐요. 꼬리 제까짓 게 뭐라고 숯뎅이 아닌 다른 무엇이 되어 남아 있는 걸까요? 형님. 꼬리를 태워먹은 건 하나도 안 아까우면서 다른 무엇이 되었길래 이렇게 오래 남아 있는 것일까, 가 궁금한 정도가 아니라 마냥 집착하게 돼요.

형님, 그렇다고 제가 그까짓 꽃이나 꼬리 따위에서 사람의 정신과 유사한 걸 찾고 있다고 생각하진 마세요. 일종의 습관일 뿐이에요. 밖에 나갔다가 집에 들어왔을 때 열쇠로 문을 따고 들어가야 할 때와 안에서 창숙이나 창희가 열어 줄 때가 있잖아요? 안에서 맞아 줄 사람이 있을 때가 없을 때보다 좋은 게 인지상정이련만 전 그 반대예요. 그들의 마중을 받으면 창환이의 빈자리가 왜 그렇게 크게 느껴지는지, 나도 모르게 무너져 내리듯이 밖에서 꾸민 나를 포기해 버리죠. 그러나 열쇠로 문을 따고 빈집에 들어섰을 때는 딴판이에요. 창환아, 에미 왔다. 그렇게 활기 넘치는 소리로 말을 걸며 들어가는 거예요. 핸드백을 내던지면서도 옷을 벗으면서도 냉장고에서 찬물을 꺼내 벌컥벌컥 들이마시면서도 연방 말을 시키죠. 그럴 때는 집 구석구석이 창환이로 가득 차는 거예요. 내가 그애 안에 있다는 걸 실감하죠. 어느 쪽이 진짜 나인지 모르겠어요. 걔가, 생때같은 내 아들이 어느 날 갑자기 없어졌다는 걸 어떻게 믿을 수가 있겠어요. 형님, 우리가 참 모진 세상도 살아냈다 싶어요. 어찌 그리 모진 세상이 다 있었을까요? 형님, 그나저나 그 모진 세상을 다 살아내기나 한 걸까요?

여지껏 꿋꿋하게 잘 버티기에 그냥저냥 극복한 줄 알았더니 이제 와서 웬 약한 소리냐구요? 형님 보시기에도 제가 그렇게 아무렇지도 않아 보입디까? 아무렇지 않지 않은 사람이 아무렇지도 않아 보였다면 그게 얼마나 눈물겨운 노력의 결과였는지는 한번도 생각해 본 적 없으시죠. 형님도 아마 은하계란 말은 들어 보셨을 거예요. 그렇지만 그 크기나, 우주엔 우리 태양계가 속한 은하계 말고도 얼마나 많은 은하가 있고, 앞으로도 자꾸 발견될 거라는 건 저만큼 모르실 걸요. 그렇게 단정을 하면 혹시 일제 시대에 여고 입학한 걸 요새 서울 대학 들어간 것보다 더 높이 평가하시고 자랑스러워하시는 형님한테는 모욕적일지도 모르지만서두요. 느닷없이 웬 은하계냐구요? 제가 너무 견딜 수 없을 때 외는 주문이 바로 은하계로부터 시작하기 때문이죠.

은하계는 태양계를 포함한 무수한 항성과 별의 무리. 태양계의 초점인 태양과 지구 사이의 거리는 빛으로 약 500초, 태양계의 가장 바깥쪽을 도는 명왕성은 태양에서 빛으로 약 다섯 시간 반. 그러나 은하계의 지름은 약 10만 광년, 태양은 은하계의 중심에서 3만 광년이나 떨어진 변두리의 항성에 불과함. 광년은 초속 30만 킬로미터의 빛이 일 년 동안 쉬지 않고 갈 수 있는 거리의 단위. 그러나 은하계가 곧 무한은 아님. 우주에는 우리 은하계 말고도 다른 은하가 허다하게 존재하니까. 우리 은하계에서 가장 가까운 은하의 거리가 200만 광년. 10억 광년인 은하도 있는데 초속 몇 만 킬로미터의 속도로 계속 멀어져 가고 있으니 우주라는 무한은 무한히 팽창하고 있는 중. 광년은 빛이 일 년 동안 쉬지 않고 갈 수 있는 거리의 단위, 9조 4천 670킬로미터.

대강 이 정도가 제 주문의 요지예요. 그걸 다 어디서 주워들었느냐고요? 집에 굴러다니는 『소년 우주 과학』인가 하는 책에서 본 거예요. 아이들이 어려서 보던 꽤 낡은 책이니까 정확하지 않을 수도 있어요. 제가 틀리게 외고 있는 부분이 있을 수도 있구요. 틀려 봤댔자죠, 뭐. 100만 광년이나 10억 광년이나 어차피 제 상상력이 미칠 수 있는 한계 밖의 수치니까요. 정확도가 문제가 아니라, 그런 천문학적 단위는 우리가 사는 지구를 망망한 바닷가의 모래알만도 못하게 극소화시키는 효과는 그만이에요. 그 모래알에 붙어 사는 인간의 운명이나 수명 따위도 덩달아서 아무것도 아닌 게 되죠. 이제 아시겠어요? 그 소리가 왜 저한테 주문이 되는지. 잠시 동안이라도 제 태산같은 설움이 안개의 입자처럼 미소하고 하염없어져요. 이젠 뜻같은 건 생각할 필요도 없어요. 정확도 같은 건 더구나 문제도 안 되고요. 그 소리만 일단 달달달 외고 나면 조건 반사처럼 나른하고도 감미로운 허무감에 잠기게 되거든요. 형님, 그 동안 제가 그렇게 살았다우. 주문이 계속해서 효과가 있었더라면 형님한테 가르쳐 드리지도 않았을 거예요. 글쎄 그 주문 가지고도 도저히 안 될 때가 있더라구요. 안 듣는 주문이 돼 버렸으니까 가르쳐 드린 거예요.

한 열흘 됐나. 명애가요, 아까도 얘기한 제 제일 친한 동창 명애 말예요. 명애가 저더러 같이 문병 갈 데가 있다는 거예요. 얘기를 들어 보니 내가 꼭 가 봐야 할 데가 아닌 거 같아

내키지가 않았어요. 같은 동창이지만 나하고는 전혀 안 친했고 졸업하고 나서도 우연히 만난 적도 없는 친구고, 아픈 사람도 그 친구가 아니라 그의 아들이라는데 제가 불쑥 뭣하러 가겠어요. 싫다고 했더니 명애가 꼬시는 말이 창환이 장례 때 와 준 친구라는 거였어요. 저는 속으로 우리 창환이야 온 국민의 애도 속에 보낸 아인데 그 친구도 온 국민 중의 한 사람이었을 테지 뭐 특별한가 싶으면서도 마음이 움직이더라구요. 그래서 그 아들이 어디가 어떻게 아픈지 자세한 건 묻지도 않고 그냥 따라나섰어요. 참 생명이 위독한 병이냐고는 물어 봤군요. 명애 대답이 어째 이상했어요. 그러면 오죽이나 좋겠니? 글쎄 그러지 뭐예요. 그때 자세한 걸 캐물었어야 하는 건데 남의 자식 목숨에 대해 어떻게 저렇게 말할 수가 있을까, 울컥 치미는 명애에 대한 불쾌감 때문에 암말도 안 하고 말았어요. 명애는 오지랖도 넓지 어떻게 이렇게 멀리 사는 친구집 우환까지 찾아다니며 챙겼을까 싶게 그 집은 같은 서울이면서 하룻길이었어요. 저희 집은 강남의 동쪽 끝이고 그 집은 강북의 서쪽 끝이었으니까요. 아직도 이런 동네가 남아 있었구나 싶게 골목이 좁고 꼬불탕한 허름한 동네였죠. 와 본 적이 있다는 명애도 몇 번씩이나 길을 잘못 들어 헤맨 끝에 겨우 당도했으니까요. 친구는 병든 아들과 단둘이 살고 있었어요. 병든 아들이 막내고 형과 누나는 다들 혼인해서 번듯이 살고 있다고 해요. 병이 보통 병이 아니었어요. 몇 년 전에 차 사고로 뇌와 척추를 다치고 나서 하반신 마비에다 치매까지 된 거였어요. 뺑소니 운전사한테 치어서 오랫동안 방치됐었는데도 숨은 안 넘어갔었나 봐요. 가족한테 알려지고 난 후에야 최선의 치료를 다했겠지요. 가산도 그때 탕진했다니까요. 오랜 병구완 끝이라 그러하

겠지만 이 친구가 정말 우리 동창일까? 믿어지지 않을 만큼
파파할머니가 돼 있더라구요. 더군다나 한번도 안 친했던 동창
의 모습을 그 노파한테서 떠올리는 건 불가능했어요. 역시 오
는 게 아니었다는 생각 먼저 들더군요. 친구는 우리를 보고 반
기지도 놀라지도 않고, 늘상 드나드는 동네 사람 대하듯 했어
요. 그의 아들도 나이를 짐작할 수가 없었어요. 누워 있는 뼈
대로 봐서는 기골이 장대한 청년이었음직한데 살이 푸석푸석하
게 찌고, 또 표정도 근육이 씰룩거리고 있다는 것밖에는 상식
적인 희노애락하고는 동떨어진 거여서 마주 보기가 민망했어
요.
　아이구 이 웬수, 저놈의 대천지 웬수, 친구는 아들을 이름대
신 그렇게 부르더군요. 그 밖에도 말끝마다 욕이 주줄이 달렸
어요. 오죽 악에 받치면 저럴까, 지옥이 따로 없다는 생각이
들었어요. 우리가 사 간 깡통 파인애플을 아들의 입에 처넣어
주면서도 이 웬수야, 어서 처먹고 뎌져라, 이런 식이었으니까
요. 저한테도 내처 늘 보던 이웃 사람 대하듯 하다가 문득 알
은 체를 하면서 한다는 소리가, 흥 죽는 것보다 더 못한 꼴 보
러 왔구나, 였어요. 저는 울컥 모욕감을 느꼈지만 그 친구한테
는 아뭇소리도 못 했어요. 게서 더한 소리를 할 권리라도 있는
것처럼 겁나게 황폐해 보였으니까요. 그 친구보다는 명애한테
더 유감이 있어서이기도 했구요. 그 집에 들어설 때부터 어렴
풋이 짐작이 된 거긴 하지만 명애가 날 왜 거기까지 데리고 왔
는지가 마침내 분명해지더군요. 즈네들 아들 경사가 있을 때
마다 내가 부러워할 것 같아 쉬쉬 초대하기를 꺼리던 것과 정
반대의 이유로 그 집 모자의 비참한 꼴을 보여 주고자 한 거였
어요. 죽는 것보다 못한 경우를 보고 위로받아라, 이거겠죠.

인간성 중 가장 천박한 급소죠. 그 급소만은 드러내 보이고 싶지 않았기 때문에 남의 아무리 잘나고 건강한 아들을 보고도 부러워하지 않는 것으로 미리 보호막을 친 거였는데. 딴 친구도 아닌 명애가 나를 그렇게 취급하다니, 정말 견딜 수 없는 기분이었어요. 그래도 그쯤해서 그 집을 물러났더라면 또 모르죠. 은하계 주문 대신 그 집 아들을 떠올리는 것으로 위로받을 수 있었을지도요.

아들에게 파인애플을 세 조각이나 먹이고 난 친구는 우리가 보는 앞에서 아들이 깔고 있는 널찍한 요 위에서 아들을 공기를 굴리듯이 굴리기 시작했어요. 정말이지 믿을 수 없을 만큼 신기한 묘기였어요. 욕창이 생길까 봐 하루에도 몇 번씩 그 짓을 한다나 봐요. 엎어 뉘었다가, 바로 뉘었다가, 모로 뉘었다가, 그 장대한 아들을 자유 자재로 굴리면서 바닥에 닿았던 부분을 맛사지하는데, 그 동안도 잠시도 쉬지 않고 입을 놀리는 거였어요.

아이고 이 웬수덩어리는 무겁기도 해라. 천근이야, 천근. 근심이 있나 걱정이 있나, 주는 대로 처먹고, 잘 삭이고 잘 싸니 무거울 수밖에. 내가 이 웬수덩어리 때문에 제명에 못 죽지 못 죽어, 이 웬수야. 니가 내 앞에서 뒈져야지 내가 널 두고 뒈져봐라, 나도 눈을 돗 감겠지만 니 신세가 뭐가 되나. 사지나 멀쩡해야 빌어먹기라도 하지, 아이고, 하느님, 전생에 무슨 죄가 많아 이 꼴을 보게 하십니까?

이러면서 병자를 요리조리 굴리고 주무르는데 그 말라빠진 노파가 어디서 그런 기운이 나는지, 거짓말 안 보태고 꼭 공기돌 갖고 놀 듯 하더라니까요. 아이들 말짝으로 환상적이었어요. 우리는 그저 넋을 잃고 바라보기만 하다가 명애가 먼저 아이, 참 하면서 손을 내밀어 거들려고 했죠. 나도 덩달아 환자를 뒤집는 일을 도우려고 손을 내밀었구요. 그러나 웬걸요. 우리의 손이 몸에 닿자마자 환자가 이상한 괴성을 질렀어요. 여지껏 흐리멍텅 공허하게 열려 있던 환자의 눈이 성난 짐승처럼 난폭해지더군요. 얼마나 놀랐는지요. 손끝이 오그라붙는 것 같았어요. 그의 흐리멍텅한 눈은 신뢰와 평안감의 극치였던 거였죠. 그때 비로소 악담밖에 안 남은 것 같은 친구 얼굴에서 씩씩하고도 부드러운 자애를 읽었죠. 아이구 이 웬수덩어리가 또 효도하네, 하는 친구의 말로 미루어 어머니 외에 아무도 그를 못 만지게 한 게 한두 번이 아닌가 봐요.

저는 별안간 그 친구가 부러워서 어쩔 줄을 몰랐어요. 남의 아들이 아무리 잘나고 출세했어도 부러워한 적이 없는 제가 말예요. 인물이나 출세나 건강이나 그런 것 말고 다만 볼 수 있고, 만질 수 있고, 느낄 수 있는 생명의 실체가 그렇게 부럽더라구요. 세상에 어쩌면 그렇게 견딜 수 없는 질투가 다 있을까요? 형님. 날카로운 삼지창 같은 게 가슴 한가운데를 깊이 훑어 내리는 것 같았어요. 너무 아프고 쓰라려 울음이 복받치더군요. 여기서 울면 안 돼. 나는 황급히 은하계 주문을 외려고 했죠. 소용이 없었어요. 은하계 그까짓 거 아무것도 아니더라구요. 저는 드디어 울음이 복받치는 대로 저를 내맡겼죠. 제가 그렇게 많은 눈물을 참고 있었을 줄은 저도 미처 몰랐어요. 대성 통곡, 방성 대곡보다 더 큰 울음이었으니까요. 제 막혔던 울음이 터지자 그까짓 은하계쯤 검부락지처럼 떠내려가더라구요. 은하계가 무한대건 검부락지건 다 인간의 인식 안에서의 일이지, 제까짓 게 인간 없이는 있으나마나 한 거 아니겠어요. 그 집에서 그렇게 울어 버리니까 명애도 그 친구도 기가 막힐

밖에요. 동정이 지나치다고 생각했나 봐요. 친구는 자기를 그렇게까지 불쌍해할 것 없다고 화를 내더군요. 명애는 아니었어요. 명애는 제 속을 어느 만큼은 읽어 낸 것 같았어요. 우리 사이엔 우정이라는 게 있었으니까요. 잘못했다고 사과를 하더군요. 그날 말구 며칠이나 그랬어요. 잘못한 거 하나도 없는데.

전 그 울음을 통해 기를 쓰고 꾸민 자신으로부터 비로소 놓여난 것 같은 해방감을 느꼈어요. 그리고 나서 요 며칠 동안은 울고 싶을 때 우는 낙으로 살고 있죠. 그러느라고 증조모님 제삿날도 깜박했을 거예요. 은하계도 떠내려가는 판에 한 번 뵙지도 못한 시댁 조상 제삿날이 남아났겠어요. 이제부터 울고 싶을 때 울면서 살 거예요. 떠내려갈 거 있으면 다 떠내려가라죠, 뭐. 아무렇지도 않은 것처럼 꾸미는 짓도 안 할 거구요. 생때같은 아들이 어느 날 갑자기 이 세상에서 소멸했어요. 그 바람에 전 졸지에 장한 어머니가 됐구요. 그게 어떻게 아무렇지도 않은 일이 될 수가 있답니까. 어찌 그리 독한 세상이 다 있었을까요. 네? 형님. 그나저나 그 독한 세상을 우리가 다 살아내기나 한 걸까요? 혹시 그놈의 것의 꼬리라도 어디 한 토막 남아 숨어 있으면 어쩌나 의심해 본 적, 형님은 없죠? 형님 뭐라고 말씀 좀 해 보세요. 아니, 형님 지금 울고 계신 거 아뉴? 형님, 절더러는 어찌 살라고 세상에, 형님이 우신대요? 형님은 어디까지나 절벽 같아야 해요. 형님은 언제나 저에게 통곡의 벽이었으니까요. 울음을 참고 살 때도 통곡의 벽은 있어야만 했어요. 통곡의 벽이 우는 법이 세상에 어디 있대요.

피어라 수선화

공선옥

공선옥

孔善玉

1963년 전남 곡성 출생.
1991년 중편 「씨앗불」 창작과 비평에 발표.
1992년 단편 「목숨」 창작과 비평에 발표.
1993년 단편 「목마른 계절」 창작과 비평에, 「흰달」 실천문학에,
        「피어라 수선화」 상상에 발표. 장편 『오지리에 두고온 서른 살』
        삼신각에서 출간.
1994년 단편 「우리 생애의 꽃」 문학사상에 발표.

피어라 수선화

　죽임을 꿈꾸었던 적이 있었다. 다시 말해서 살인을 생각했었다. 그랬다. 일곱 살 어린 나이에 나는 벌써 나 아닌 다른 사람을 죽여 버리고 싶은 강한 열망에 며칠 낮밤을 시달려야 했다. 살인의 대상은 누구였던가. 곰곰이 생각해 보자. 일곱 살 유년 시절부터 서른 살 지금에 이르기까지 나는 수도 없이 많은 사람을 내 마음 속에서 혹은 죽이고 혹은 죽여 버리고 싶어하며 살아왔다. 그러므로 생각해 봐야 한다. 맨 처음 죽여 버리고 싶을 만큼 내게 증오의 감정을 심어 준 사람이 누구였는가를.

　내가 왜 지금 이런 이야기를 하는가. 글 첫머리부터 괴이스럽기 짝이 없는 '죽음' 운운, '살인' 운운 하는 것인가. 그것은 나중에, 그 나중이 이 글을 쓰는 도중이 되든 그렇지 않든 간에 나중에, 나중에 알아보기로 하자. 대신 우선은 어차피 첫머리부터 '죽임' 운운 했으니 얼마간까지는 그 죽임과 살인 운운하는 그 대목에 유의해 보자.

이제 생각난다. 내가 맨 처음 죽여 버리고 싶었던 사람은 나의 큰어머니였다. 내 아버지의 형수되는 사람.

아버지는 큰집 사람들 몰래 큰집의 논문서를 저당 잡혀 도시로 나가 사업을 벌였다가 실패를 보고 실패의 끝에 병을 얻어 병원에 입원해 있었다. 영심이, 내가 일곱 살, 금심이, 동생이 다섯 살 때였다. 어머니는 아버지의 병수발을 위해 도시 병원에 가 있었고 나와 내 동생 금심이는 큰집에 얹혀 지내게 되었다. 때는 동짓달, 초겨울이었다. 졸지에 부모 없는 신세가 되어 버린 우리 자매가 노는 곳은 주로 큰집 뒤안이었다. 큰집 뒤안은 돌담을 따라 감나무가 빽빽했고 햇볕이 잘 들었다. 추수가 끝난 지 얼마 되지 않아서 뒤안에는 그 해 가을에 수확한 온갖 곡식들과 곡식을 털어 내고 남은 쭉정이들이 빼곡이 쌓여 있었다. 노적가리 옆에는 짚가리가 산더미만 했고 콩 뒤주 옆에는 콩대가, 고구마 뒤주 옆에는 고구마대가, 수숫가리 옆에는 수숫대가, 각각의 쓸모를 기다리며 쟁여져 있었던 것이다. 우리는 거기서 주로 숨바꼭질을 하거나 해바라기를 했고, 숨바꼭질을 하고 해바라기를 하다 배가 고파지면 고구마 뒤주 안에서 고구마를, 무움 속에서 무를 꺼내 씹어 먹었고 배가 불러 오면 햇볕을 받아 따뜻해진 노적가리에 몸을 기대고 앉아 골마리를 까고 이를 잡았다.

지금 그때 찍은 담뱃갑만한 크기의 누런 사진(사진 밑부분에는 무엇을 기념하는지는 모르지만 하여간에 '영심이 금심이 기념'이라고 적혀 있다)이 하나 남아 있는데 사진을 보면 나는 지금도 맨코를 훌쩍거린다. 왜냐하면 우리는 그때 수시로 풍선만한 콧물을 코밑에 달고 다녔으니까. 하여간에 풍선만한 콧물을 코밑에 달고 간헐적으로 그 콧물을 불었다 꺼뜨렸다 하며 나와 내 동생, 금심이는 언니 순심이가 학교에서 돌아올 때까지 골마리를 까고 이 잡는 놀이를 계속하였다. 해가 뉘엿뉘엿 넘어가고 땅거미가 내려서 더는 살찐 이조차 보이지 않을 때까지. 언니, 순심이는 늘 학교에서 늦게 돌아왔다. 삼학년인 순심이는 공부를 못해서 학교에 남아 그날 못 쓴 받아쓰기를 다 하고 와야 했기 때문이다. 큰집 대철이 오빠는 공부를 잘해서 학교가 파하면 즉각으로 왔는데 대철이 오빠가 부엌 부뚜막에서 밥을 먹으며 이를 잡고 처량스럽게 앉아 있는 우리를 보고 말했다.

"느이 순심이는 오늘 세 대나 맞았어야. 느이들은 인자 어쩔래. 느이 순심이는 학교에서 맨날맨날 매 맞고 느이들은 이나 잡고."

오빠는 처량한 몰골의 우리를 어두운 부엌에서 뒤안으로 난 샛문을 통해 내다보며 억장이 무너지게 음울한 목소리로 말했다. 정말로 오빠는 우리가 걱정스러운 인생들이라고 했다. 나와 금심이는 이를 잡는 척 골마리 속으로 고개를 푹 꺾고 닭똥 같은 눈물을 뜨겁게 떨구었다. 그 언니는 학교에 다녀 봤자 공부 못해 매나 맞고 그 동생들은 골마리 까고 이나 잡고.

오빠는 몰랐을 것이다. 그 해 겨울, 해가 설핏하니 기우는 오후, 서늘한 바람을 뚫고 비껴 들어오는 햇빛을 마주하고 노적가리에 등을 기댄 다섯 살, 일곱 살의 사촌누이 둘이 억장 무너지게 흐느꼈던 사실을. 왜 그리 슬프게 울어야만 했던가. 햇빛은 따스하고, 우리는 아무런 고통도 없었는데도. 아버지가 큰집 논문서를 팔아 먹었든 어쨌든, 아버지가 병들어 죽게 생겼든 어쨌든 우리는 아직 아무것도 몰랐다. 아니, 상상할 수 있는 나이가 아니었다. 논문서가 상징하는 것, 논문서를 울 아버지가 팔아 먹었다는 것, 그것이 큰집과 우리 집에 미칠 영향에 대하여. 그리고 죽음이라는 것. 우리는 몰랐다. 상상할 수 없었다. 우리는 그냥 살았다. 엄마, 아버지가 없으므로 피붙이인 큰집에서 큰엄마가 해 주는 밥 먹고 잠 오면 자고 심심하면 놀고 골마리가 가려우면 이 잡고. 우리는 행복한지 어쩐지도 모르고 행복했다. 지금 생각하니 참으로 우스운 일이다. 그때 만약 아버지가 죽었다고 하자. 그렇다면 과연 우리는 아버지의 죽음에 얼마나 슬픈 감정을 가질 수 있었을까. 아니, 도대체 슬픈 감정이나 가질 수 있을 것인가. 그것이 슬픈 감정인지 어쩐지도 모르고 우리는 울 것이다. 엄마가 울고 언니가 울고 주위 사람들이 울므로, 그들의 울음이 주는 본능적인 공포로. 완전한 깨복쟁이는 아니므로 아버지 초상날 떡 들고 좋아라 하지는 않을 것이다. 저도 뭔가 느낌은 있어서 울기는 울 것이다.

하여간에 일곱 살 영심이와 다섯 살 금심이는 억장이 무너지는 어떤 느낌 때문에 울었고 제 동생들이 저 때문에 울었는지 어쨌는지도 모르는 순심이가 오니, 그도 또 제 형제라고 대문 밖에서 언니 소리가 나자 부모 없는 아이들 특유의 응집성으로 '순심아아' 하고 언니한테 달려갔다. 언니는 공부 못하는 시골 계집아이들 누구나 그러하듯이, 공부는 못해도 유리 따먹기나 시루핀 따먹기는 잘해서 책보를 큰집 마루에 던져 놓고 마을 회관 앞 공터로 달려나갔다. 언니가 달려나가자 우리도 놓칠세라 달렸다. 뒤처진 금심이가 울면서 쫓아왔다. 시루핀 따먹기에 눈이 뒤집힌 속없는 순심이는 줄행랑을 놓고 나는 또 하루

종일 내 곁에 붙어 산 지겨운 금심이를 걸려야만 했다.

"순심이 어디 간지 앙께 괜찮해야. 눈물 뚝이다이."

금심이는 눈물을 억지로 삼키느라 딸꾹질을 하며 나를 따랐다. 우리가 마을 회관 앞 공터에 다다랐을 때 언니는 이미 까맣게 윤나는 시루핀이 주렁주렁한 치마꼴(옷핀)을 앞가슴 가득 달고 시루핀 따먹기에 여념이 없었다. 동그라미를 그리고 좀 떨어진 금 쳐진 데 서서 시루핀을 동그라미 쪽으로 휘익 던져 동그라미 안에 든 것은 차지하고 나머지 동그라미 밖에 널려진 것들을 누가 기술적으로 동그라미 안으로 잘 튕겨 넣느냐에 따라서 그날의 시루핀 수확량이 달라지는 것이었다. 어둠과 한기가 으실으실 내리도록 계집아이들은 곱은 손가락을 입김으로 녹여 가며 시루핀들을 따먹었다. 시루핀 따먹기는 그래도 고급 놀이에 속한 것이어서 그도 없는 아이들은 사금파리 따먹기를 하였고 사금파리 따먹기 놀이조차도 할 줄 모르는(손가락을 교묘하게 튕겨서 동그라미 안으로 무엇인가를 넣는 그 기술을 나와 내 동생은 아직 습득하지 못했다) 우리는 언니의 가슴팍 치마꼴에 까맣고 윤나는 시루핀이 들어오고 나가는 것을 손에 땀을 쥐고 쳐다보았다. 시루핀을 많이 잃은 날은 내가 언니한테 신경질을 부렸다. 신경질이 나서 언니 머리끄덩이를 잡고 마구 울었다. 그러면 언니도 신경질이 나서 내 등짝을 후려쳤다. 마침 나와 언니가 싸우는 모습을 누군가 지나가면서 보고는 말릴 생각은 않고 천하 태평으로 노래를 하며 갔다. 이제 생각하니, 우리 마을을 통과해서 가는 윗마을에 사는 술고래, 국민 학교 이 선생이었다.

"순심이 영심이 그음시이미 심심 산천에 백도라지이……."

언니가 시루핀을 많이 딴 날은 나는 공연히 행복해져서 미소를 머금고 언니 옆에 가만히 있었다. 그런 날은 지나가면서 보는 사람들이 아무 노래도 부르지 않고 갔다. 술고래 이 선생도 그냥 갔다.

시루편 따먹기를 하러 마을 회관에 갈 때와는 다르게 큰집으로 돌아올 때는 언니가 우리를 앞장 세웠다.

"야, 큰엄마 지금 뭣허고 있능가 보고 와라이."

큰집 대문 앞에 서서 언니는 우리를 먼저 큰집 안으로 들여보냈다. 큰엄마가 무엇을 하는지 우리가 알아보기 전에 큰엄마는 우리가 무얼 하는지 알아보았다. 큰엄마는 부엌에서 구정물통을 보듬어 안고 외양간 쇠죽솥으로 달음질치며 대문에 가려 보이지도 않는 언니를 불렀다.

"순심아아, 숟구락 놔라아."

순심이 언니는 비호같이 부엌으로 내달렸다. 어린 나와 금심이는 언니가 밥상에 숟가락을 놓는 부엌 바닥에 오물오물 앉아 저녁밥을 기다렸다.

할아버지와 큰아버지와 사촌 오빠들이 한 상을 받았고 큰엄마와 순심이와 영심이와 금심이가 한 상에서 밥을 먹었다. 그날은 큰집에 먼 데서 오신 손님이 있어서 여자들은 부엌에서 밥을 먹었다. 부엌 바닥에 앉아 있자니 자꾸만 땔감으로 쓰는 솔가리가 궁둥이를 쑤셨다. 그래서 나는 궁둥이를 긁적거렸는데 큰엄마는 그것이 순전히 내 몸 속의 이 때문이라고 단정짓고는 앉은 자리에서 내 깨를 벗겼다. 큰엄마는 부엌문을 잠그고 무쇠솥에서 김이 펄펄 오르는 물 한 바가지를 퍼다가 찌그러진 세숫대야 속으로 나와 물을 동시에 담았다.

나는 지금도 말할 수 있다. 그토록이나 적은 양의 물로, 그토록이나 뜨거운 물로, 그토록이나 아픈 목욕을 나는 해 보았다고. 일곱 살 그 해 겨울 저녁에.

목욕을 하고 나니 몸이 새털같이 가뿐해졌다. 목욕을 하고
난 뒤에 미처 못 먹은 밥을 마저 먹으려고 솔가리 덤불에 앉았
는데 솔가리가 내 궁둥이를 쑤시지 않았다. 그래서 나는 헷갈
리고 말았다. 아까 내 궁둥이가 가려웠던 게 솔가리 때문이었
는지, 이 때문이었는지, 그러나 이 때문에 가려운 게 아니었다
고 분명하게 말할 수 있는 것이 솔가리가 내 궁둥이를 정말로
콕콕 쑤셨던 것을 나는 확실하게 기억하는 것이다. 이가 스멀
스멀 기어가는 가려움과 솔가리가 콕콕 쑤시는 가려움의 차이
를 체험해 보지 않은 사람은 아마 모를 것이다. 그러나 나는
분명 그것을 체험했던 것인데, 웬 조화 속인지 목욕을 하고 나
니, 그놈의 솔가리가, 금방까지도 궁둥이를 콕콕 쑤셔 대던 솔
가리가 딱하니 '콕콕 쑤시지'를 않는 것이었다.

무슨 얘기를 하려고 이토록이나 장황한 유년의 추억을 더듬
고 있는가. 그렇다. 나는 지금 내가 맨 처음 살의의 유혹을 느
꼈던 때가 언제라는 것을 말하고 싶은 것이다. 그리고 그 대상
은 누구였으며 왜 그를 죽이고 싶었던가. 왜 나는 별로 유쾌
하지 못한 '죽음' 그것도 괴기스러운 '죽임' 다시 말해서 끔찍
하다면 끔찍한 '살인'에 대하여 이야기하고자 하는가. 그 이유
는 무엇인가? 무엇을 말하려 함인가. 나도 아직은 모른다. 내
가 왜 아득한 저 유년의 기억까지 동원하여 끔찍한 '살의의 유
혹'에 대하여 이야기하고자 하는가의 이유를. 그러나 나는 지
금 말하고 싶다. 정말 '말하고' 싶다. 말하고 싶은데 말은 못
하니, 이렇게 글로 쓴다. 조곤조곤 이야기하듯 쓴다. 나는 그
랬노라고. 세상에, 그 계집아이가 그랬노라고. 누군들 상상할

수 있겠는가. 일곱 살 조고맣고 초롱한 아이의 가슴에도 누군가를 향한 맹렬한 적개심이 타오를 수 있으며 그 적개심은 급기야 날 선 칼이 될 수도 있다는 사실을. 콩당콩당 앙증맞게 요동치는 일곱 살 가슴속에 태산만한 애증의 감정이 파도칠 수 있다는 것을.

이제 또다시 나, 영심이의 유년의 뜰로 들어가 보자. 무엇을 말하고자 하든지 간에.

그토록이나 적은 양의 물로, 그토록이나 뜨거운 물로, 그토록이나 짧은 목욕이나마 목욕을 하고 나니, 내 몸은 새털처럼 가뿐해졌다. 솔가리 위에 앉아도 목욕을 하고 난 내 몸을 솔가리가 쑤시지 않았고 짚덤불 위에 앉아도 짚덤불이 목욕을 하고 난 내 궁둥이를 간지럽히지 않았다. 이튿날 나와 금심이는 여느 때와 마찬가지로 큰집 뒤안의 노적가리 옆 짚더미 옆에서 숨바꼭질을 하고, 해바라기를 하고 놀았다. 어제 목욕을 하고 새옷을 입은 관계로 내 몸에 이가 박멸된 상태에 있었으므로 그 날은 이 잡는 놀이를 할 수 없었고 그래서 다른 날보다 조금은 더 심심했던 것 같다. 겨울 하늘은 푸르렀고 푸른 하늘로 비행기가 흰 포물선을 그리며 날아갔다. 비행기가 그리는 하얀 포물선을 하염없이 바라보고 있던 바로 그 순간이었을 것이다. 심심하던 차, 갑자기 내 머릿속에 정말로 가슴 뛰는 '놀이' 한 가지가 떠올라 온 것은.

그랬다. 나는 '불놀이'를 하고 싶었다. 계집애들에게는 금지된 장난 그것, 불놀이. 왜 비행기의 하얀 포물선을 보고 나는 갑자기 불놀이를 하고 싶은 강렬한 충동을 느꼈던 것일까. 비행기가 그리는 포물선을 보고 나는 아마 연상 작용을 일으켰는지도 모르겠다. 흰 포물선을 연기로, 연기를 피워 올릴 수 있는 방법은 불을 때는 것으로. 금심이와 나는 산더미만한 짚가리 속에서 한 줌의 지푸라기를 꺼냈다. 금심이는 순전히 내가 시키는 대로 했다. 나는 담담하게 노란 지푸라기 한 줌을 짚가리 속에서 빼내 금심이가 빼 온 한 줌과 한곳에 모두었다. 짚을 빼낼 때와 마찬가지로 성냥을 가지러 큰집 부엌으로 들어갈 때도 나는 담담하게 갔다. 성냥은 눈을 감고 찾아도 찾을 수 있게 늘 부뚜막 위에 있다는 것을 나는 알고 있었다. 나는 성냥통을 담담히 들고 금심이가 쪼그려 앉은 한 줌의 지푸라기 앞으로 갔다. 성냥을 그었다. 밝은 햇빛 아래 성냥 불꽃은 눈에 보이지 않게 타올랐다. 이윽고 지푸라기에 불이 붙었다. 나와 금심이는 공중으로 올라가는 불꽃을 처연하게 바라보았다. 불꽃은 자꾸 하늘로, 하늘로 올라갔다. 나는 투명하게 공중으로 올라가는 불꽃을 넋을 놓고 바라보았다. 마냥 바라보았다. 그래서 불이 나고 있는 줄도 몰랐다. 어떤 희열의 감정이 내 전신을 간지럽히듯 휘감아 오고 있었다. 나는 불이 나는 것을 내버려 두었다. 그것은 일곱 살 내 힘으로는 이미 어떻게 해 볼 수 없을 만큼 집채만한 불길이었기 때문이다. 불 끄기를 체념한 그 순간에 전신을 휘감아 오던 희열의 감정도 불길 밑으로 허물어져 내리는 짚더미처럼 사그라져 버렸다. 희열의 감정이 빠져 나간 그 자리에 공포의 감정이 불길보다 맹렬한 기세로 마녀의 혓바닥처럼 나를 핥아 대고 있었다. 무서운 현실이 벌어져 버렸던 것이다. 나는 냅다 뛰었다. 금심이가 '영찌마' 하고 울부짖든 말든 좌우간 나는 뛰고 볼 일이라는 듯 불이 난 현장을 내버려 두고 큰집 안마당으로 뛰어나갔다. 내가 숨은 곳은 변소였다. 숨자고 들어간 것은 아니었다. 나는 정말로 뒤안에서 불이 나는 그 순간에 맹렬하게 오줌이 마려웠던 것

이다. 오줌을 누러 들어간 변소길이 이상하게 진정한 내 의도
와는 다르게, 숨어든 꼴이 되어 버렸단 것을 변소간에 들어오
고 나서도 한참 지난 뒤에 나는 서서히 깨달아 갔다. 결코 지
금 나가서는 안 된다는 것을, 공포스런 불길이 타고 있는 그
순간에는 아무리 내 사랑하는 동생 금심이가 '엉찌마아, 엉찌
마아' 해싸도 나가서는 안 된다는 것을. 그 순간에 내가 거대
한 불길 앞에 근심 걱정 없이 떠억하니 나가게 된다면 나는 아
마 여태까지 할딱거리던 숨이 딱 멎어 버릴 것만 같아서 도저
히 나갈 수가 없었던 것이다. 사람들이 오기 전까지는 그랬다.
변소간에 앉아서 듣건대, 금심이는 사지를 부들부들 떨면서 울
고 있는 것 같았다. 금심이가 부들부들 떨며 내는 울음소리를
나는 변소간에 쭈그리고 앉아 부들부들 떨면서 들었다. 이윽고
사람들이 뒤안으로 몰려가는 소리가 났다. '불이야아 부우우
을' 하는 사람들의 목소리도 부들부들 떨며 내는 소리임이 분
명했다. 누군가 변소 입구 벽에 걸린 쇠스랑을 나꿔채서 뒤안
으로 내달렸다. 쇠스랑을 나꿔채 가는 누군가가 변소간에 쭈그
리고 앉은 내게, 조만간에 또 다른 누군가는 쇠스랑이 아니라
나를 나꿔채 가서 나꿔채 간 그 즉시 불구덩이 속에 나를 처박
아 버릴지도 모르겠다는 위기 의식을 일깨워 주었다. 어디로
숨는다지? 두리번거렸다. 바로 그때 눈에 띄는 것이 있었다.
씨암탉 한 마리가 알을 낳으려고 '달걀걀'거리며 변소간 옆 헛
간 천장에 매달린 둥우리 속으로 뛰어 올라가고 있었던 것
이다. 닭 저야, 주인집에 불이 나건 말건 신경 안 쓰고 저 할
일만 해도 누가 뭐라는 사람 없는 동물일 뿐인 것이다. 아니,
오히려 주인집에 무슨 일 났다고 제 할 일 제쳐두고 주인집의
'무슨 일'에 신경이라도 쓰게 된다면 닭 저는 틀림없이 주인뿐

아니라 사람들 누구한테서나 발길질 당하는 신세를 면하지 못할 것이다. 신경질 돋친 욕설과 함께.

"재수가 없을라니, 암것도 모르는 달구 새끼까지 지랄이야."

사람들은 그 순간 내가 나가면 나를 '암것도 모르는 달구 새끼' 취급은 안 할 것이었다. 왜냐하면 나는 사람 새끼이고, 더군다나 그 순간의 나는 불을 내고 도망친 '범인'이 아니던가. 어떤 범인이 되었던 간에 사람들은 일단 범인을 잡으면 그냥 놓아줘 버리지는 않는다는 것을 나는 알고 있었다. 내가 기억하는 범인만 해도 몇 명인가. 당숙모 집 암소를 훔쳐 가다 붙잡힌 범인, 남의 집 대나무밭에서 대를 베어 내 팔아먹은 범인, 남의 대나무를 팔아 생긴 돈을 품속에 숨겨 가지고 오다, 그 돈이 남의 대나무 팔아 숨긴 돈임도 알아내 버린 영기 아버지가 아까 쇠스랑 나꿔채 간 사람임이 분명한 이상, 지금 나가면 나는 틀림없이 무시무시한 '범인'이 되어 사람들로부터 단도리를 당할 것임이 분명했다.

나는 씨암탉이 알을 낳기 위해 밑알 한 개가 놓여 있는 알둥우리 위로 점프했던 것과 똑같이 헛간 시렁 위 채반 위로 점프했다. 이듬해에 쓸 요량으로 얹어 둔 누에 채반 위로 둥실 올라앉은 나는 누에섶으로 몸을 가리고 알 낳는 닭처럼 나도 가만히 있었다. 변소 입구에 문 대신 쳐 놓은 가마니떼기 틈새로 보이는 바깥의 밝음 속을 사람들이 쿵쿵 내달리는 것을 나는 가만히 앉아서 헤아렸다. 저건 영기 아버지 발자국 소리, 저건 당숙 거, 저건 바보 태식이 거, 저건, 저건······.

어둠 속에서 듣는 밝은 세상의 소리들은 선명하고도 또렷하였다. 알을 낳는 닭도 바깥 소리가 심상치 않다고 느꼈던지 눈알을 뚜릿뚜릿 하였다. 이윽고 불이 다 꺼졌는지 사람들이 허어 참 어쩌고 해싸며 대문 밖으로 나가는 소리가 들렸다. 사람들이 나가는 꽁무니에, 내가 가장 두려워하고 있는 한 사람의 목소리가 났다.

"참말로 욕보셨소들."

큰엄마 소리였다. 닭이 마지막 안간힘을 쓰는 듯 꽁지를 잔뜩 오그리고 눈알에 힘을 주고 있었다. 누에가 고치집을 지을 때 그러는 것처럼 나도 내 사지를 더 이상 오그릴 수 없을 만큼 오그렸다. 그때 누군가 변소 거적때기를 확 들추고 변소 안으로 쓰윽 들어섰다. 바보 태식이었다. 그는 당숙집 머슴이었는데 일곱 살 내가 볼 때는 스무 살 어른인데도 늘 어린애들하고만 논대서 우리는 그를 만만하게 취급했고 어쩌다 바보야 해도 히잉하고 웃어서 그 뒤로는 마음놓고 어이 바보, 어이 태식이, 하고 불러 오던 터였다. 바보 태식이는 똥통에다 오줌을 누지 않고 두엄더미에다 오줌을 누었다. 나는 태식이가 들어올 때부터 이미 각오를 하고 있었다. 들키지 않으면 다행이고 만약 들키게 된다면 모종의 협상을 할 마음의 준비까지 해 놓았다.

"나 여기 있단 것 안 알리면 나중에 여기 나가서 다시는 어이 태식이 안 할 거여. 다시는 어이 안 하고 아재애 할 거여."

그러면 태식이는 역시 바보답게 '그말 진짜제?' 하고 내 진짜 같은 거짓 협상에 넘어가 줄 것이었다. 그러나 태식이는 아직 나를 발견하지 못한 모양이었다. 드디어 마지막 안간힘을 쓰던 닭이 김이 모락모락하는 알을 낳아 놓고 '꼬꼬댁 꼬꼬댁', 둥지를 박차고 뛰어내렸다. 느닷없는 꼬꼬댁 소리에 오줌을 누던 태식이 흠찔 놀라며 닭 둥우리 쪽으로 고개를 홱 쳐들었다. 오그린 몸에서 고개만 쳐들었던 나도 홱 고개를 꺾었다.

불을 낸 '범인'은 그날 캄캄한 변소간에서 또 다른 '범인'을 발견하였다. 오줌을 다 눈 태식이는 바로 나가지 않고 닭 둥우리 쪽으로 살짝이 다가오고 있었다. 나를 발견한 모양이지. 그래 좋다. 잡을 테면 잡아 봐라. 태식이의 시커먼 손이 서서히 위쪽으로 뻗어 올라왔다. 내 조그만 몸뚱이가 태식이의 우악스런 손아귀에 덥석 붙잡힐 일만 남았다. 그런데 이상했다. 태식이의 손이 나와 한 뼘 정도의 사이를 두고 있는 닭 둥우리 속으로 쓰윽 들어가는 것이었다. 태식이는 이제 마악 나온 새 달걀을 재빨리 품속에 감추고 냅다 뛰어나가는 것이었다. 나는 그 순간에 나도 모르게 내 나이에 어울리지 않는 욕설을 뇌까렸다.

"씨벌눔. 내가 여기서 나가는 날에 너는 내 밥이다."

달걀 도둑 태식이도 나가고 소화 작업이 끝난 큰집은 괴괴하였다. 밝은 겨울 햇살 아래 큰 기와집은 말할 수 없이 적막하였다. 불을 끄느라 소란스러울 때 엄습해 오던 공포와는 또 다른 공포가 그 적막 속에서 왔다. 금심이의 울음소리가 그 적막을 갈랐기 때문이다. 드디어 내 공포의 실체였던 '범인에 대한 단도리질'이 시작되었기 때문이다.

"요런 망할 것, 성이 불 내잔다고 불을 내? 성이 죽으라믄 죽을래?"

내 동생, 금심이의 찢어지는 울음소리.

"니 에미, 애비가 없다고 큰어메가 느그들한테 뭣을 서운케 허던. 무슨 억하 심정이냐고들. 애비는 형집의 논문서 팔아묵고 느그들은 큰집이 태워묵을라고 작당들을 허냐? 애비 자식들이 작당들을 혀?"

찢어지는 내 가슴. 불끈 쥐어지는 내 작은 주먹. 치가 떨리는 내 작은 입술.

누군가가 내게 '인생'을 이야기해 온다면 나는 말할 수 있을
것이다. 당신이 진정 인생을 아느냐고. 나는 일곱 살 그 해 겨
울, 캄캄한 변소간 속에서 우리 인생에서 일컬어질 수 있는 모
든 것을 다 알아 버렸노라고. 사랑도 미움도 기쁨도 슬픔도 나
는 그 순간에 다 알아차려 버렸노라고. 심지어 살의의 유혹을
물리치는 방법까지도.

나는 뛰쳐나갔어야 했다. 나가서 내 동생을 큰엄마의 매질로
부터 구해 내야만 했다. 힘에 부쳐서 구할 수 없으면 다시 불
을 질러서라도 불쌍한 금심이를, 억울한 금심이를 살려 내야만
했다. 그런데 나는 가만히 있었다. 뛰쳐나가고 싶었다. 비호같
이 뛰쳐나가서 "큰엄마, 나쁜 년" 하고 고래고래 악을 쓰고 싶
었다. 온 마당을 데굴데굴 구르고 동네 사람들의 구경거리가
된대도 무서워할 것 없이 나는 당장이라도 뛰쳐나가면 그렇게
할 수 있을 계집애였다. 그렇게 빤들빤들하고 숭악한 계집애
였다, 나는. 하지만 가만히 있었다. 그리고 기다렸다. 하 세월
을 기다렸다. 큰엄마의 매질이 끝나기를, 그래서 금심이의 찢
어지는 울음도 그치기를 모두모두 끝나고 모두모두 그치고 나
면 내 마음속의 불길도 가라앉으리라. 희한하게도 나는, 방금
전 분명히 불놀이를 하고 그도 넘어서 불까지 낸 계집애였는데
도 불구하고 또다시 그놈의 불놀이가 하고 싶었다. 마음놓고
확확 불을 질러 대고 싶은 내 욕망, 이제는 짚벼늘이 아니라
넓은 들판에 나가, 드넓은 광야에 나가 가슴 벅차오르게, 그야
말로 불꽃 놀이를 하고 싶었다. 그래서 나는 기다렸다. 지금
당장 나가면 나는 동생이 겪는 단도리 못지 않은 단도리를 당

할 것이고 그러다 보면 그 누구도 숭악한 계집애의 숭악한 행동을 제지할 사람이 없을 것이고, 누군가가 제지하려는 그 순간에 이제는 큰집의 짚벼늘이 아니라 큰집 자체에 이미 불이 붙고 있을 것이다. 불상사, 그렇다. 그것은 틀림없는 불상사다. 불상사를 예방하기 위하여 나는 스스로를 다독였다. 금심이의 찢어지는 울음소리는 귀를 막아도 소용없이 계속 들려 오고 있었다. 밝디나 밝은 그 해 초겨울 한낮이었다.

이제 그다지 유쾌할 것이 없는 내 유년의 추억으로부터 잠시 걸어 나와 보자. 그리고 저 소리를 들어 보자. 갈근갈근 내 귀를 갉아먹듯이 들려 오는 저 소리. 소리는 쓰윽싹 쓰윽 싹 하다가 찌익찍 지익 찍 하기도 한다. 누가 내는 소리인지 나는 안다. 그애는 소년이라기보다는 청년에 더 가까운 나이이고 모습을 했다. 나는 그애하고는 바로 벽 하나를 사이에 두고 옆집에 살고 있지만 아직 한 번도 그애하고 말을 나눈 적이 없고 단지 그애의 어머니되는 사람하고만 몇 번 인사를 나눈 적이 있다. 날마다 나는 밤도 늦은 새벽에 그애의 어머니가 일 나갔다 들어오는 소리를 듣는다. 그리고 가끔씩 나는 밤도 늦은 새벽에 일 나갔다 들어오는 그애의 어머니와 그애가 다투는 소리를 듣는다. 듣고 싶지 않아도 들리는 다투는 소리 때문에 나는 잠을 깬다. 그리고 듣고 싶지 않아도 듣는다.

"야아 씨발눔아(처음에 나는 어떻게 어미가 자식에게 그런 쌍소리를 아무렇지도 않게 내뱉을 수 있는지 경악을 금치 못했는데 나중에는 귀에 익숙해져서 듣는 내가 아무렇지 않은 것이었다), 아무리 씨 다른 동생이라고 어떻게 니놈 배만 채우고 동생이야 굶어 뒈지든지 말든지 잠을 퍼 잘 수 있냐 응?"

"어디서 이상한 년을 낳아 갖고 와서 왜 나를 못 살게 굴어. 왜 저애만 싸고 돌아. 엄마가 정말 내 엄마야? 나는 엄마 자식이 아니고 저애만 엄마 자식이야?"

격렬했던 여자의 목소리가 차악 갈앉으며 조근조근하게,

"생각해 봐라, 이 씨발눔아. 너는 그래도 니 배가 울면 니 손으로 챙겨 먹을 수 있지만 쟈는 아직 어리잖냐. 지 밥 지가 챙겨 먹을 줄 모르니 불쌍하잖냐."

"으으윽."

소년도 아니고 청년도 아닌 사람이 내는 뭐라고 표현하기 어려운 단말마의 외마디. 그리고 정적. 정적 속에 달그락거리는 그릇 소리. 계집아이 깨우는 소리. 방금 전 싸움이 있었다고는 도저히 믿어지지 않는 평화로운 숟가락 부딪치는 소리. 가족의 참담한 야식(夜食) 소리.

그애의 어머니가 무슨 일을 하는지 나는 구체적으로 모르지만 짐작은 하고 있다. 왜냐하면 날이 저물어 내가 일터에서 돌아오는 그 시간대에 그애의 어머니는 곱다기보다는, 내가 마주보기에 거북살스러울 정도로 야한 화장을 하고 나가는 것을 늘 보아 왔기 때문이다. 옆집의 그 여자는 일 나가기 전에 늘 그녀의 어린 딸에게 초코파이 두 개와 요구르트 하나를 들려 주고 집을 나서곤 한다. 아이는 오빠가 학교에서 돌아올 때까지 달기가 이루 말할 수 없는 초코파이를 조금씩 뜯어 먹으며 제 집 문 앞에 앉아 있었다. 옆집에 사는 이웃된 도리로 그 조고만 계집아이가 안돼 보여서 하루는 그애를 우리 집에 불러 저녁을 먹이고 있을 때였다. 초인종 소리가 나서 나가 보니 계집아이의 오빠인 그애가 제 동생을 불러 냈다. 제 동생에게 밥을 먹이고 있는 이웃 아줌마인 내게는 눈길 한번 주지 않은 채.

계집아이는 오빠의 부릅뜬 눈초리에 기가 질렸는지 먹던 밥숟 가락을 얼른 놓고 제 오빠를 따라 제 집으로 들어가는 것이 었다. 이윽고 얼마 안 있어 계집아이의 자지러지는 울음소리가 났고 그럴 이유도 없건만 나는 계집아이의 울음소리가 나자 이 상하게 화가 났다. 그래서 옆집으로 달려갔다. 문은 잠겨 있지 않았다.

"이봐 학생, 동생은 잘못한 거 없어. 내가, 이 아줌마가 심심 해서 동생 불러다가 아줌마 밥 먹을 때 같이 먹은 것뿐이야. 그리고 어린 동생을 그렇게 울리면 쓰겠어?"

소년이랄 수도 없고 그렇다고 청년이랄 수도 없는 공고(工 高) 3학년에 다닌다는 그애가 멀뚱히 나를 쳐다보고 있었다. 그 뒤로는 눈물이 얼룩진 조그만 계집아이의 애처로운 눈이. 나는 뭐라고 더 말을 하고 싶었으나 말이 나오질 않는 것이 었다. 멀뚱한 그 눈빛은 사람을 질리게 하는 데가 분명히 있 었다. 나는 제풀에 질려서 도망치듯 옆집을 나와 버렸다. 다행 히 계집아이의 울음소리는 더 이상 들려 오지 않았다.

"그 에미에 그 자식이라더니, 옆집 여자 자식 하나는 우습게 키워 놨네."

그 뒤로는 어쩐지 그애와 마주치는 게 싫었다. 물론 아침 일 찍 일 나가서 날이 저물어 집에 돌아와 씻고 밥 먹고 자는 일 도 벅차서 그애를 마주칠 수 있는 기회는 그리 많지 않았다.

토요일 오후였다. 모처럼 잔업 없이 오전에 일을 끝내고 일 찌감치 집에 돌아와 피곤한 몸을 방바닥에 누이고 한정 없이 누워 있었다. 깜빡 잠이 들었다가 옆집의 투닥거리는 소리에 눈이 떠졌다.

"뭐야? 이 개자식. 니가 우리 선생님이야? 나가, 당장에 나가."

소년도 아니고 청년도 아닌 공고생의 목소리.

"야이, 씨발놈아. 시험 치고 오랬드니 시험은 안 보고 와서 왜 니 에미를 긁아먹냐 왜."

그애의 어머니인 그 여자 소리. 누군가 뛰어나가는 소리. 계집아이의 압빠아 하고 부르는 소리.

집에 들어올 때 계집애가 예의 달기가 이루 말할 수 없는 초코파이를 한정 없이 뜯어먹고 있길래 그 여자가 오늘은 좀 빨리 나갔나 보다라고만 생각했는데 여자는 어린 딸을 집 밖으로 내 보내고 사내를 들였던 모양이었다.

귀를 기울이지 않아도 얇은 블록 벽 너머의 옆집 소리들은 또렷하게 들려 왔다.

"내 전기 이론 기능사 시험 문제지도 저 새끼가 빼내 줬지. 맞지?"

"알면서 왜 물어. 맞다. 그 작자가 니 애비 돼 준다고 하드라. 자식이 시험 본다는데 애비가 시험 문제지 좀 빼줬대서 뭐가 잘못이냐? 다아 저 좋고 너 좋고 에미 좋으라고 하는 짓이지."

"그 새끼 우리 학교에서 바람둥이 선생인지 엄마가 알아 몰라?"

"그러든지 말든지, 지가 나 사랑하는데 뭐가 문제란 말이냐?"

"으으윽."

그 일이 있고 난 며칠 뒤부터였을 것이다. 저 소리, 쓰윽싹 찌익찍거리는 소리가 들려 오기 시작한 것은. 그리고 보니 소리가 나기 시작한 때부터는 모자간의 다투는 소리도 뜸해졌다.

오랜만에 옆집에 평화가 왔다. 그러나 옆집에 평화가 온 때와 동시에 지금 이 글을 쓰는 이 영심이한테는 불안과 공포의 날들이 시작되었다.

무엇을 말하고자 함이었는가. 사실 진작에 밝혔어야 했다. 그다지 유쾌할 것 없는 유년의 기억을 인용할 것도 없이 지금의 나, 지금의 내가 느끼고 있는 살의의 정체, 또는 대상이 누구인가를 나는 말해야만 했는데 자신이 없었다. 부끄러웠다. 무엇이 부끄러운가. 그리고 무엇보다 나는 정말로 불안하고 공포스러웠다. 무엇이 불안하고 왜 공포스럽다는 말인가. 지금 이 부분에서 나는 말해야만 한다. 그러나, 그러나 아직도 나는 용기가 없다. 없다.

그래서 또 딴 이야기를 좀 해야겠다. 그애, 소년도 아니고 청년도 아닌 공고생 얘기를 조금만 더 하자.

소리가 났다. 쓰윽싹 쓰윽 싹 찌익찍 찌익 찍. 그러다가 딱 멈출 때가 있다. 일 나갔던 그애의 어머니인 그 여자가 돌아올 때쯤 소리는 멈추는 것이다. 처음 하루 이틀은 무심히 들었다. 소리가 나기 시작한 지 사흘째 되는 날부터였을 것이다. 얇은 블록 벽을 넘어 들려 오는 소리를 들으며 나는 죽음을 떠올렸다. 피비린내 나는 누군가의 죽음. 입에 담기도 무시무시한 그 말, 살인.

'칼' 가는 소리. 누군가는 이미 얼마 안 있어서 저 칼에 의한 죽음이 예정되어 있는 것이다. 그 누군가가 누구인가.

떠오르는 생각 하나가 있었다. 얼마 전, 토요일에 있었던 싸움 말이다. 실제로 저 섬뜩하게 날 선 칼소리는 그 싸움이 있고 난 다음부터 나기 시작했고 지금의 저 섬뜩한 칼소리는 그 싸움과 결코 무관하지 않으리라는 생각, 또는 심증이 갔다. 그렇다면 그애는 '그애 어머니인 그 여자가 제 아들의 선생님인 사내가 빼내 준 전기 이론 기능사 시험지를 그 여자의 아들인 그애에게 들려서 전기 이론 기능사 시험장에 내보내고 제 선생님이 빼내 준 것도 모르고 그리고 가장 중요한 시험지 빼돌려 준 그 선생님이 제 어머니와 연애 중임을 모르고 어떻게 빼돌렸는지는 모르지만 제 어머니가 빼돌려 준 시험지(물론 정답이 표시되어 있는)가 있었음에도 웬일인지 시험을 보지 않고 일찍 집으로 돌아와 버린 그애. 그리고 그애와 마주친 시험지 빼내 준 선생님. 제 어머니와 연애 중인 선생님. 그애의 어머니가 자기를 사랑한다고 말했던 남자. 그애의 씨 다른 어린 동생이 압빠아 해도 뒤도 안 돌아보고 내빼던 그 남자.' 바로 그 남자를 향한 증오의 칼에 날을 세우고 있는지도 모른다는 생각.

조만간에 나는 조간 신문 사회면에서 일 단짜리로나마 이런 기사를 보게 될지도 모른다는 생각.

'어머니의 정부 살해한 고교생 김 아무개 군 구속. 구랍 0시 30분 모 공업 고등 학교 3학년 김 아무개 군이 어머니와 정을 통해 온 자신의 담임 교사 박 아무개 씨를 흉기로 찔러 숨지게 했다. 김 군은 평소 이혼한 어머니의 문란한 사생활로 인하여 정신적인 갈등과 우울 증세를 보여 온 것으로 알려졌다.'

그리고 또 하나의 생각. 정말 무시무시한 생각 하나. 그애는 어쩌면 제 어머니의 정부를 죽이려는 게 아니고 제 어머니를 죽이려는지도 모른다. 지금까지의 모자간의 싸우는 소리들만으로도 그애가 얼마나 제 어머니를 미워하고 있는지는 짐작할 수 있다. 소년도 아니고 청년도 아닌 그 나이, 그 나이가 무서운 나이다. 혹자는 내 생각을 두고 벼락 맞을 사람이라고 욕을 할

지도 모르지만 나는 그애가 제 어머니를 충분히 죽일 수도 있다고 생각한다. 제 속에서 만들어 이 세상에 내보낸 목숨으로부터 제 목숨을 빼앗기는 일이 있을 수 있다. 정말 그럴 수도 있다.

나는 오늘도 그애를 보았다. 평소 때도 그애를 보면 늘 무엇인가 섬뜩한 느낌이 들어서 일부러 눈길을 딴 데다 두고 지나치곤 했는데 요새 밤마다 들려 오는 그놈의 쓰윽쓱 하는 '칼'가는 소리 때문에라도 그애하고 마주치자 나는 얼른 고개를 돌리고 총총히 그애 옆을 지나쳤다. 그런데 사지를 잔뜩 옹송거리고 총총히 걸어가는 내 뒤통수 쪽이 자꾸만 당기는 것 같은 느낌이 들었다. 그래서 홈찔 뒤를 돌아보았다. 그애도 홈찔 하는 것 같았다. 그것은 분명했다. 내가 홈찔하며 그애 쪽으로 고개를 돌리기 전까지 그애는 내 뒷모양을 집요하게 주시했던 것이 분명했다. 찬기운이 확 끼쳐 왔다. 그렇다면, 그렇다면. 그렇다. 표적은 내가 생각했던 그 사람들이 아닐지도 모른다. 표적은 바로 나, 옆집 사는 아줌마, 이영심이일지도 모른다. 이유는 무엇인가. 내가 저 아이에게 죽임을 당해야만 하는 이유는 무엇인가. 내가 이유를 모르듯 그애도 이유 같은 건 없을지도 모른다. 또다시 누군가에게 벼락 맞을 소리라고 욕을 먹을지도 모르지만 나는 안다. 이유 없이도 사람을 사람이 죽여 버릴 수도 있다는 것을.

어쨌든 나는 총총히 걸어갔다. 나는 무척 배가 고팠다. 늦은 귀가를 해서 보면 집에 나를 기다려 줄 아무도 없다는 사실도 더욱 나를 배고프게 한다. 달그락거리며 늦은 저녁을 지어 먹을 힘도 내게는 없다. 그래서 늘 라면이다. 그 라면 하나를 사러 가는 길에 하필이면 또한 라면을 사 들고 오는 그애와 마주

친 것이다. 내 뒤에서 누가 부른다.

"아줌마."

라면을 내민다. 손, 날카로운 금속이 할퀸 자국이 분명한 상처.

"괜찮아, 나도 라면 사 올 건데."

"가게 문 닫혔어요."

"그래? 그러면 할 수 없지 뭐. 그냥 굶어야지."

그애가 웃는다. 일그러지게. 음침하고 섬뜩하게.

"아줌마, 날마다 굶기 아니면 라면만 먹어서 아줌마 애기가 견디겠어요?"

나는 고개를 수그린다. 내 눈이 멎는 곳. 박바가지만하게 솟아오른 내 아랫배. 나는 황급히 그애가 내민 라면을 받아든다. 되도록이면 그애의 피멍울 든 손가락과 닿지 않으려고 애쓰며.

나는 예비 살인자가 내민 그 라면을 먹지 않고 미련 없이 쓰레기통에 버렸다.

왜 이제사 애기를 하는가. 이 글이 소설이라면 단편 분량이나 될까 말까 한 글을 쓰며 왜 이리도 헤매고 있는가. 그것은 고의다. 나는 진작에 말했어야 했다. 나야말로 '살인'을 꿈꾸고 있는 중이라고. 이 글이 애초의 계획과는 달리 전혀 별개의 이야기들 몇 개로 나뉘어져 버린 이유도 나야말로 살인을 꿈꾸고 있는 중이라고 선뜻 밝힐 용기가 없었던 데 있다. 용기 없음의 부끄러움에 있다. 그래도 인간이 지녀야 할 최소한의 수치심, 또는 자존심은 남아 있어서. 철저한 위선자의 모습이다. 나는 내가 끔찍하다. 갈갈이 찢겨진 내 육신. 산산이 부서진 내 영혼. 그것들이 천지사방으로 흩어져 휘도는 악몽을 눈을 뜨고 있는 낮에도 꾼다. 내 안의 나는 죽었다. 살아 있는 것은 내가 아니다. 내가 아닌 내가 사는 곳은 공장 지대가 가까운 재개발 지역이다. 행정가들 말로는 주택 개량 지구이다. 공장 지대가 가까운 이곳 주택 개량 지구 한 뼘 방을 세들어 사는 나, 이영심이. 한 번의 결혼 경험이 있고 남편은 없는 나, 이영심이. 남편은 없는데 애를 배고 있는 나, 이영심이. 남편이 가 버렸으므로 당연히 뱃속에 들어찬 그 씨를 죽여 버려야만 할 신세에 놓인 나, 이영심이. 불쌍한 처지가 되어 버린 나 이영심이.

글 첫머리부터 내가 임신부임을 밝히기가 나는 말할 수 없이 곤혹스러웠다. 아니, 엄밀히 말해 부끄럽고, 죄 지은 것 없이 죄스럽고 창피했던 것이다. 바로 그것, 글 첫머리부터 현재 사실을 밝히지 못하고 아득한 유년 시절 이야기부터 꺼낼 수밖에 없었던 내 부끄러움. 남편도 없이 애를 밴 것이 부끄러웠고 남편도 없이 애를 밴 것을 부끄러워 하는 내 마음이 부끄러웠다. 애를 뱄다는 것도 부끄러웠고 애를 떼어 내겠다는 것도 부끄러웠다. 부끄러워 견딜 수가 없어서 나는 더 이상 부끄러워하지 않을 방법은 스스로 죽어 버리는 수밖에 없다고 단정지었다.

내 안에 생겨난 죽음 하나. 그와 거의 동시에 들려 오기 시작한 '죽임'을 예비하는 소리. 옆집의 그애가 지금 칼을 갈고 있듯이 나 또한 무수히 많은 칼을 갈며 살아왔다. 내 동생 금심이를 후드러 패는 큰엄마를 죽이고 싶었던 칼. 달걀 도둑이라고 이를까봐 유일한 목격자인 나를 죽여 버릴 것만 같은 태식이를 죽여 버리고 싶었던 칼(내가 달걀을 훔치는 태식이를 보고도 두려움 때문에 못 본 체하였듯이 태식이 또한 불 내 놓고 숨은 나를 틀림없이 발견하고도 달걀 때문에 못 본 척했으리라는 상상은 꽤 오랫동안 그리고 집요하게 나를 괴롭혔다. 그 괴로움은 때때로 태식이가 나를 죽이려고 흉기를 숨겨 가지고 빙글빙글 웃으며 나타난다든가 내가 당산나무 아래서 낮잠 자는 태식이의 목을 조르고 있는 악몽을 꾸게도 했다).

그리고, 그리고 무엇보다 내 뱃속에 들어찬 목숨 하나. 나는 이제 내가 만든, 내 목숨이나 다름없는 또 하나의 생명 하나를 죽여야만 될 시점에 와 있다. 나는 내 속의 그 생명을 죽임으로써 빌어먹을 남편도 죽일 것이고 짧은 세월이나마 빌어먹을 남편과 같이 한 세월조차도 죽일 수 있을 것이다.

이제 오늘이 마지막이다. 찢겨진 육신과 부서진 영혼이 천지 사방으로 흩어져 휘도는 악몽에서 깨어난 아침을 맞이하는 것도 오늘이 마지막이다. 어젯밤에도 옆집의 칼 가는 소리를 들으며 잠이 들었었다. 이제 소리는 그쳐 있다. 그리고 나는 방금 전 오랜 악몽에서 갓 깨어난 채다. 한동안은 가만히 누워 있겠다. 열이 오른 몸은 노곤하다. 악몽의 잔해들이 마치 블랙홀로 빨려들어 가듯이 가만히 누워 있는 내 위 허공에서 천장 한가운데 쪽으로 사라져 간다. 그러고 보니 나는 어젯밤 내내 잠은 한숨도 자지 못하고 비몽사몽인 듯 꿈만 꾸었던 듯하다. 찢겨진 육신과 부서진 영혼들이 천지사방으로 흩어져 휘도는 꿈. 광포한 그 꿈 너머로 희미한 하나의 꿈이 잡힌다.

큰엄마다. 분명히 그 여자는 큰엄마다. 검은 항아리 치마 말기를 질끈 올려붙이고 무명저고리 깃을 허리까지 내린 여자. 큰엄마가 '잠밥'을 '멕인다'. 열이 오른 나는 가만히 누워 있다. 가끔씩 큰엄마의 손 비비는 소리에 눈을 떴다 감았다

한다. 큰엄마는 손을 비비며 중얼거리듯 주문도 외운다. 찬 물수건이 내 이마 위에 얹혀 있고 내 머리맡에는 쌀을 담은 박바가지와 시커먼 부엌칼이 있다. 칼은 박바가지 안의 쌀에 꽂혀 있다. 호롱불이 너울너울한다. 큰엄마가 너울너울한다. 나는 너울너울하는 큰엄마에게 몸을 맡기고 죽은 듯이 누워 있다. 손을 비비며 뭐라고 중얼중얼하던 큰엄마가 별안간에 일어나 문 밖으로 내달린다. 이어서 마당 한가운데 서서 누군가에게 벽력같이 호통을 치는 큰엄마. 쌀 한 줌이 마당 사방 귀퉁이로 뿌려진다. 밤공기가 싸아하고 쌀을 뿌리는 큰엄마 어깨 위로 뿌옇게 서리가 내리고 있다. 바람 냄새, 서리 냄새가 밴 큰엄마 치마가 내 얼굴 위에서 서걱거린다. 박바가지가 뒤엎어지고 칼은 어디론가 숨었다. '잠밥 멕이기'를 마친 큰엄마의 꺼끌꺼끌한 손바닥이 내 얼굴에 닿는다.

"어이구, 망할 것, 어이구 짠헌 것, 불 내 놓고 을매나 놀랬을꼬 우리 새끼. 어이구…… 어이구…….."

요망스러운 나. 나는 죽은 듯이 가만히 있다. 한밤중에 오줌이 마려워 잠을 깬 나. 일곱 살 영심이. '잠밥'을 먹은 나는 어느 사이 가뿐하게 열이 내렸다. 비척비척 일어나 어둠 속에 드러난 무덤 하나를 본다. 나는 무덤을 가만히 들춘다. 시커먼 칼이 파마늘 냄새를 풍기며 내 옆에서 자는 큰엄마처럼 하나도 무섭지 않게 누워 있다. 박바가지 속에 놓여 있는 칼에서 풍겨나오는 파마늘 냄새를 맡으며 나는 배가 고파진다. 아까 저녁에 저 칼로 요리한 맛있는 '쑤루메국'을 자존심 세우고 씩씩거리느라 먹지 않았으므로.

마당귀에 길게 길게 오줌을 눈다. 큰엄마가 잠밥 먹일 때 내가 모르는 척 누워 있었듯이 이번에는 내가 오줌 눌 때 큰엄마가 모르는 척 누워 있다는 것을 나는 안다. 그래서 자는 척 누워 있는 큰 엄마 앞에서 부엌으로 들어가 못 먹은 쑤루메국을 먹을 수도 없다.

고픈 배를 부여잡고 잠 속으로 꾸역꾸역 기어들어간다. 큰엄마가 뭐라 중얼거린다. "영판 수선화맹이네." 무엇이 그러냐고 아무도 묻는 사람 없는데 큰엄마는 한참 뒤에 잠잘 때만 내는 숨소리를 길게 한번 뱉어 낸 다음 꼭 누가 물어나 본 것처럼 혼잣대답을 한다.

"별이 ……."

별은 쑤루메국이고, 별은 수선화고, 그리고, 그리고, 별은 칼이다.

칼은 내 머리맡에 있다. 파마늘 냄새가 나지 않고 '칼' 그대로의 '칼'이다. 큰엄마 나쁜 년이라고 서슴없이 욕설을 내뱉던 나를 안아다 아프게 목욕시키고 쑤루메국을 끓여 주던 큰엄마. 악감정에 치받혀 끝내는 아파 버린 나에게 감미로운 '잠밥'을 먹여 주던 큰엄마가 지금 이 순간에 애틋해진다.

큰엄마를 향한 살의의 감정은 그토록 단순하게 잠밥 하나 먹고 사그라져 버렸다. 바보 태식이를 향한 그것은 언제 어떻게 없어졌는지도 모르게 없어져 버렸다. 바보같이 히잉 웃기만 좋아하는 마음씨 착한 우리 태식이 아재는 하마 그것을 알까. 한때 그 쬐그만 계집아이가 자기의 목숨을 호시탐탐 노리고 있었다는 사실을. 나는 허공에다 대고 한번 불러 본다. 내 인생에서 처음이자 마지막으로 한때 죽이고 싶었던 만큼 좋았던 사람들 이름을 불러 본다.

"크느메(큰엄마)"

"어이, 태식이 아재."

그리고 그 이름. 부르고 싶어도 부를 수 없는 너. 아가야. 이제 칼은 내 손 안에서 빛나고 있다. 나는 조금치의 주저함도 없다.

싸우는 소리가 난 것도 같다. 그야 늘 있는 일이다. 어쩌다 요새 뜸했을 뿐. 가물거리는 의식 속에서도 나는 옆집의 싸움 소리를 듣고 생각도 한다. 누군가가 우리 집 문을 흔드는 소리도 듣는다. 귀는 열려 있지만 고개는 돌려지지 않는다. 고리가 빠지겠지. 숟가락을 꽂았던가 어쨌던가.

왜 저들이 싸우지 않고 내 방에 와 있는지 영 기분 나쁘다. 나는 내 얼굴 위에서 두릿거리는 두 모자(母子)를 본다.

"내가 아침에 퇴근해서 보니 우리 딸이 없어졌잖우."

"나는 자 버려서 몰랐어."

"야이 씨발눔아, 그래 동생이 어디 나간지도 모르고 잠만 퍼잔단 말이냐?"

"걔가 새벽에 나가 그네 탈 줄 어떻게 알았겠어. 그리고 솔직히 말해 오늘 엄마 나 구박할 자격 없어. 말 안 해도 그건 엄마가 잘 알 테고."

"야이, 씨발눔아. 다 느이들 먹여 살리자고 하는 짓거린데 뭐가 불만이란 말이야?"

"으으윽."

귀로만 듣던 모자의 싸움 소리를 오늘은 눈으로도 본다.

"왜들 그러세요?"

나는 내 앞에서 싸우는 그들이 불편해져서 모로 돌아눕는다. 팔목에 붕대가 감겨 있고 방바닥에 흘린 핏자국 위로 파리 세

마리가 무료하게 앉아 있다. 피는 말라 가고 있는 중이다. 모로 누운 내 등을 바라보고 싸움질하기도 뭣했는지 두 모자가 일어서 나가려 한다.

"그래서요? 딸애가 없어졌다면서요."

모로 누운 채로 일어서려는 그들의 발목 밑에다 묻는다.

"그래설라무네 갸를 찾으려고 야는 이 집 문을 뚜드리고 나는 저 집 문 뚜드리고 그러다가 야는 당신 구하고 나는 우리 딸 구했지. 아이참 우스와서. 내 딸년이 글쎄, 캄캄한 놀이터에서 넘넘허니 그네 위에 앉아 하늘거리고 있는데, 호호호 아이고 우스와라."

"엄마는 도대체 제정신이오? 속없이 웃고 있게?"

"아이고 내 정신이야. 그래요. 그래. 나도 다아 이해하지. 씨벌놈 그놈들 때문에 나도 많이 죽었다 깨어난 사람이라우."

몸조리 잘하고 생각 다잡아먹고 살라는 말을 남기고 모자가 일어선다.

"학생 칼은 다 갈았어?"

"칼이라니요?"

"날마다 칼 가는 소리 났잖아."

"아, 그 소리요. 소리가 여기까지 났어요? 금속 공작 숙제예요. 낼 모레까지 제출해야 하거든요."

모자가 나가고 난 뒤 이윽고 쓰윽싹거리는 소리가 옆집으로부터 들려 오기 시작한다. 이어서 모자의 투닥거리는 소리.

어둠이 좁은 방 안에 밀려든다. 어둠 속에서 나는 꿈틀한다. 무엇인가가 꿈틀한다. 그곳은 깊고 어두울 것이다. 모든 생명이 움트는 그곳은 어디나 다아 한 가지로.

꿈

공지영

공지영

孔枝泳

1963년 서울 출생.
1988년 「동트는 새벽」 창작과 비평에 발표.
1990년 장편 『더 이상 아름다운 방황은 없다』 풀빛에서 출간.
1991년 장편 『그리고 그들의 아름다운 시작』 문예마당에서 출간.
1992년 중편 「무거운 가방」 한길문학에 발표.
1993년 장편 『무소의 뿔처럼 혼자서 가라』 동녘에서 출간.
1994년 창작집 『인간에 대한 예의』 창작과 비평사에서, 장편 『고등어』
        웅진출판사에서, 동화집 『미미의 일기』 한양출판사에서 출간.

꿈

첫째날 오후 1시 30분

우리는 이미 좀 늦어 있었다. 토요일 오후여서인지 빈 택시
가 영 잡히지 않았던 것이다. 그랬기 때문에, 합승 손님으로
인해서 조금 돌아간다는 운전사의 말을 듣고도 우리는 주저하
지 않고 택시에 올랐다. 나이가 오십 줄에 마악 접어들었을까,
하와이식 남방 셔츠를 입은 운전 기사는 합승으로 우리를 태우
자마자 길음 삼거리에서 곧장 정릉으로 통하는 사잇길로 접어
들었다. 아마도 우리보다 먼저 탄 앞자리의 아낙이 그리로 가
는 모양이었다. 이런 일이야 한두 번 겪은 바도 아니었지만 길
은 좀 위태로워 보였다. 거의 사십오 도 각도나 되는 경사에다
길이 좁아서, 차가 지나칠 때마다 훌라후프를 하거나 고무줄을

하던 계집아이들이 길가에 납작하게 붙어서서 불안한 눈동자로 우리를 바라보고 있었다. 연탄을 넣어 두기 위해 길가에 세워 둔 낡은 캐비닛과 배춧단을 실은 리어카들, 그리고 길에서 방으로 바로 연결되어 있는 남루한 주택의 알루미늄 방문 겸 대문들이 거의 충돌할 듯 말 듯 차창을 획획 스쳐 지나갔다. 손잡이를 잡고 있는 내 손에서 벌써 땀이 배어 나오고 있었다.

그는 우리보다 먼저 탔던 손님을 내려놓고 곧바로 카세트를 밀어넣었다. 처음에 우리는 그것이 그냥 운전 기사들이 자주 듣곤 하는 흘러간 가수들의 메들리 테이프인 줄 알았다. 하지만 잠시 후 흘러 나오는 여자의 허스키한 목소리는 낯익은 것이 아니었다. 게다가 노래라곤 거의 도레미도 배워 보지 못한 듯한 여자의 목소리는 음정도 박자도 제멋대로였다. 그런데 운전 기사는 그 노래를 따라 부르며 추억에 젖은 얼굴을 하고 있는 것이었다. 뒷자리에 나란히 앉은 박과 나는 어이가 없어서 서로 마주 보고 잠깐 웃었다. 아마도 요즘 노래방에서 자신이 부른 노래를 녹음을 해 주기도 한다는데 그런 종류의 것인 모양이었다. 생각은 틀리지 않았는지 여자의 노래가 끝난 다음에는 빰빠라밤밤밤바바…… 하는 팡파르가 울려 나왔다. 1993년도에 대한 민국에 살면서 노래방이라는 곳에 한 번이라도 가 본 일이 있는 사람은 아마도 그것이 노래가 끝난 후 점수가 나타나기 전에 나오는 음악이라는 걸 알 것이었다. 이어서 남자의 노랫소리가 흘러 나왔다.

──원더풀, 원더풀, 아빠의 청춘…… 브라보, 브라보 아빠의 청춘……

운전 기사는 카세트에서 흘러 나오는 것과 똑같은 목소리로 노래를 따라 불렀다. 좁은 골목길에서 거의 충돌할 듯 마주치는 봉고차들을 요리조리 피하기 위해 핸들을 휘이익 휘이익 돌려가면서, 또 한편으로는 브라보, 브라보 노래를 따라 부르면서 운전 기사는 물고기의 창자 속처럼 가늘고 가파른 골목길을 오르락내리락 차를 몰아갔다. 골목길도 참을 수 있었고 곡예하는 듯 차를 요리조리 몰아가는 것도 그런대로 참을 수 있었지만 끝없이 이어지는 그 노래들은 시간이 지나면서 점점 참기가 힘들어지기 시작했다. 차가 급하게 왼쪽으로 몸을 틀어 오른쪽으로 상체가 기울 때마다 온몸의 신경들이 우르르 오른쪽으로 몰려서는 비죽거리며 비어져 나오는 것 같은 느낌이었다. 옆자리의 박은 입술을 꼭 앙다문 채 눈을 감고 있었다. 그러자 비로소 그가 작곡가라는 생각이 났다. 몇 년 전 내가 참여한 적이 있는 영화일 때문에 처음 인사를 나누었을 때 그는 미국에서 재즈 음악을 전공하고 귀국한 지 얼마 되지 않았다고 자신을 소개했었다. 그는 전문 대학의 강사로 나가면서 영화 음악을 작곡하고 있었는데 나는 그가 미국에서 작곡해 왔다는 음악을 듣고 곧 그의 음악을 좋아하게 되었다. 쉽지만 통속적이지 않은 음악. 나는 그가 작곡한 몇 편의 음악들을 카세트 테이프에 녹음해서 가끔 듣곤 했는데, 음반을 내놓게 됐다고 기뻐하는 그를 본 지 거의 일 년이 지났건만 그는 여태 아무 소식도 가져오지 않고 있었다. 글을 쓰는 사람으로서 남의 글을 읽을 때 맞춤법이 조금만 틀려 있으면 글의 내용과 상관 없이 그 틀린 철자가 자꾸 눈에 거슬리던 경험이 있는 나로서는 그가 택시 기사가 틀어 놓은 저 소음, 그러니까 음악을 잘 모르는 내가 들어도 음정도 박자도 틀리는 이상하게 육감적인 저 노랫소리들을 들으면서 무슨 생각을 할까 하는 생각이 들었다. 박은 여전히 그 자세였다. 나는 그 이상한 소음을 좀 참아 보기로 했다. 음악을 전공하는 그도 참는데 하는 생각이 들었던 것이다. 그래서 나는 이렇게 생각해 보기로 했다. 저 허스키한 젊은 여자는 아마도, 아무리 생각해도 아내는 아닐 것이니, 그렇다고 딸이나 조카이지도 않을 것이니, 그저 삶에 상처입은 여자와 일상에 지친 늙은 남자가 정말 사랑을 하는 것일지도 모른다고, 그런데 저들은 사랑을 표현하는 방법을 몰라서 노래방엘 갔던 것이고, 평소엔 쑥스러워서 할 수 없었던 고백을 노래로 하고 있는 것이라고, 누구 말마따나 남이 하면 스캔들이고 자기가 하면 비련이라는 생각 같은 건 집어치우자고…… 저 음악은 귀에 거슬리다 못해 이제 속까지 부글부글 끓어오르게 하고 있지만 그래도 좀 다르게 생각해 보자고…… 저 운전기사는 오죽하면 이 물고기의 뱃속 같은 골목길을 곡예하듯 달려가면서 저렇게 추억어린 표정을 짓고 있을까, 하고 말이다. 소설가라면 입체적으로 사람을 바라보아야 한다고 어떤 점잖은 평론가도 내게 충고하지 않았던가.

── 죽도록 사랑해 놓고 두 번 다시 만나지 못해…… 남자아 남자, 남자의 약속이 미워요오오오…….

하지만 생각은 생각이었고, 운전 기사의 난폭한 운전을 참아내면서 음이 안 맞는 노래와 여자의 육감적인 콧소리를 듣고 있으려니까 짜증은 바야흐로 머리끝까지 치밀어올랐다. 화가나는 건 나는 거였고, 듣기 싫은 소리는 듣기 싫은 거 아닐까. 내가 아무리 소설가이고 인간의 생을 입체적으로 그려 내야만 한다 해도, 변호사라고 매일 교통 법규를 지키는 것도 아니지 않은가 말이다. 그래서 화가 나는 마음이라도 서로 좀 나누어 볼까 하고 박을 바라보았지만 그는 요지부동이었다. 나는 그가 미국을 생각하고 있을지도 모른다고 생각했다. 가끔 술자리에서 그는 80년대 초에 도망치듯 미국으로 갔다는 말을 잘도 해 댔는데 나중에야 그가 광주 출신이라는 것을 알아 낸 나는 아무것도 묻지 않았다.

——이상했어요. 80년대 초에 한국에 있을 때 나는 생각했지요. 독재자 니들이 아무리 나를 제약해도 빼앗아 갈 수 없는 것도 있다고 말예요. 예를 들면 우리 머릿속에 떠오르는 생각들이나 상상력 같은 것들, 꿈들…… 한데, 아니었어요. 미국에 간 지 6개월쯤 지나고 나서 나는 내가 한국에 있을 때와는 전혀 다른 상상을, 생각을 그리고 꿈을 꾸고 있다는 걸 깨닫게 됐지요. 그건 무서운 발견이었어요. 혹시 이해할 수 있으세요?

하지만 공부를 마치고 8년 만인 89년에 그는 그곳에서 곧 보장될 안락한 생활을 뿌리치고 돌아왔다. 광주를 저지른 자가 아직 통수권좌에 앉아 있는 나라에 말이다. 꿈조차 다르게 꿀 수 있는 나라를 두고 왜?

택시를 타기 전 박은 내게 한 달 동안이나 피아노를 만지지도 못했다는 말을 털어놓았었다. 그런 말을 할 때 그의 얼굴이 하도 어두워 보여서 하마터면 나는 왜요? 하고 물을 뻔했었다. 그러면 안 되는 거잖아요 하고 물을 뻔도 했다. 그러나 나를 자제케 한 것은 나 역시 몇 달 동안 한 줄의 글도 완성하지 못하고 있다는 생각이었다. 하지만 나는 그래도 아직은 컴퓨터 위에서 피아노 치듯 자판을 두드리고 있었다. 쓰고 또 지우고 또 지우고, 그리고 마지막에 다 지워진 컴퓨터의 검은 화면에 명멸하는 커서만 바라보는 일…… 마치 너는 할 수 있어, 없어, 있어, 없어…… 하듯이 명멸하는 그 커서…… 그런데 그는 피아노엔 손도 안 댔단다. 그가 치는 피아노 소리는 나처럼 Delete 라는 단추를 누르지 않아도 허공 속으로 지워져 가는 것이었는데 그는 왜 손도 대지 않았을까.

한낮의 골목길에도 차들이 밀리고 있었다. 마주치는 차를 피해 주고 다시 올라갈 때마다 차는 가볍게 진저리를 치면서 뒤로 밀렸다가 다시 출발하곤 했다. 우리는 그 아슬아슬함 때문에 둘 다 차창 위에 달린 손잡이를 구명대처럼 부여잡고 앉아서 이제 흥에 겨워 못살겠다는 듯한 남녀의 발악적인 이중창을 견디고 있었다. 이중창 속에는 간간이 여자의 교태스러운 웃음소리가 섞였고, 이어서, 아이 그러지 마, 하는 것 같은 콧소리도 들렸다.

──소쩍꿍새가 울기만 하면 떠나간 우리 님이 오신댔어요. 소쩍꿍 소쩍꿍…….

박수 소리, 웃음소리, 발을 구르는 소리…… 소쩍꿍새가 한창 울고 있을 때 박이 아주 천천히 말했다.

──아저씨, 우린 여기서 좀 내리고 싶은데요.

그의 목소리를 듣지 못했는지 운전 기사가 볼륨을 줄였다. 소쩍꿍새가 저만치 사그라들었다.

──뭐라구요?

──내려 달라구요, 우린 내리겠단 말입니다.

박은 이를 악무는 듯이, 그러나 여전히 낮은 소리로 말했다. 내가 투덜거리는 운전 기사에게 요금을 지불하고 나서 돌아보자 그는 골목 뒤편으로 들어가 몹시 토하고 있었다. 지갑을 챙기다 말고 나도 모르게 한숨이 새어 나왔다. 박이 손수건으로 천천히 입가를 닦으며 내게로 다가왔다. 겸연쩍은 그의 표정이 억지로 미소를 짓고 있었지만 나는 토하느라 그의 눈가에 맺힌 눈물 방울이 눈꼬리로 사그라드는 것만 보고 있었다. 나는 박이 택시에 두고 내린 작은 배낭을 그에게 건넸다. 그는 마치 웃는 것처럼 입술을 가볍게 뒤틀며 배낭을 받아 들었다.

——택시가 있을까요?

내가 시계를 들여다보며 묻자 박은 잠시 망설이더니 대답했다.

——조금만 걷고 싶은데요.

그래서 우리는 아슬아슬한 비탈길을 천천히 걸었다. 가끔 맹렬한 속도로 차들이 지나갈 때면 아까 우리가 차창 안에서 보았던 계집아이들처럼 길 옆으로 납작하게 붙어서면서 택시 안에 탄 사람들을 바라보기도 했다. 노파가 택시 앞좌석을 꼭 붙든 채로 지나가고 트럭이 배추, 양파 하는 확성기를 울리면서 우리 앞을 스쳐 지나갔다.

——어젯밤에 술 드셨어요?

납작하게 붙어 서서 차를 피하는 중에, 얼굴에 화색이 좀 돌아온 그가 내게 물었다.

——왜요? 술냄새가 나요?

——예…… 글 쓰는 사람들하고 마셨나 보죠?

그는 딱히 할 말도 없다는 듯, 말했다.

——…… 글쎄요, …… 아닐 거예요. 소쩍새들하고…….

내 입에서 왜 소쩍새라는 말이 튀어나왔는지 모르겠다. 택시를 내리기 전에 들리던 소쩍꿍새라는 노래 때문이었을까?

잠시 후 우리는 다른 택시를 잡아탈 수가 있었다. 젊은 운전기사는 라디오를 켜 놓고 있었는데 거기서도 물론 유행가가 흐르고 있었다. 내가 박에게 물었다.

"저기요, 왜 우리는 그 기사한테 테이프를 멈추라고 말을 하지 못했을까요?"

박이 그제서야 그게 이상하다는 듯 잠시 웃더니 택시 안의
스피커에서 울리는 가수의 노래를 들으며 말했다.

"그래도 프로페셔널이 좀 낫군요."

전날 밤 11시 40분

어제 초저녁에는 갑작스러운 비가 내렸다. 남쪽으로 난 베
란다에서 쏴아 하는 빗소리가 들리는 것을 시작으로 뒷베란다
에서도, 서쪽으로 뚫린 목욕탕에서도 빗소리가 밀려들었다. 목
욕탕 창으로 내다보니 멀리 인수봉의 흰 이마가 마악 구름 속
으로 들어가는 참이었다. 나는 투명하고 날카롭고 긴, 비의 창
살에 갇혀 있는 것 같았다. 글을 써 보려고 컴퓨터 앞에 앉아
있다가 말고 부엌으로 나오니 집 안이 엉망진창이었다. 우선
쌓여 있는 설거지감부터 손을 대려다 말고 앞치마를 입은 채로
나는 그냥 맥주 캔을 따 버렸다. 그러니까 비 때문이었다.

나는 빗소리에 갇혀서 멍하니, 개수대에 쌓여 있는 설거지
그릇들과, 식탁 한켠에 수북한 쓰레기 봉투들과, 찌그러진 채
나뒹구는 맥주 캔의 수를 세고 있었다. 세면서 닥쳐오는 마감
날짜를 걱정하고 있었다.

──삼세 번입니다. 두 번 빵꾸를 내셨으면 이젠 그만 좀 주
시죠.

그들은 내가 좋은 작품을 숨겨 놓고 주지 않는다고 생각하는
사람들처럼 말했다. 사실이 아니라는 걸 누구보다 그들이 잘
알면서도 말이다.

──그래야겠죠. 저도 그래야만 한다고 생각해요.

나는 대답했었다.

―― 그러셔야죠.

그들도 동의했다. 그러니 문제는 이제 컴퓨터 앞에 앉아서 쓰기만 하면 된다. 그래도 나는 여전히 맥주를 마시고 있었다. 전화 벨이 울린 것은 그때쯤이었다. 자주 어울리던 문인들이 모여 있다면서 한 시인이 짓궂은 목소리로 집 앞 술집의 이름을 대는 것이었다.

밖에는 아직도 비가 내리고 있었다. 나는 우산을 펴고 빗속으로 한 발짝을 내디뎠다. 빗소리는 이제 우산 위에서 두두두두 울리고 있었다. 걸어가면서 이 밤에 수유리까지 와서 술을 마시며 내게 전화를 건 시인을 생각했다.

대학을 졸업하고 내가 일하던 작은 운동 단체에서 함께 일했던 그는 얼마 전 꽤 급진적인 문학 단체에 몸담았다가 징역을 살고 나온 일이 있었다. 나는 그가 남을 위한 일에, 특히 그것이 궂은 일일 때에 빠지는 것을 본 적이 없었다. 잊혀져 간 문인의 임종을 지키고 나서 문인들에게 연락을 취해서 문인장을 치러 준 것도 그였고, 후배들이 구속되기라도 하면 꼭 한 번씩은 면회를 가고 책을 넣어 주는 것도 그였다. 나 역시 그의 후배라는 특권을 가지고 있어서 어려운 일이 있을 때마다 그에게 달려가곤 했었다. 나는 이제까지 그가 내 앞에서 화를 내는 것을 본 일이 없었다. 아니, 딱 한 번 있었다. 화를 낸다기보다 언제나 웃고 있던 그의 입가에서 미소가 싹 가시는 순간을 말이다. 그건 어떤 술자리에서 문학 평론가이자 대학 교수인 그 또래의 한 남자가 그에게 물었을 때였다. 그는 시인과 함께 대학원에 다녔으나 시인은 뛰쳐나왔고 그는 교수가 된 사람이었다.

―― 어때요? 그만 복학하시죠. 생계도 그렇고요. …… 부인

이 어렵게 일하신다는데 …….

내가 한 번도 글을 발표해 보지 않은 잡지에 글을 기고하고 있던 낯선 문인들이 일제히 그에게 시선을 던졌다. 그 말에 별 악의가 담겨 있지 않은 것이 틀림없었지만, 대학원에 복학하는 것도, 그래서 교수가 될 자격을 얻는 것도 절대로 나쁜 일이 아니라는 걸 알고 있었지만, 더더구나 질문을 받은 것은 시인 자신이었지만 내 얼굴이 먼저 굳어져 버렸다. 마치 질문을 받은 것이 나였던 것처럼 나는 그 낯선 평론가에게 모욕감을 느꼈다. 그건 말이죠, 그건 …… 그렇게 간단히 물어 보면 안 되는 건데요, 당신이 뭐하는 사람인지 나는 모르지만, 왜 그런 이야기를 하는지 모르지만 …… 그게 아니란 말예요, 그게 …… 물론 나는 입을 열지 않았고 시인은 잠시 후 그냥 씨익 웃고 말았다. 나는 그때 우리가 1993년을 살고 있다는 것을 생각하고 있었다. 내가 시인을 처음 만난 것이 대학 4학년 때인 1984년이니 벌써 십 년이나 흘러가 있었던 것이다. 십 년이란 건 간단한 세월이 아니었다. 특히 젊었던 우리들에게 그 십 년이란 세월은 그랬다. 하지만 우리는 이제 간단하다. 짧고 간결하다. 십 년 새 우리는 간결해져 버린 것이다.

—— 복학하시죠.

—— 그래 보지요.

그런 그를 나는 요 며칠 전 인사동의 한 단골 술집에서 만났다. 여주인이 내게 와서 그를 좀 어떻게 해 보라는 말을 건넸다.

—— 벌써 이박 삼일 동안 여기서 술을 마시는 중이야. …… 집으로 보내 봐. 집에서 기다리는 사람 생각도 해야지.

마주 앉았을 때 그의 눈에서 희미하게 무언가가 빛나고 있었다. 대체 이게 무슨 짓이야, 형…… 하고 튀어나오려는 말을 붙잡아 준 것은 아직도 빛나고 있는 그 희미한 빛 때문이었다. 화장실에 가려는지 일어서려다 휘청거리는 그의 팔을 내가 잡았을 때 그는 도로 자리에 주저앉아 마른 얼굴을 한번 쓸어 내렸다. 그의 얼굴은 곧 울음이라도 터질 것같이 보여서 나는 덜컥 겁이 났다.

——형, 이제 자기 자신도 좀 생각해. 애들도…… 자꾸 남 생각만 하다 보면 자기는 누가 챙겨?

주제넘은 말참견이라는 걸 알고 있었지만, 나는 물었다. 묻는 나를 바라다보는 그의 눈에서는 아직도 그 희미한 빛이 빛나고 있었지만 그건 어디까지나 희미할 뿐이었으므로 나는 내 질문이 장난이 아니란 것을 표시하기 위해 굳은 표정을 지어 보였다. 하지만 그는 어린아이처럼 깔깔 웃었다.

——우리 마누라가 챙기지…… 우리 마누라가…… 재밌지?

그는 정말 재미있다는 듯 웃었다.

——임마, 너 시궁창에 빠져 본 일 있냐? 난 있다. …… 물이 생각보다 뜨듯하데.…… 그 기분 너는 모를 거다. …… 더는 더러워질 수 없는 느낌, 더는 모욕당할 수 없는 평화…… 그건 좋은 거야. 그리고 거기서부터 정말 우리는 시작하는 거야.

나는 그가 낸 세 권의 시집을 모두 읽었다. 모두가 그렇고 그런 옳은 말씀이라는 생각밖에 들지 않았었다. 그런데 이박 삼일 동안 술에 절어서 집에도 안 가고 잠도 안 자고 술만 마시는 그가 내뱉은 그 말이 내 가슴으로 와서 닿았다. 나는 처음으로 그가 정말 시인일지도 모른다는 생각을 했다. 그러면서 나는 또 생각하고 말았다. 정녕 이런 시궁창 같은 고통이 있고 난 후에라야 우리는 시작할 수 있는 것인가…….

집 앞의 술집에 들어서자 시인이 손을 들어 나를 반겼다. 벌써 오 년째 같은 소설을 고치고 있는 소설가와 안경을 쓴 평론가가 함께였다.

——문학사 정 차장이 너 소설 안 준다고 투덜거리던데……
좀 썼어?

시인이 물었다. 나는 오 년째 같은 소설을 고치고 있는 소설가를 바라보며 자신 있게 대답했다.

——아니!

내 대답이 하도 의기양양해서인지 사람들이 함께 웃었다. 나도 웃었다. 하지만 나는 알고 있었다. 언제부터인가 그들의 미소 뒤에, 그들의 미소가 막 거두어지려는 찰나에 그들의 얼굴 위로 떠오르는 상흔들…… 나는 미소가 아니라 미소 뒤에 그들에게 공통적으로 떠오르고야 마는 그 상흔들을 자꾸 보는 내가 싫었다. 이런 걸 또 느끼려고 열두 시가 다 된 시간에 빗속을 걸어온 것은 아니었다. 어색한 기분 때문에 나는 안주 바구니에 담긴 멸치만 축내고 있었다. 자기는 마누라가 챙겨 주니까 자신은 다른 사람을 챙겨 주어야 한다고 주장하는 시인이 빈 멸치 바구니를 놓칠 리가 없었다. 그는 주머니를 뒤적거리다 말고 잠시 낭패한 표정을 짓더니, 생각을 바꿨는지 나비 넥타이를 맨 웨이터를 불러 아주 어눌한 목소리로 말했다.

——아저씨, 여기 멸치만 조금 더 주실래요?

——하나 더 시키세요. 멸치값이 요즘 아주 비싸거든요.

그러면 그러죠, 뭐, 하고 사람 좋은 시인이 말하려고 하는데 내가 불쑥 끼여들었다.

——멸치값이 뭐가 비싸요? 오늘 시장에 가니까 천 원에 세

바구니나 주던데 …….

웨이터의 얼굴이 험악해지는 순간 시인이 탁자 밑으로 가만히 팔을 뻗어 내 옆구리를 쿡 찔렀다.

── 올랐어요. 멸치가 얼마나 비싼 줄 알아요?

웨이터는 험악한 눈초리를 거두지는 않았지만 손님에게 최대한의 자제심을 발휘하니까 그리 알라는 듯 다시 말했다.

── 안 비싸다니까요. 마른 안주 한 접시에 팔천 원이나 받으면서 그깟 거 좀 못 줄 이유가 뭐예요?

── 이 아줌마가 술집에 와서 이게 무슨 소리야!

웨이터가 다시 말했다. 그는 폭발하는 듯했다. 하기는 그도 피곤할 것이었다. 열두 시가 넘어도 창문을 검은 커튼으로 가리고 늦게까지 장사를 하는 주인 때문에, 말도 안 되는 주정을 하는 손님들 때문에, 멸치만 더 달라는 얌체 같은 우리들 때문에 말이다. 시인은 이제 내 손을 힘을 주어 잡고 있었다. 나는 시인이 무슨 말을 하고 싶어하는지 알고 있었지만 그 손을 뿌리쳤다. 뿌리치면서 갑자기 팽팽한 전의가 내 아랫배를 긴장시키는 것을 느꼈다.

── 아줌마? 그래요. 아줌마가 술집에 와서 안주 비싸다는 소리했어요. 비싸지도 않은 멸치 한 줌 갖고 비싸다고 거짓말하는 당신한테 따지는 거예요. 왜요? 뭐가 잘못됐어요. 아저씨?

결사적인 싸움이라도 한판 벌일 듯이 대어드는 내 얼굴을 몸으로 막으며 시인이 마른 안주 한 접시를 시켜 버렸다. 그러자 나를 노려보던 웨이터가 참아 준다는 얼굴로 사라졌고, 시인이 나를 물끄러미 바라보았다.

── 왜 그래? 요즘 무슨 일 있니? …… 그만한 일로 목숨

걸 거 뭐 있어?

나도 내가 왜 이러는지 알 수 없었다. 하지만 그가 뱉은 목숨이라는 단어가 내 목에 걸려 넘어가지 않았다. 그 말은 참으로 오래된 말인 듯이, 마치 슬픈 전설이 배어 있는 듯이 느껴졌던 것이다. 잠시 침묵이 흘렀다. 좀 겸연쩍기도 했으므로 나는 그냥 그가 따르는 맥주만 마셨다. 물론 아무 일도 없었다. 하지만 나는 요 몇 달째 화를 내고 있었다. 왜 당신 글에는 전망이 없느냐고 무심히 묻는 착한 독자들에게도 화가 났고, 내 글을 빨리빨리 읽어치우는 평론가에게도 화가 났었다. 아니다. 완성되지도 못한 글들이 내 컴퓨터에 잔뜩 들어 있는 것도 화가 났고, 그 글들을 불러 내서 Delete 단추를 누르면 내가 며칠 밤을 뒤척거리며 써 놓은 글들이 일 초도 안 되는 순간에 지워지는 것이 화가 났으며, 더구나 그 글들을 지워 놓고도 전혀 후회가 되지 않는 것에 결정적으로 화가 났었다. 웨이터에게가 아니라 나는 그냥 무작정 화가 나 있었던 것이다. 시인은 가방을 뒤적여 작은 수첩을 꺼내 들었다.

그 수첩의 앞장에는 어딘가에서 곱게 오려내 풀로 붙인 듯한 싯구가 있었다. 그는 손가락으로 깨알같이 잔잔한 그 글씨들을 하나하나 짚어 나가기 시작했다.

——봐라, 이게 성 프란체스코의 기도란 거다, 임마. ……위로받기보다는 위로하고, 용서받기보다는 용서하며 …… 우리는 줌으로써 받고 용서함으로써 용서받으며, 자기를 버리고 죽음으로써 영생을 …….

반질반질 벌써 손때가 묻어 버린 그 시인의 수첩 앞장이 내 눈에 와서 박혔다. 그는 대체 언제부터, 얼마나 자주 저 앞장을 펼치고 일일이 손으로 글귀를 짚어 가며 저 구절을 읊어 주었을까 생각하니 콧등이 무거워졌고 이내 시큰해졌다. 나는 그가 들이미는 수첩에서 고개를 돌려 버렸다.

——외면하지 말아, 이놈아. 이게 진리야!

——무슨 진리가 그렇게 많아? 해탈했어? 형은 해탈해 버린 거야? 시궁창에 코 박고 전도사같이 웅얼웅얼 기도하면서 해탈할 거야!

내가 분위기를 깬다는 것은 알고 있었지만, 술자리에서 쓸데없이 분위기를 깨는 인간들을 가장 혐오하고 있었지만 나는 소리를 버럭 지르고 말았다. 시인이 어색하게 입술을 훔치며 수첩을 닫았다. 그래서 나는 그냥 화를 내기로 했다. 나는 이제 싫어져 버린 것이었다. 서로 빙빙 돌려 말하기, 결정적인 사항들, 예를 들면 생계는 어떻게 해?라거나, 아직도 진행되는 그 재판 끝났어?라거나, 형이 그 운동 단체에 기금을 내기 위해 저당 잡혔던 집문서는 찾았어라거나, 형이 끌려가던 날 중풍으로 쓰러진 아버님은 요즘 어떠셔…… 하는 말들은 절대로 내뱉지 않고…… 서로서로 모른 척하기, 그래서 술자리에서는 재미있는 말만 하기…… 서로 같은 상처를 지니고 있다는 내색은 절대로 안 하기…… 성 프란체스코의 기도가 싫었던 것이 아니라, 해탈하고 싶어하는 그 시인의 몸부림이 싫었던 게 아니라 말이다. 나는 시인을 외면하고 오 년째 같은 소설을 고치고 있는 소설가가 주는 잔을 받았다. 노동 현장에서 수배를 받으면서 쓰기 시작했다는 소설, 고치다 보니 이미 역사 소설이 되어 버린 노동 소설을 쓰는 그는 우스운 말로 분위기를 풀어 보려고 애쓰고 있었다. 하지만 나는 이제 그의 말에도 억지로 웃지 않았다.

결국 분위기는 나 때문에 깨져서 우리들은 묵묵히 술만 마시다가 세 시쯤 술집을 나왔다. 비는 그쳐 있었다. 비에 젖은 텅 빈 아스팔트 위로 나트륨 등이 뿌옇게 어리고 있었다. 용산이요, 구의동이요, 사람들이 택시를 타고 사라지고 나서 나와 시인 둘만 남았다.

—— …… 미안해요, 형 …….

—— 괜찮아 임마, 다 그러면서 사는 거지 …… 포장 마차 가서 한잔 더 할까?

—— 아니 …….

시인은 잠시 생각에 잠겨 있는 듯하더니 우리 집까지 날 바래다 주겠다고 천천히 앞서 걸었다. 나도 그를 따라 나트륨 등이 비 젖은 아스팔트 위로 어리는 길을 걸어갔다. 가로등에 비친 가로수 이파리에서 맑은 빗방울의 여운들이 뚝, 뚝 떨어져 내렸고 멀리, 비 그친 국립 공원 숲 속에서 소쩍새 울음소리가 들렸다.

—— 형, 소쩍새를 본 일이 있어요?

—— 아니 …… 소쩍새는 …… 몰래 울잖아 …… 다른 새들 다 잘 때, 밤에만 …….

나는 그저 고개를 끄덕였다. 하지만 나는 소쩍새를 본 적이 있었다. 비가 부슬부슬 뿌리던 날, 약수통을 달랑 들고 산으로 향하는 길에, '북한산의 동물 자원'이라는 게시판에 소쩍새는 부엉이와 나란히 사진으로 앉아 있었다. 통통한 부엉이 옆에 앉아 있었기 때문일까, 나는 웬지 소쩍새가 저주받은 부엉이처럼 느껴졌다. 이제 더는 부엉부엉 울지 못하고, 인간의 자음과 모음으로는 더 흉내낼 수 없는 소리로 목을 쥐어짜며 꾸르륵 꾸욱꿈 우는 새 …… 아마도 몰래 접근해서 소쩍새를 찾아 낸 사진 작가가 그를 찾아 내고 플래시를 터뜨리는 찰나, 소쩍새는 정확히 렌즈 쪽을 보고 있었는데, 나는 그 소쩍새의 눈빛에서, 저주라는 단어가 함축하고 있을 법한 모든 말들, 그러니까 영원한 갇힘, 풀어 내지 못하고 쌓여만 가는 슬픔, 원망까지도 뚫고 나올 듯 아직도 치밀어오르는 어떤 꿈…… 같은 것들을 공연히 느끼고는, 웬지 비가 부슬부슬 뿌리는 한적한 산길이 무서워져서 약수도 뜨지 않고 그대로 집으로 돌아와 버린 적이 있었던 것이다.

침묵하며 우리 집 앞까지 와서 그는 내게 악수를 청하고는 껑충한 뒷모습을 보이면서 사라져 갔다. 내 손에 아직 남아 있는 그의 손의 여운이 딱딱하게 느껴졌다. 수배도 해제되었고 조사도 받았고 재판도 끝났지만, 게다가 밤 세 시까지 술을 마셨지만 그는 온몸의 긴장을 다는 풀지 못하고 있었다. 나는 그가 어쩌면 집으로 돌아가기 전에 정말로 혼자 포장 마차에 갈지도 모른다는 생각을 했다. 아니, 어쩌면 또 이박 삼일 동안 술을 마실지도 모른다. 하지만 그는 저주받은 것처럼 다는 부드러워지지 않는다. 다는 풀어 헤쳐지지 못하는 것이다. 아마 그는 딱딱한 손으로 연필을 들고 성 프란체스코의 기도문이 적힌 수첩을 꺼내서 깨알같이 메모를 할 것이었다. 말하자면 그는 죽는 날까지 시를 쓸 것이었다. 왜냐하면,

첫째날 오후 6시 20분

김 감독은 속도를 좀 줄였다. 벌써 다섯 번째 검문소였다. 헌병이 우리 일행을 쓰윽 훑어보더니 가라는 손짓을 했다. 운전대를 잡은 김 감독이 기어를 바꾸어 넣으며 속력을 냈고 우리는 더 북쪽을 향해서 달려나갔다. 의정부와 포천 시내에서

생각보다 길이 많이 막혔기 때문에 우리는 또 늦어 있었다. 가끔 우리 둘을 불러 내서 낚시터로 데리고 가곤 하는 낚시광인 김 감독은 좋은 포인트를 놓칠까 봐 초조한 모양이었다. 하지만 박과 나로 말하자면 그저 아무 생각이 없었다. 머리를 짧게 깎은 수양버들이 차창을 스쳐 가는 길에서 담배만 피우고 있던 박이 새삼스럽다는 듯이 물었다.

"그런데 대체 왜 이렇게 검문을 하는 거지요?"

"우리가 젊으니까요."

"그것도 그렇겠군요."

그들은 선문답 같은 이야기를 간결하게 주고받으며 잠시 하하 웃었다.

차창 곁으로 트럭이 천천히 언덕길을 오르고 있었다. 무엇을 그렇게 많이 실었는지 푸른 비닐에 덮여 있는 내용물은 보이지 않았지만, 트럭은 우리 차를 비껴 뒤로 멀어져 갔다. 김 감독의 차는 이제는 거의 생산되지도 않는 고물형이었지만 트럭보다는 그래도 나은 모양이었다. 트럭을 가볍게 스쳐 오르막길을 다 오르고 나서 우리 차는 322번 지방도로 접어들었다. 낚시터가 이제 가까워진 것이었다. 우리는 낚시 가게 앞에 내려 지렁이와 케미라이트와 라면을 샀다. 돌아보니 박이 캔 맥주를 한아름 가지고 와서 계산을 하고 있었다. 우리는 비포장길로 접어들어 다시 달리기 시작했다. 긴 여름해가 먼 산 위에 떠 있었다.

한탄강의 지류인 그 강가는 언제 와도 좋았다. 마치 태초에 누군가가 쇠스랑으로 긁어 놓은 듯한 가파른 절벽들이 서 있고 그 아래로 잔잔한 물이 푸르렀다. 토요일치고 한산한 편이었다. 자리를 잡고 나자 김 감독이 서둘러 낚싯대를 폈고, 박이 가지고 온 텐트를 강가 한쪽에 설치하고 있었다. 나는 그들과 여러 번 이곳에 왔지만 낚시를 한 일이 없었다. 그건 처음에 낚시터로 따라오자마자 김이 가르쳐 준 대로 지렁이를 꿰면서부터였다. 낚시의 뾰족한 바늘이 지렁이의 몸을 관통했을 때 지렁이는 온몸을 동그르르 말았다. 내 손끝으로 딱딱한 긴장감이 분명하게 전달되어 왔다. 지렁이 자신은 아마도 그게 저항이라고 생각하고 있는지도 몰랐다. 지렁이가 불쌍하다든가, 그건 잔인하다, 그런 생각 때문에가 아니라 나는 그냥 지렁이의 그런 본능적인 저항들, 결과적으로는 소용이 없는, 그래서 결국은 무모한 본능적인 저항을 아무렇지도 않다는 듯 묵살해 버리는 그 행위가 싫었을 뿐이었다.

——그러면 대체 뭐하러 따라오는 거예요?

언제나 낚시터에서 한켠에 앉아만 있는 나를 보고 한번은 김감독이 물었지만 나는 그저,라고 대답했다. 그 후로 언제나 나는 낚시터에 오면 한켠에 앉아서 맥주를 홀짝이며 그들이 낚시하는 것을 구경하곤 했었다. 하지만 그들은 낚시를 갈 때마다 나를 불러 내곤 했다. 한켠에 가만히 앉아만 있는 내 모습이 이제는 그들에게도 그냥 익숙한 모양이었다. 나 역시 끼여들지 못하고 그저 한켠에 앉아 있는 것에는 익숙했다. 예를 들어, 여자 친구들과 동창회에서 만날 때 남편에 대한 이야기, 시댁 이야기, 그리고 아이 이야기를 하며 깔깔거리다가 가끔 그들이 나를 바라보았을 때, 그들의 눈빛에는 그러니까 이혼한 너에게 이런 이야기를 해도 실례가 안 되겠지 하는 배려가 담겨 있었지만, 언제나 그럴 때마다 나는 굳어지기 시작했었다. 아무 생각 없이 같이 웃고 있었을 뿐이었는데, 갑자기 웃는 내 얼굴이 서걱거리는 듯한 느낌들…… 그럴 때 나는 그들이 그어 놓은

금 밖에 있는 사람이었다. 금 밖에 밀려난 사람은 그러니 입을 다물고 한켠에서 조심스레 웃어야 했다. 하지만 그들은 가끔 깊은 밤, 내게 전화를 걸어 오기도 했다.

——미치겠어, 정말 이혼하고 싶어…… 글쎄 우리 영미 아빠가 말이야…….

글을 쓰다가도, 라디오를 들으며 혼자 차를 마시다가도 그들의 전화를 받으면 나는 그들의 결혼 생활 속으로 끼여들었다. 함께 웃고 울고 그리고 이야기해 주고…… 그럴 때 분명 나는 그들의 금 안에 있었다. 하지만 전화를 끊고 나면 나는 다시 금 밖으로 밀려 나왔다. 내가 금 밖에 있었기 때문에 그들이 내게 전화를 건다는 사실을 나는 알고 있었다. 같이 금 안에 있는 친구들, 예를 들어 행복한 결혼 생활을 자랑하는 친구에게 그들은 고통을 호소하지는 않았다. 아마도 내게는 하지 않는 즐거운 이야기들을 서로 나눌지도 모르겠지만 말이다. 그러고 보니 어린 시절 동네에 비행기 모양의 놀이 기구를 리어카에 싣고 오던 아저씨가 생각이 났다. 우리들은 그가 나타나면 일제히 엄마에게 달려가 어렵게 십 원씩 타내 가지고는 그놀이 기구를 타러 몰려갔다. 하지만 잠시 후, 그는 나를 번쩍들어 놀이 기구 밖에 내려놓았다.

——안 되겠구나 얘야, 너 또 저번처럼 멀미할라.

더 타고 싶다고 떼를 쓰는 때도 있었지만, 나는 대개는 순순히 포기하곤 했다. 실제로 멀미가 입 안 가득히 몰려 나와 있던 때가 대부분이었기 때문이었다. 그러면 나는 그 리어카의 금 밖에서 아이들이 비행기 모양의 그 놀이 기구를 타고 빙글빙글 돌아가는 걸 구경했다. 순미는 무서운 듯이 입을 꼭 다물고 있고, 숙자는 입을 헤벌린 채로 좋아서 죽을 지경이고……

경식이는 부우우웅, 정말 비행기처럼 소리를 지르고 있고⋯⋯
금 밖에 서서, 하지만 금 언저리를 아주 떠나지도 못하고 우두
커니 서서 친구들이 탄 비행기에 파란 페인트가 조금 벗겨진
것을 보는 일, 모형 비행기 하나하나마다 씌어 있는 필리핀이
라든가 월남이라든가 태국이라든가, 우리가 한 번도 가 보지
못한 나라의 지명을 읽는 일. 만일 내가 멀미를 하지 않았다면
나는 아마 그 안에 들어가서 모형 비행기가 오르내릴 때의 짜
릿한 재미만 기억해 냈을 것이었다. 그러나 내 기억 속에는 그
런 것 대신, 나를 빼놓고 모형 비행기를 타던 친구들의 얼굴이
남아 있는 것이다.⋯⋯ 그 풍경과 그들의 표정, 지켜 보고 있던
내 모습까지 말이다. 그래서 그 시절을 회상하면 나는 언제나
그들과 함께 비행기를 타 보기라도 한 듯이 즐겁기도 한 것
이다. 한 번은 순미처럼 무서운 듯이 입을 꾹 다물고 있던 내
모습도 있고, 또 한번은 좋아서 죽을 지경인 숙자처럼 타 보기
도 하고⋯⋯ 나는 어쩌면 그때부터 소설을 쓰고 싶어했던 것
은 아닐까. 영원히 술래가 된 것처럼 금 밖을 서성이면서 그들
이 그것을 타는 모습을 지켜 보기⋯⋯ 그리고 그들처럼 해 보
는 것을 상상하기⋯⋯ 그래서 밖에 서 있는 자의 쓸쓸함과 안
에 있는 자들의 복닥거림을 엮어내 보기⋯⋯ 그런 사람이 할
수 있는 일이란 바로 소설 쓰기가 아니었을까?

"⋯⋯ 소설 한 권 읽고 이렇게 저 자신의 아픈 이야기를 모두
털어놓는다는 것이 바보 같은 일이겠지요.⋯⋯ 남편은 학교 선
배였습니다. 제가 일 학년 때 이미 시위 주동을 해서 제적을
당했습니다. 사랑은 아마 제가 그의 약혼자로 등록을 하고 옥
바라지를 하면서부터였나 봅니다. 그는 그 시절 젊은이들이라
면 누구나 그랬듯이 석방되고 나자 노동 현장으로 떠날 준비를

했습니다. 사실을 이야기하자면 저는 그가 자랑스러웠던 겁니다. 그래서 저는 나 자신이 하고 싶었던 노동 운동을 그에게 미루어 놓고 대신 그가 노동 운동에만 전념할 수 있도록 뒷바라지를 하기 시작했습니다. 아동물 외판원에서부터 서점 점원까지 안 해 본 일이 없었습니다. 그가 해고당한 후에는 그가 다니던 공장 앞에 분식집을 차려서 회사 근처에 갈 수 없는 그 대신 제가 노동자들을 만나기도 했습니다. 첫아이를 유산한 것이 그 무렵이었습니다. 그러나 나는 절망하지 않았습니다. 그런데 이 년 전 어느 날 그는 느닷없이 큰 회사에 취직을 해 버린 겁니다. 이제 우리는 신도시에 분양받은 28평짜리 아파트에 삽니다. 아침이면 그는 넥타이를 매고 출근을 합니다. 처음에 저를 만났을 때 그는 말했습니다. 옳다고 믿는 걸 버리는 건 죄악이야…… 취직을 하면서 그는 말했습니다. 좀더 장기적으로 봐야 해…… 그런데 요즘 그는 말합니다. 올 여름엔 동남아로 한번 떠나 보는 게 어떨까…… 가끔 출근하는 그의 뒷모습을 보고 있으면 그의 뒷덜미를 낚아채고는 발악하듯 말하고 싶은 충동을 느낍니다. 물어내, 내 세월, 죽은 우리 애 물어내…… 내가 가졌던 꿈 물어내! …… 하지만 저는 정녕 그를 미워해야 합니까…… 날마다 같은 일상이 반복됩니다. 아침에 남편을 출근시키고 아이를 유치원에 보내고 나면, 설거지하고 집안 치우고…… 하지만 저는 가끔씩 중얼거려 봅니다. 사랑이라든가, 행복이라든가, 그도 아니면 희망 같은…… 이제는 제게서 너무나 멀어져 버린 그런 단어들…… 나이를 먹는다는 것은 그런 것들을 버려 가는 과정일까요. 하지만 당신의 책은 내게, 내가 그런 사실을 잊고 살아가고 있다는 바로 그런 걸 깨닫게 해 주었습니다.…… 조금씩 소설 공부를 해 나가고 있습니다. 저도 소설가가 될 수 있을까요.…… 가슴속에서 버둥거리는 할 말이 너무 많습니다."

가끔씩 집이나 출판사로 배달되는 편지에 사람들은 그런 글귀를 보내 오곤 했다. 한 번도 본 일이 없는 그녀들이 왜 이런 글을 내게 써 보냈을까, 하고 나도 그녀들처럼 생각했다. 그녀들 입에서 뿐만 아니라 내 입에서조차 그런 말들은 사라진 지 오래가 아니던가. 그런데 그들은 말한다. 당신의 글은 내가 그런 사실을 잊고 살아가고 있다는 바로 그런 걸 깨닫게 해 주었습니다, 하고.

일전에 소설을 쓴다는 후배가 작품을 가지고 나를 찾아온 적이 있었다. 작품에 대해 좀 이야기를 하고 나서 내가 물었다.

—— 방송국 구성 작가 일을 하면 생활은 넉넉할 텐데 뭐하러 소설 쓰려고 이 고생이니?

그녀가 나를 물끄러미 바라보다가 말했다.

—— 선배님은 잡문 써서 돈 잘 버는 사람이 그럼 부러우세요?

그녀는 조금의 의심도 갖지 않은 얼굴로 말했다. 그 글이 잡문이라면, 그렇다면 소설은 본문이라는 말일까…….웃음이 나왔지만 바라보는 후배의 얼굴이 하도 진지해서 나는 그냥 입을 다물고 말았다.

해가 절벽의 끝에 손톱처럼 걸려 있었다.

"특별히 예민한 찌니까 대어 한 마리 낚겠네요. 매운탕 준비나 좀 해 주세요."

김 감독이 긴 찌에 케미라이트를 끼우며 말했다.

이제 어둠이 내리면 그는 저 녹색으로 빛나는 케미라이트 찌에 온 신경을 모으고 앉아 있어야 할 것이다. 밤이 내리는 저

물 속에서 무슨 일이 일어나는지는 아마 저 케미라이트 찌만이 그에게 전해 줄 것이니까 말이다. 붕어가 살금살금 다가와 일 밀리미터쯤 미끼를 건드린다 해도 예민한 찌는 춤을 춘다. 그걸 보면 사람들은 알아차린다. 붕어가 조금씩 건드리고 있구나 …… 붕어가 일 밀리미터를 건드리는 진실과 그것이 일 밀리미터의 움직임이라는 진실을 알아차리는 그 사이에는 그 움직임의 열 배 스무 배로 춤을 추어야 하는 찌가 있다. 무엇이 변했을까, 사람들은 어떻게 삶을 바꾸었을까. 십 년 사이 …… 아주 적은 일들이 일어났을 뿐이다. 자가용으로 출근하는 사람들이 늘어서 길이 더 막히게 되었고, 신문의 일면 기사의 주제가 바뀌게 되었고, 가끔은 노래방에 가고, 자주는 술집에 가서 좀 덜 정치적인 이야기를 나누게 되었다고 생각하면 그만이었다. 그런데, 십 년이 지난 지금에 나는 춤을 추는 사람들을 만나고 있다. 열 배, 스무 배 비틀거리다가 시궁창에 빠져서는 말하는 것이다. 여기서부터 정말 시작이 아닐까, 하고. 그러면 나는 묻고 싶어지는 것이다. 뭘? 대체 뭘?

어둠이 내리면서 발 밑에서 찰싹이던 물결 소리도 잦아들었다. 사방이 고요해지기 시작했고 동쪽 하늘은 희미한 은빛으로 물들기 시작했다. 나는 어둠이 내리면 내릴수록 더 환해져 오는 케미라이트 찌를 바라보며 여전히 한켠에 앉아 있었다. 검은 강물 위에 케미라이트 찌가 별처럼 뿌려져 있었다.

"보름달인가."

김 감독이 중얼거렸다.

첫째날 밤 9시 45분

보름달이었다. 비탈마다 저희들끼리 모여 한 줌씩 피어 있는 개망초꽃들이 환하게 보이는 아름다운 밤이었다. 하지만 박과 김은, 둘 다 거의 입질조차 받지 못하고 있었다. 원래 달이 밝으면 고기가 잘 잡히지 않는다는 상식을 주워들어 알고 있었지만 이건 좀 심한 것 같았다.

"참 찌가 말뚝이네, 말뚝."

김 감독이 발 밑에 담배를 비벼 끄며 말했다. 나는 담배를 하나 물고 수면 위를 바라보았다. 달빛이 호수 위에서 잘게 부서지고 있었다. 사방이 환해서 나와 떨어져 앉은 박이 고개를 좀 치켜들고 노래를 흥얼거리는 모습까지도 잘 보였다.

김 감독은 부지런히 떡밥을 갈아 끼우고 또 끼우고 있었다. 언젠가 우리를 처음 낚시에 데리고 가서 그는 말했었다.

── 말하자면 낚시는 기다림입니다. 기다리면 고기는 와요.

내가 보기에도 그는 기다림에 능숙한 사람이었다. 내가 각색을 해 준 일이 있는 90분짜리 영화를 무려 2년 동안 찍어 댔던 사람이었다. 크랭크 인만 해 놓고 제작자가 갑자기 돈이 없다고 해서 일 년, 그 다음엔 주가가 오른 주연 여배우가 개런티가 적은데다가 대학을 못 다닌 자신의 열등감을 자극하는 영화라고 연속 펑크를 내는 바람에 일 년……. 그래서 내가 써 준 시나리오의 반도 못 찍은 그 영화를, 주가가 오른 주연 여배우의 명성만 믿고 제작자가 개봉해 버렸다. 그때 극장 앞에서 그는 몹시 충혈된 눈으로 사람들과 악수를 하고 있었다.

그 시간 이후로 삼 년이 지났건만 그는 여전히 시나리오를 들고 고치고 또 영화사를 기웃거리는 모양이었다. 하지만 관객 동원이 적었던 영화를 찍은 감독을 다시 채용해 줄 제작자를 만나기는 어려웠다. 영화판에 잠시 머물러 보았던 나는 그가 무슨 말을 들었을지 짐작이 갔다.

——예술? 그거 좋지……. 그렇다고 지금 이 판에서 설마 예술하자는 얘기를 하려는 건 아니겠지?

물론 그가 삼 년 동안의 공백을 가지게 된 데에는 내 탓도 좀 있었다. 내 소설을 영화화해 보겠다고 그는 나를 어떤 영화사 사장 앞에 데리고 간 적이 있었다. 사장이 말했다.

——물론, 저번에 우리가 영화화했던 그 유명 교수의 '밤의 여관'은 다르죠. 막말루다가, 문장도 안 되는 소설이잖아요. 저도 대학물 먹은 놈인데 그거 모르겠습니까. 하지만 그건 유명해요…… 간판 좌악 붙여 놓으면 지나가던 리어카꾼도 알아본다 이겁니다. 물론 선생님 작품이 문학성, 뭐 그런 거야 있겠지요. 하지만 작품료가 그 작품의 반밖에 안 되는 건 이해하셔야 돼요.

그가 문학성, 뭐 그런 거야 하고 말했을 때 나는 일어나서 그 자리를 뛰쳐나오고 싶었다. 당신 작품이 별로 훌륭한 것이 못 된다고 말했으면 뛰쳐나오고 싶다는 충동까지는 느끼지 않았을 것이다. 김 감독이 연신 담배만 피우면서 초조하게 나를 바라보다가 힘없이 눈을 아래로 내리깔았다. 나는 그냥 그 자리에 앉아서 사장의 말을 다 들었다.

——방송국에선 더해요. 이번에 선생님 또래 작가 것은 아마 한 권에 백오십 받았다죠? 그게 근수로 달아서 판 거지 뭡니까. 우린 적어도 그렇게는 안 합니다.

그날 밤 집으로 돌아와서 이불을 뒤집어쓰고 누운 채로 나는 생각했다. 뭐하러 쓰나, 뭐하러 고치나, 경기라도 들린 것처럼 자다가도 벌떡 일어나서 또 고치고, 또 지우고 다시 써 보고…… 혼자 수유리까지 와서 이 짓을 하고 있나…… 그렇게 쓴 걸 들고 가서 돈 몇 푼──물론 내게는 몇 푼이 아니었지만 ──더 받아 보자고, 그래서 잡지에 연속 펑크를 내는 바람에 밀린 적금도 붓고 빚도 갚아 보자고, 정말 그러려고 문학성, 뭐 그런 거야……. 그런 소리를 듣고 와야 하나? 그런 소리를 듣고도 내 또래의 작가는 자신의 책을 팔았나? 그도 나처럼 생각했겠지. 집으로 돌아와서 이불을 뒤집어쓰고 어쩌면 울었을지도 모른다. 그러니 이제, 문제는 리얼리즘이 아니라, 돈이 되었나, 그런가…….

물론 작품료가 결정되기도 전에 그 사장은 거대한 액수를 주고 들여 온 외화의 흥행 실패로 부도를 내버렸으므로 일은 거기서 끝났다. 하지만 그래도 그는 기다린다. 그는 쓰고 또 고친다. 그리고 가끔 밤늦게 우리 집에 전화를 거는 것이다.

──여기가 어디냐구요? 글쎄 여기는 도대체 어딜까요? 모르겠습니다. 하지만 아는 것도 있습니다. 뭐냐구요?…… 하하, 한마디로 쫓겨났다 이겁니다. 마누라가 애들 피아노 가르쳐서 번 생활비만 축내는데 뭐 잘났다고 큰소리치겠습니까. 보십시오 작가 양반, 저 그냥 벗기는 영화 할랍니다…… 그도 아니면 유치한 사랑 이야기라도 찍을랍니다…… 아니죠, 요즘은 섹스 코미디가 유행이랍니다. 그거 할랍니다. 두고 보세요, 전합니다!

하지만 그는 아직도 그런 작품을 찍지 않았다. 그러면서 그는 떡밥을 갈고 있는 것이다. 그는 너무 환해서 고기가 잡히지 않는 이 보름밤에 월척이라도 기다리는 것인지 모른다.

그때 갑자기 먼 산 쪽이 환하게 밝아지면서 온 산이 찌렁찌렁 울렸다. 술에 적당히 취한 얼굴로 노래를 흥얼거리던 박과 떡밥을 갈고 있던 김과 그리고 내가 일제히 시선을 하늘에 던졌다.

조명탄이었다. 마치 축포라도 터뜨리는 것처럼 하늘이 환해졌고 불빛들이 부서져서 검은 하늘 위로 천천히 흩어져 내리고 있었다. 우리가 지나쳐 왔던 가까운 군부대에서 포격 훈련을 하는 모양이었다. 다시 조명탄이 터졌다. 그리고 포성. 산은 포성이 한 번 울릴 때마다 포성보다 오래 울었고, 산의 울음소리는 절벽이 이어진 강 언저리를 따라 길게 흘러갔다. 김이 낚싯대를 늘어뜨린 채 허탈한 얼굴로 울고 있는 산과, 울음소리에 뒤척이는 긴 절벽들을 바라보고 있었다.

"저어, 혹시 전쟁이 난 건 아닐까요?"

박이, 자신을 바보 취급하지 말아 주었으면 좋겠다는 어투로 천천히, 그러나 상당히 실제적인 두려움이 어린 표정으로 말했다. 김이 피식하고 웃었다.

"보기보다 겁이 많으시군요. 훈련이에요. 군대 있을 때 가끔 밤에 포격 훈련 해 봐서 알지요."

그래도 박은 안심이 되지 않는 눈치였다.

"그렇다면 혹시 잘못해서 이리로 포탄이 날아오는 건 아닐까요? 재수가 없으면 …… 혹시라도."

김이 하하, 웃다가 다시 말했다.

"그럴지도 모르죠. 재수가 없으면 무슨 일은 못 당하겠습니까. 그러니 와서 소주나 한잔 합시다."

우리들은 아예 낚시를 포기하고 둘러앉아 깡통째 데운 참치 안주에 소주를 마셨다. 말하자면 그들 모두 나처럼 한켠으로 밀려난 것이었다. 지글거리며 끓는 참치 깡통을 우리 앞으로 밀어 주며 김이 소주를 따랐다.

"그런데 김 감독님, 영화 왜 안 들어가세요?"

박이 물었다. 김은 소주를 박에게 건네며 피식 웃었다.

"왜냐구요…… 글쎄…… 얼마 전에 어떤 영화 학교에서 나 보고 강연을 좀 해 달라고 하더군요. 가서 이야기를 하고 나오는데…… 참 그랬어요. 난 학생들에게 어떻게 하면 좋은 영화를 만들어 낼 수 있는가 하는 이야기를 해 주었거든요. 다들 참 열심히 듣습디다. 하지만 강의를 마치고 난 다음에 나는 내가 결정적으로 글러먹었다는 걸 알았어요. 막말로 요번에 깐느에서 그랑프리를 탄 작품을 그대로 베껴서 충무로에 나가 보세요. 제작자들은 아마 말할 거예요. 어디서 이렇게 돈도 안 되는 시나리오를 들고 왔어……."

제 말이 우스웠는지 그는 혼자서 웃었다. 우리들은 웃지 않았다. 그는 담배를 물며 아직도 포성이 울리는 먼 하늘을 바라보았다.

"차라리 그림을 그렸더라면 좋았을 뻔했어요. 그러면 아무도 사 주지 않아도 혹시 내게 재능만 있다면 자식 새끼들은 먹고 살 거 아닙니까. 제작자가 자금을 대 주지 않는 한 내 머릿속에 세계를 감동시킬 만한 영화가 한 편 들어 있다 해도 내가 죽으면 그걸로 끝입니다. 아니죠, 죽기 전에 이미 끝이죠. 그런데 박 형은 왜 음반 안 내세요?"

화살이 제게로 돌아오자 박은 좀 당황하는 듯하더니 갑자기 큰 소리로 웃었다.

"할 거예요. 인기 가수들 녹음 때문에 스케줄이 자꾸 뒤로 밀려요……. 곧 하게 되겠죠……. 그런데 글 쓰는 사람들은 좋겠어요, 종이하고 연필만 있으면 되니까 말이죠. 게다가 출판사 사장들은 그래도 트였잖아요? 그런데 왜 요즘은 소설 발표 안 하세요?"

마치 돌아가면서 소견 발표라도 하는 시간처럼 그들이 내게 물었다. 나는 포성보다 길게 우는 산을 바라보면서 잠시 머뭇거렸다. 왜냐하면요, 왜냐하면…… 나는 할 말이 없었다.

출판사 사장이 장사 안 되는 작품이라고 딴지를 거는 것도 아니고, 유명 작가들 때문에 내 소설이 안 실리는 것도 아닌데 왜…… 나는 갑자기 그들에게 미안해졌다. 박의 말대로 자본주의 사회에서 소설은 가장 원가가 싸게 먹히는 예술일 수도 있었다. 역으로 자본가들을 향해 마음놓고 비판을 해 댈 수도 있는 것이다. 하지만 나는 문득 아까 우리가 차를 타고 오던 길에 본 그 무거운 트럭을 생각했다. 낑낑거리며 오르막길을 오르고 있는 트럭…… 우리 차가 가볍게 그 곁을 스치는 동안 트럭은 겨우겨우 앞으로 나가고 있었다. 무거워서 정말 미안하다는 듯 오른쪽으로 비켜서서 조심조심 앞으로, 아니 앞으로 나가는 것이 아니라 뒤로 밀리지 않으려고 안간힘을 쓰는 것 같던 그 트럭……. 짐을 너무 많이 실은 탓이라고 나는 생각했었다. 적재 정량보다 너무 많이 욕심을 부렸는지도 모른다고. 아니다, 틀림없이 그랬을 것이다. 그래서 나는 농담으로 대처하기로 했다.

"왜냐하면 우린 소쩍새들이거든요……."

잘은 모르겠지만 들은 일이 있다는 얼굴로 박이 하하, 웃었고 김이 어리둥절한 표정을 지었다. 그런데 나로 말하면 갑자기 눈물이 쏟아졌다. 돌연한 감정이었다. 웃던 박이 입술을 천천히 다물었다.

"죄송합니다."

나는 천천히 말하고 일어나 먼저 텐트로 들어왔다. 대체 왜 이러는 건지 나도 알 수 없었다. 침낭에 얼굴을 묻자 내 목구멍에서 자음과 모음으로 표현할 수 없는 꺼억꺽 소리가 밀려나왔다. 일제의 감옥에서 죽었던 어떤 시인의 말대로 내 괴로움에는 이유가 없었다. 하지만 정말 내 괴로움에는 이유가 없을까. 그 시인은 말했다. 한 여자를 사랑한 일도 없다. 시대를 슬퍼한 일도 없다. 바람이 자꾸 부는데…… 펄럭이는 텐트 자락을 훤하게 밝히며 밖에서는 연신 조명탄이 터졌고 그리고 포성이 들렸다. 그러고 나면 포성 소리보다 오래오래 산도 따라 울었다.

둘째날 새벽 5시 2분

우리들은 쫓기고 있었던 것 같다. 도서관 앞을 달려가는데 같이 도망치던 친구가 바람처럼 뒤로 끌려나갔다. 돌아보니 그는 검은 옷을 입은 다섯 명에게 둘러싸여 입을 틀어막히고 있었다. 모퉁이를 돌자 세워 놓은 자동차가 보였고, 요란한 총소리가 들리기 시작했다. 나는 있는 힘을 다해 자동차를 향해 뛰었다.

——어서 타!

시궁창에 빠져서 군화를 신은 사람들에게 등을 짓눌린 채로 시인이 외쳤다. 내가 올라타자 차는 앞으로 나가기 시작했다. 나는 전혀 운전을 할 줄 몰랐다. 그런데 차는 움직이고 있는 것이었다. 다시 모퉁이를 돌자 가파르고 높은 계단이 나왔다. 나는 사십오 도나 되는 각도의 오르막 계단으로 차를 몰아붙

였다. 차는 올라가고 있었다. 나는 운전을 할 줄 모르는데, 아
아, 어쩌자고 이 가파른 길을, 길도 아닌 계단을…… 어디로
가야 하죠? 어디로? 내가 묻자 오 년 동안 같은 글을 고치고
있는 소설가가 다시 대답했다.

──표지판을 좀 보렴…….

나는 표지판을 보고 갈림길에서 우측으로 핸들을 꺾었다. 나
는 운전을 전혀 할 줄 모르는 사람이었지만 차는 달리고 있
었다. 이번엔 거의 구십 도의 경사였다. 나는 죽을 힘을 다해
액셀러레이터를 밟았다. 차는 그저 떨어지지 않은 채 제자리
걸음이었다. 하지만 언제 떨어져 내릴지 모르는 일이었다. 떨
어져서 시궁창에 처박히게 될지 모른다. 나는 죽음보다 그 시
궁창이 더 무서웠다. 그 떨어지는 맹렬함, 이것이 추락이구나
생각하면서 떨어져 내려야 하는 그 순간을 인정해야 하는 그것
이 두려웠다. 기를 쓰고 액셀러레이터를 밟아 대면서 문득 여
기가 어딜까 나는 밖을 내다보고 있었다. 맙소사, 나는 표지판
위로 차를 몰아 왔던 것이다. 길이 아니라, 길을 표시해 놓은
표지판 그 위로…….

깨어 보니 텐트 밖이 푸르스름했다. 악몽을 꾼 모양이었다.
또 시작이구나 하는 생각도 들었다. 가끔씩 연달아서 나는 이
런 종류의 악몽을 꾸곤 했다. 어떤 날은 악몽을 꿀까 봐 무서
워서 잠자리에 들지 못하는 날도 있었다. 꿈 자체가 무서운 게
아니라 그 반복이 두려웠다. 갑자기 나는 낯선 나라에 서 있고
사람들은 내가 알 수 없는 언어로 이야기하고 있을 때, 여보세
요 여기가 어디죠, 전 어디로 가야 하나요, 난 여기로 오겠다
고 한 번도 생각해 본 일도 없어요……. 전혀 통하지 않는 언
어로 혼자 중얼거리는 꿈, 운전을 하지도 못하는 내가 가파른

절벽길로 차를 몰고 가는 꿈……. 길이 멀고 가파르고 험한 꿈, 그 중에서도 특히 많이 반복되는 것은 운전에 관한 꿈이었다. 가파른 오르막길을, 다만 떨어져 내리지 않으려고 죽을 힘을 다해 올라가는 꿈…… 하지만 오늘의 것은 그 중 최악이었다. 표지판으로 차를 몰고 가다니…… 물론 현실의 나는 운전을 할 줄 알았다. 차를 몰고 고속 도로로 나가 본 경험도 있다. 그런데 꿈 속으로 들어가기만 하면 나는 전혀 운전을 할 줄 모른다……. 전혀……

옆자리에서 박이 코를 골고 있었다. 연이틀째 술을 마신 탓이었는지 속이 몹시 쓰렸다. 위장이 수세미가 된 채로 푸념을 하고 있는 것 같았다. 나는 시계를 들여다보며 텐트 밖으로 나왔다.

사방에서 안개가 피어 오르고 있었다. 풍경은 하얀 안개의 망사 속에서 아주 포근해 보였다. 강은 쉴새없이 안개를 피워 올리고, 나는 나른한 그 안개에 싸여 있었다. 그렇다면 밤의 포성은, 주책처럼 울어 버린 내 모습은 모두 꿈이었을까…….

안개가 덮인 새벽의 고요 속에서 작게 파문 이는 물결 소리가 들렸다. 김은 낚싯대를 던지고 나서 나를 보더니 손짓을 해댔다. 엔간한 사람이군, 생각하며 가까이 다가가자 그는 구수한 냄새가 나는 커피잔을 내게 내밀었다.

"안 주무셨어요?"

내가 커피를 위장약과 함께 삼키고 나서 물었다. 그는 찌에서 시선을 떼지 않은 채 씨익 웃었다.

"꿈을 꾸다가 금방 깼어요."

"꿈이오?"

내가 묻자 그는 낚싯대를 낚아챘다. 초릿대 끝이 휘이익 소리가 나도록 휘어지고 있었다. 큰 놈인 것 같았다.

"거 보세요, 기다리면 고기는 온다고 했잖아요. 뜰채를!"

나는 엉거주춤 뜰채를 집어 들었다. 그는 용을 쓰고 있었다. 힘을 쓰며 낚싯대를 세우고 수면을 응시하는 그의 얼굴은 아주 비장해 보였다. 하지만 어느 순간 마치 물 속에 숨어 있다가 튀어 오르는 작은 새처럼 안개 어린 수면에서 찌가 퉁겨져 나왔다. 뜰채를 들고 있던 나를 향해 김이 낭패한 얼굴을 지어 보였다.

"수초에 걸렸어요…… 큰 놈이었는데…….'"

그는 낚싯대 끝에 달려나온 검푸른 수초더미를 떼어 내며 허탈하게 말했다. 낚시 바늘까지 부러뜨리고 고기는 도망을 간 모양이었다. 허탈한 표정이었지만 김은 찬찬히 부러진 바늘을 떼어 내고 새로운 바늘로 채비를 바꾸며 말했다.

"꿈에 말예요, 갑자기 깡패들이 달려오더니 수배자를 내놓으라는 거예요. 무조건 도망쳤죠. 가다 보니까 또 깡패들…… 밤새 도망치는 꿈이었죠. 원래 꿈을 잘 안 꾸는 편인데…… 난 수배자가 어떻게 생겼는지 구경도 못 한 사람인데…… 참 이상도 하지."

이상한 일이라는 그의 말이 끝나기 전에 또 이상한 일이 벌어지기 시작했다. 안개를 뒤흔드는 것 같은 비명 소리가 들려왔던 것이다. 처음엔 그것의 발신지가 어디인지 알 수 없었으나 곧 그것이 우리 텐트 안에서 박이 지르는 소리라는 걸 알 수 있었다. 김이 갈아 끼우고 있던 바늘을 팽개치고 텐트로 달려갔다. 나 역시 일어나 텐트로 갔다.

"무슨 꿈을 그리 요란하게 꿔요?"

가까이 다가가자 텐트 안으로 들어간 김의 소리가 들리고 중얼거리는 박의 목소리가 들려 왔다. 역시 그쪽도 그저 꿈이었는 모양이었다.

"이상한 일이네요…… 귀국한 이래 처음이에요. 미국 간 초기에는 가끔 그러기도 했는데……."

"나와서 커피 한잔 해요. 이게 다 고기가 안 잡히는 탓이야
……."

김과 박이 텐트 밖으로 나왔다. 박의 얼굴은 몹시 해쓱해 보였다. 서둘러 내가 버너에 불을 피우고 커피를 끓여 내밀자 박이 그것을 받아 들고 이마의 땀을 닦았다.

"동갑인 고종사촌이 그때 죽었거든요. 난 그저 소식만 들었댔는데…… 왜 그 장면이 마치 영화처럼……."

박은 눈을 깜빡거리며 담배를 피워 물었다. 꿈…… 미국에 가서 그는 다른 꿈을 꾸었다고 했다. 지리상의 거리가 멀어지면 꿈조차 달라질 수 있다는 걸 그는 알았다고 했다. 그런데 그는 돌아왔다. 돌아와서 인기 가수에게 녹음 순서를 자꾸 밀리면서 한 달째 피아노엔 손도 못 대고 있는 것이다. 그러고는 고작 따라온 낚시터에서 포탄 소리 때문에 낚시를 망치고, 그리고 십몇 년 전에 잊었다고 생각한 일을 악몽 속에서 다시 만나는 것이다. 그러고 보니 정말 이상했다. 꿈을 잘 안 꾸는 김이 꾼 꿈과 십몇 년 전의 일을 다시 만나는 박과 최악의 악몽을 꾼 나…….

"가만, 혹시…… 포탄 소리 때문은 아닐까요?"

김이 낚시 바늘을 바꿔 끼우는 것도 잊어버리고 말했다.

"포탄 소리가 왜요? 두 분도 같은 꿈을 꾸셨나요?"

박의 질문을 들은 김이 정말? 하는 표정으로 나를 바라보았을 때, 나는 천천히 고개를 끄덕였다. 갑자기 싸늘한 새벽 냉

기가 내 옷 속으로 파고드는 것만 같아서 나는 단추도 없는 앞자락을 자꾸만 여몄다.

"정말 이상한 일이군요."

박이 다시 가볍게 진저리를 치며 말했다.

셋째날 새벽 3시 00분

자다가 나는 깨어났다. 악몽은 꾸지 않았다. 집 앞 골목의 방범등 불빛 때문에 방 안의 윤곽이 잘 드러나 보였다. 화장품이 어지러이 놓여 있는 화장대, 달력 그리고 벽에 걸린 일정표…… 마감일이라고 쓴 날짜에는 붉은 사인펜으로 ✕표가 그려져 있었다. 나는 주섬주섬 일어나 책상 앞으로 갔다. 아직도 위이이잉 소리를 내며 컴퓨터가 돌아가고 있었다. 어젯밤에 낚시터에서 돌아와 글을 쓰려고 낑낑대다가 그냥 잠들어 버린 일이 떠올랐다. 그런데 왜 컴퓨터를 꺼 놓지 않았을까……. 마감일은 지났지만 나는 아직도 쓰려고 한단 말일가? 무슨 글을 더 쥐어짤 거라고 생각했길래 나는 이것을 꺼 놓지도 않았단 말인지, 그렇다면 컴퓨터는 내가 잠이 든 동안에도 계속 모터를 돌려 가면서 커서를 깜박거리고 있었단 말일까?

책상 위에는 편지가 놓여 있었다. 이번에는 인천이 발신지로 되어 있는 편지……. 나는 그것을 집어 들었다.

"저는 한 대학에서 총여학생회장직을 맡고 있는 여학생입니다. 선생님 글을 읽고 나서 다시 한번 대체 '무엇을 할 것인가'에 대해서 오래 생각했습니다. 가끔 선생님 또래의 선배님들과 이야기를 하다 보면 차라리 그때는 얼마나 행복했을까 하는 생각을 하기도 합니다. 어떤 학자의 말대로 그때는 '별이 빛나는 창공을 보고 갈 수가 있고, 또 가야만 하는 길의 지도를 읽어 내던' 그런 시절은 아니었을까 하고 말입니다. 밤 세시, 제 방 창 밖으로 아직도 별은 빛나지만…… 별은 우리에게 아무것도 말하지 않습니다. 멀고 희미하게 반짝이고 있을 뿐. 이제 저는 제가 무엇을 원해야 하는지도 모르겠습니다. 모든 것이 혼돈입니다.

추신. 지금 곰곰 생각해 보니 저는 이제 겨우 스물두 살입니다."

나는 편지를 책상 서랍에 집어넣었다. 시계를 올려다보았다. 밤 세 시…… 무엇이 이 밤에 독자들로 하여금 얼굴도 모르는 내게 자신의 이야기를 털어놓게 하는지, 무엇이 후배로 하여금 소설이야말로 잡문이 아니라고 그토록 결연히 선언하게 하는 것인지, 대체 무슨 허깨비가 노동 소설을 쓰던 그 소설가로 하여금 오 년째 같은 소설을 고치고 또 고치게 하는지, 시궁창에 서라도 다시 시작해야 한다고 속삭이게 하는지 나는 알 수 없었다. 더구나 잠에서 깨어난 나를, 마치 너무나 중요한 일을 하지 못하고 깜빡 잠이 들었던 사람처럼 허둥지둥 일어나게 해서 컴퓨터 앞으로 밀어붙이는 것일까……. 이 밤, 이 캄캄한 밤 세 시.

나는 다시 컴퓨터를 마주 보았다. 길쭉하고 네모난 커서는 연신 깜박이면서 내게 말하는 듯했다. 길을 찾아 봐, 찾을 수 있다, 없다, 있다, 없다, 있다없다있다…….

나는 의자를 돌려 깜박이는 커서를 외면하고 읽다 만 책을 집어 들었다. 때로 글쓰기가 힘겨울 때 글읽기처럼 쉬운 도피는 없었다. 몇 달 전에 사 놓고 반쯤 읽은 책은 그런 대로 편안했다. 하지만 구호야말로 작품이라고 생각하는 세대들이 있다는 글귀가 불현듯 눈에 들어 왔다. '문학주의와 운동주의에서 갈등하느라고 그나마 여유가 있었던 유신 세대도 아닌, 살육과 절망의 광주 세대'의 이야기를, 4·19세대인 평론가는 6·25세대이자 월남 세대인 한 노작가와의 대화를 통해 간결하게 적고 있었다.

─── 살육과 절망뿐인 세대거든요.…… 광주 세대에겐 문학이란 무조건 타기해야 될 것이지요.

나는 급하게 책을 덮었다. 정말 살육과 절망만이 가득 찬 글을 읽고 난 뒤처럼 몸이 부르르 떨려 왔다.

언젠가 한 기자와의 인터뷰에서 나는 말한 적이 있었다.

─── 예, 저는 81학번입니다. 우리가 입학했을 때 이미 광주는 끝나 있었지만 우리는 한 번도 광주를 끝낼 수는 없었습니다. 그러니까, 한마디로 말하자면 저희는 광주 세대라고나 할까요. …… 지난 십 년, 우리에게는 참 많은 일들이 일어났더랬습니다. 하지만 이제 저는 그만 80년대에서 벗어나고 싶어요…….

나는 그때 아마 감히, 생글거리고 있었던 것 같다. 그러자 한 소녀가 울었다. 술자리에서 우연히 만난, 통일의 꽃이라 불리는 그녀는 내가, 그녀의 오빠이자 나의 동기였으며 군대에서 의문의 죽음을 당한 한 청년의 이야기를 꺼내자마자 울기 시작한 것이다. 그녀를 우러러보던 다른 후배들이 갑작스러운 그녀의 울음에 몹시 당황하고 있었다. 그녀는 말했다.

─── 감옥에서 나와 보니 아무도 오빠 이야기를 하지 않아요. 난 다들 오빠를…… 이제는 고만 잊은 줄만 알았는데…….

나에게 있어서 그녀는 눈물을 떨구던 그 순간에 피어나는 것만 같았다. 그녀는 이제는 아무도 기억해 주지 않으려는 오빠를, 오빠의 죽음을 기억하고 있기 때문에 그래서 더욱 꽃인지도 몰랐다. 눈물을 떨구고 피어나는 꽃……. 언젠가 그녀도 잊혀질지 모르지만, 잊혀져서 간결하게 정리될지도 모르지만, 잊혀졌다고 해서 꽃이, 꽃이 아닌 것은 아니었다. 꽃잎이 지고 나서도 뿌리와 줄기와 싱싱한 이파리가 남아 있는 한, 아니, 그 이파리마저 지고 흰눈에 덮여 줄기의 형체조차 희미한 겨울날에도 우리가 장미를 장미라고 부르듯이 말이다.

멀리서 소쩍새의 울음소리가 희미하게 들리기 시작했다. 나는 천천히 다시 컴퓨터를 마주 보았다. 몰랐던 것이 아니었다. 일전에 내게 편지를 보내 온 한 주부의 말처럼 가슴속에는 쓰고 싶은 것들이 버둥버둥거리고 있었지만 그것을 꿰어 나갈 삶을 나는 찾지 못하고 있었다. 글이 아니라 내 삶이 엉망진창인 것이다. 내가 정말 화를 내고 있었던 것은 내 글에 대해서가 아니라 내 삶에 대해서였다. 그러니 우리는 정말 살육과 절망에 가득 차 있던 세대들이었는지 모른다. 그래서 구호를 예술이라고 생각했을지도 모른다. 고작 한 줌의 멸치 때문에 레스토랑의 웨이터와 결사적인 싸움이나 벌이려고 하고, 죄 없는 시인에게 버럭 소리를 질러 댔던 걸 생각해 보면 그의 말도 일리가 있었다. 나의 꿈이 경고했던 것처럼 나는 길을 가고 있던 것이 아니라, 길을 표시해 놓은 표지판 위에서 버둥거리고 있었던 것이었는지 모른다. 그러니 이제 나는 표지판에서 내려와 길을 가기 시작해야 하는 것인지도 모른다. 제작자 때문에 영화를 찍지 못하는 감독도 아니고, 인기 가수 때문에 녹음이 밀리는 작곡가도 아닌, 소설가인 내가 말이다. 표지판 위에 그림으로 그려 놓은 매끄러운 표지가 아니라 진짜 길, 울퉁불퉁하고 가파르고 힘겨운 진짜 길을, 내가 걷기 전에 이미 그 길이 살육과 절망으로 가득 차 있었다 해도, 그것이 우리에게 주어진 길이라면 길 아닌 곳으로 도망치지 말고, 타박타박이라도 걸어서 넘어가야 하는지도 모른다. 진짜 길을 가는 사람에게 표지판은 더 이상 악몽이 아니라 밤하늘에서 빛나는 별의 지도가 될 테니까 말이다.

나는 마치 걸음마를 시작한 아이의 걸음걸이처럼 조심스럽게 천천히 두 손을 자판 위에 놓고 두드려 보았다. 어쩌면 며칠 후 또다시 자다가 벌떡 일어나 Delete 라는 단추를 누를지도 모르겠지만, 누르기만 하면 머리가 모자라는 충실한 하인처럼 컴퓨터는 일 초도 안 되어서 이 모든 걸 지워 버릴지도 모르겠지만 그래도 나는 시작해 보는 것이다. 내가 꾸는 그 악몽 같은 꿈들, 꿈에서 깨어나도 괴로운 90년대의 사람들, 그리하여 이제 90년대라는 금 밖에 서서 나는 다시 들여다보는 것이다. 우리의 꿈조차 지배하면서 아직도 건재한, 추억보다 선명하게 남은 배경들, 헤세를 읽고 김동리도 읽고 바르트와 바슐라르도 읽었지만 구호가 바로 작품이라고 생각했을지도 모르는, 살육과 절망만이 가득한 그때, 그 배경에 서 있던 그들, 젊었던 그들, 젊었던 그들에 대하여……. 정녕 그것은 그저 꿈을 꾸던 사람들에 대한 꿈일 뿐일까.

테라스에 앉은 조라

구효서

구효서

具孝書

1957년   경기 강화 출생.
1987년   단편 「마디」 중앙일보 신춘문예에 당선.
1990년   중단편집 『노을은 다시 뜨는가』 판에서 출간.
1991년   장편 『늪을 건너는 법』 중앙일보사에서, 장편 『슬픈 바다』 동아
         출판사에서 출간.
1992년   장편 『전장의 겨울』 모음사에서, 장편 『추억되는 것의 아름다
         움 혹은 슬픔』 문이당에서 출간.
1993년   중단편집 『확성기가 있었고 저격병이 있었다』 세계사에서 출
         간.
1994년   단편 「목신의 오후」 현대문학에, 「그녀의 야윈 뺨」 문학정신
         에, 「테라스에 앉은 조라」 세계의 문학에, 「덕암엔 왜 간다는
         걸까 그녀는」 동서문학에 발표. 한국일보 문학상 수상.

테라스에 앉은 조라

　길을 걷다가 아흠, 아흠, 하고 별스런 호흡을 할 때가 있다. 한숨 같기도 하고 하품 같기도 한.

　저만치, 대수롭지도 않은 주택가 옹벽 근처에 샛노란 개나리가 피어 있거나, 생각지도 않은 회양목 무더기와 갑작스럽게 맞닥뜨리거나 할 때 그런 숨은 저절로 쉬어진다. 말하자면 환절기, 즉 절기가 바뀌는 시기에 그런 경험이 빈번했던 걸로 기억된다.

　그게 겨울에서 봄으로 이어지는 시기라면 아마도 꽃잎이나 새순 때문일 것이다. 오랫동안 빈 가지로 황량하게 서 있던 나무들이 어느 날 갑자기 청호반새의 부리만한 잎사귀들을 화닥닥 틔우는 것이다. 화사한 담홍색의 꽃잎들이 다투어 벙글어지는 것이다. 귀로 들을 순 없지만, 그것들은 분명 아우성을 치고 있다.

어찌 그것들이 갑자기겠는가. 왕성하기는 하겠지만 사실은 시침보다도 느리게 여러 날을 두고 조용한 세포 분열을 거듭했을 것이다. 낮밤으로 봄 기운을 빨아들여 연노랑색이며 담홍색이며 반질거리는 초록의 이파랑치 색소 세포며를 증식해 갔을 것이다. 하루에 1밀리미터 정도씩 그랬을 것이다.

그러나 우리가 그것들을 보는 방식이란 거의 언제나 갑작스럽다. 아욱국 따위에다 번잡스럽게 아침밥을 말아 먹고, 국물의 온기가 식도에서 채 가라앉기도 전에 대문을 뛰쳐나서며, 머릿속으론 그날 만나야 할 거래처의 고약한 대머리 사장과, 대차 대조표와, 밀린 상여금 따위를 생각한다. 그러다 어느 날 우연히 치켜든 눈에 버드나무와 백목련과 벚나무 꽃망울이 날아와 박히는 것이다.

그것들은 계엄군처럼 주택들 사이사이에 진주해 있다. 그 도저한 불가항력 앞에 억, 하고 비명을 지른다. 잠시 걸음을 멈추고 숨이라도 고르지 않는다면 아뜩한 현기증으로 길 위에 주저앉고 말 것 같다. 그 찰나의 놀라움 속에서 우리는 비로소 세월의 무상함과 성과 없이 신산하기만 한 삶과, 헛헛한 가슴에 새겨지는 허망한 나이테를 새삼 절감하며, 심장이 오그라드는 아릿함을 맛본다. 그것이 여름에서 가을로 이어지는 시기라면, 이번엔 변질된 엽록소거나 붉어진 화청소(花靑素)가 우리를 또 그렇게 만든다.

그럴 땐 어쨌든, 가만히 서서 심호흡을 하는 게 제일이다.

그러나 어제 내가 아홉, 아홉, 하고 별스런 호흡을 했던 건 환절기여서가 아니었다. 한여름이었고, 적어도 세월이니 뭐니 그런 것들을 새삼 각성할 만한 동기나 조건이란 게 아무것도 없었으니까. 그저 시원한 캔맥주나 종일 마셔 댔으면 좋겠다는 생각만이 머릿속을 가득 메우고 있었을 뿐이었다.

그렇다고 내가 그 까닭을 전혀 몰랐다는 말은 아니다. 미리 말하자면, 알고 있었다. 다만 환절기와는 상관 없었다는 것. 언젠가도 차를 타고 한남동을 지날 때 그와 똑같은, 한숨인지 하품인지 모를 숨을 들이켜고 내뱉고 했었으니까. 나는 어제 한남동을 지나고 있었던 것이다.

그러니까 내겐 형태가 동일한 두 가지 내용의 호흡법이 있는 셈이다. 굳이 이름을 붙인다면 '환절기용'과 '한남동용'이 되겠다.

지금으로부터 8, 9년 전, 나는 한남동의 한 작은 아파트를 세 내어 살고 있었다. 5층이었고, 수압이 유별나게 낮은 아파트였다. 샤워를 하려면 네 시간 동안 물을 받아야 했다. 한 시간 안에 두 번 배설하는 걸 변기는 용납하지 않았다. 겨울엔 외풍이 세서 안방에서도 입김이 허옇게 쏟아졌다. 거실과 욕실 벽 등에 붙어 있는 타일은 15퍼센트 가량 깨져 있었다.

그래도 난 그 아파트를 잊을 수가 없다. 대학을 졸업하고, 바라던 대로 방송국에 입사를 하고, 처음으로 혼자만의 생활 공간을 확보했을 때의 즐거움을 그 아파트는 지금도 고스란히 기억하고 있을 것이다. 비록 5년 뒤에 그 아파트를 떠나 지방 방송사를 떠돌긴 했어도, 그 집의 문고리며, 창틀이며, 밤마다 발코니를 오가던 흰 점박이 고양이까지도 나는 생생하게 떠올릴 수 있다.

농경 사회가 아닌 바에야 어디서 무얼 하며 살든, 집이란 건 그닥 대수롭지 않은 대상이다. 직장을 따라 강동구에서 강서구로, 대구에서 강릉으로 거처를 옮겨야 하는 것이다. 가차없이. 보름 만에 집을 팔고 사며, 전화 한 통화면 이삿짐을 감쪽같이 날라 준다. 미련 따위 개입할 여지가 없다. 해마다 일구고 주무르던 텃밭이 있었던 것도 아니고, 유별나게 정이 가던 복숭아나무가 있었던 것도 아니니까. 남기고 떠나는 것이란 휑뎅그렁한 시멘트 벽과, 기껏해야 때묻은 샤워 꼭지 정도다. 휑뎅그렁한 시멘트 벽과 낡은 샤워 꼭지 때문에 이별의 눈물을 흘리는 사람이란 없는 것이다. 그토록 대수롭지 않은 집에 대해 지나친 집착을 보이는 부류가 있긴 하지만, 그건 집에 대한 집착이라기보단 어디까지나 부동산에 대한 집착이다.

나라고 해서 예외는 아니다. 하지만 나는 한남동의, 내가 살던 아파트 곁을 지나면 호흡이 달라지고 만다. 일종의, 감회에 젖는 것이다. 수압이 낮은 물줄기와, 외풍과, 깨진 타일에 대한 그리움은 물론 아니다. 그렇다면 해답은 간단해진다. 그 아파트에서 보냈던 서른 살부터 서른다섯 살까지의 내 청춘을 재인(再認)하는 것이다.

지극히 간단한 이유지만 나는 지금껏(정확히 말해 어제까지) 그걸 몰랐고, 알려고도 하지 않았다. 하기야 뭐 거창한 통찰이랄 것도 못 되니까. 하여튼 지방에 내려가 있는 동안, 그리고 3년 만에 다시 서울로 올라온 뒤에도, 나는 무슨무슨 프로그램에서 '한남동'이란 슈퍼슬라이드나 내레이션과 맞닥뜨리면 반사적으로 고개를 돌렸고 4, 5초 동안 멍하니 모니터를 바라봤을 뿐이었다.

누구나 마찬가지일 것이다. 누군가가 구로동에서 7년을 살았다면, 구로동 호우 피해 상황을 알리는 라디오나 텔레비전 속보에 그 누군가는 무관심할 수 없을 것이다. 이미 떠나 온

곳, 이제 더 이상 내 흔적이라곤 찾아볼 수 없는 곳이 되어 버렸지만, 내 생애의 한 시기가 어쩔 수 없이 아직도 그곳에 머무르고 있는 것만은 틀림없으니까.

그러나 그렇다고 해서 일부러 그곳엘 들르진 않는다. 전철을 타고 그 지역을 지날 일이 있으면 창 밖의 전봇대나 칙칙한 육교를 바라보며 그런저런 무정형의 감회에 아주 잠시 젖을 뿐이다.

어제 내가 한남동을 지나쳐야만 했던 것도 그 아파트와는 전혀 상관이 없었다. 단지 일 때문이었다. 카메라맨과 구성 작가와 리포터를 대동하고, 숯으로 어떤 질병이든 깨끗하게 치료한다는 40대의 한 여인을 찾아갔던 것뿐이었다. 간 곳이 우연히 '한남동'이었고, 그곳에서 나는 나도 모르게 튀어나온 별스런 호흡에 놀랐던 것이다. 놀랐을 때만 하더라도 나는 그 호흡의 정체를 얼른 알아차릴 수 없었다. 십 년 가까이 괴상한 소문만을 허겁지겁 취재하고 다니는 나 자신의 소모적인 인생이 갑자기 서글퍼져서였는지, 아니면 이따금씩 원인 모를 한숨을 쉬게 되어 있다는 이른바 소음인의 체질을 내가 타고났기 때문인지.

그러다가 나는 그 낡은 아파트가 서 있던 동네 한쪽 곁에 여름이면 개장미 덩굴이 무성하게 우거지곤 하던 2층짜리 작고 퇴락한 양옥이 있었다는 걸 기억해 냈다. 문득 나를 주체할 수 없는 어떤 감회에 빠져들게 했던 게 바로 그 양옥이었는지 어쩐지는 몰라도, 나는 어느새 그 적막하고 항상 침침한 그늘에 감추어져 있던 양옥의 괴이쩍은 분위기를 남김없이 떠올리기 시작했다.

팀과 헤어진 나는 혼자 한남동에 남았다. 땅을 똑바로 딛고 서서 내가 살던 동네 쪽을 응시했을 때 머릿속에선 비로소 '3년도 훨씬 지나서야 나는 여기에 다시 왔구나'라는 문장이 천천히 새겨졌다.

그곳에서 보낸 5년의 처음과 끝은 사뭇 달랐다. 대학 졸업과 입사 시험 합격과 독립 생활. 그것이 한꺼번에 시작됐던 것이다. 용인 집을 오가는 지긋지긋한 통학에서 해방되었다는 것 하나만으로도 신나기엔 충분했다. 거기에다 나는 남들이 선망하는 직장에 당당히 들어갔고, 작고 낡긴 했지만 나 혼자만의 아담한 거처를 마련하기에 이르렀던 것이다. 단것을 좋아하는 아이가 과자며 캔디며 아이스크림을 한꺼번에 얻은 꼴이었다.

수돗물이나 콸콸 쏟아졌으면 좋겠다는 것만 빼면 정말이지 더 이상 바랄 게 없었다. 일 주일에 사나흘은 편집실에서 밤을 새웠고, 나머지 밤들은 친구를 만나 술을 마시거나 트럼프를 하거나 『고요한 돈 강』을 읽거나 모자라는 잠을 몰아 자거나 했다. 가끔씩 내 거처에 거부감을 느끼지 않을 만한 여자를 데려와 함께 자기도 했다. 내 집의 부서진 탁자며 헐거워진 문손잡이 따위를 보자 갑자기 성욕을 주체하지 못했던 여자가 있었는데, 나는 그녀와 한 달에 한 번씩 만나 맹렬한 섹스를 나누었다. 섹스뿐만 아니라, 그 즈음 난 모든 것에 맹렬하게 달려들었다. 서른 살이란 나이는 자기 덩치보다 큰 바위에다 공연히 발길질을 해도 그다지 이상하게 보이지 않는 연령이니까.

마지막 1년을 빼고 4년 동안 그랬을 것이다. 4년이 지나니까 나는 바람든 무처럼 퍼석퍼석해져 있었다. 몸이 붓고 창백해졌다. 원인은 천 가지도 넘을 것이었지마는, 하나를 꼽으라면 대인 기피증이 아니었을지.

특별히 사람 사귀는 걸 싫어하거나 그 방면에 재주가 없었다고는 생각지 않는다. 사람 사귀는 일에 서툰 인간은 프로듀서라는 직업에서 성공할 수 없다는 사실을 나는 누구보다도 잘 알고 있었다. 그리고 실제로 인원을 동원하거나 팀을 운영하거나 섭외를 하거나 하는 일에 별 어려움을 느끼지 않았다.

문제는 프로그램 편성과 취재와 편집 과정에서 야기되는 윗사람들과의 마찰에 유연하게 대처할 수 없었다는 데 있었다. 내가 한 회사의 피고용인에 지나지 않는다는 아주 당연한 사실을 당연한 사실로 깨닫는 데 나는 이상하리만큼 오랜 시간을 허비했고 불필요하게 많은 에너지를 소모했다. 편집권을 둘러싸고 사용자측과 첨예하게 대립할 때(쇼트 팬츠가 유행했던 적이 있었던 것처럼, 방송가에도 일제히 노동 쟁의가 일어났던 적이 있었다) 나는 그 회오리의 한가운데 있었고, 나중에는 많은 동료들로부터 조합 내분을 조장한다는 지탄을 집중적으로 받기에 이르렀다.

내가 백 퍼센트 틀리고 그들이 백 퍼센트 맞을 수도 있다. 내가 항상 옳았다고 주장하고 싶진 않다. 다만 나는 그런저런 이유로 심신이 극도로 피폐해져 있었다는 것이다. 어느 정도였느냐 하면, 지독한 현기증 때문에 하루에 세 시간 이상 서 있을 수가 없었고, 신문의 메인 타이틀조차 읽을 수 없었다. 열정적이었던 만큼 타격은 치명적이었다. 다시는 회복될 수 없을 것 같았다.

나는 사직서도 쓰지 않고, 치프 프로듀서에게 일언반구 상의도 없이, 먹다 만 아이스콘을 책상에 올려놓은 채 집으로 돌아와 버렸다. 문을 잠그고, 전화선을 뽑고, 방바닥에 쓰러져 잤다. 4년 동안 누적된 피로를 풀고 4년 동안 소진된 원기를 회복하자면 더도 덜도 아닌 4년 동안 쓰러져 자야만 될 것 같았다.

그러나 그날 내가 잘 수 있었던 시간은 고작해야 두 시간이었다. 더 이상 잠이 오지 않았다. 소시지를 식빵으로 말아 겨자에 찍어 먹고, 소파에 앉아 창 밖의 하늘을 멍하니 쳐다보았다. 서랍이나 외투 주머니 여기저기에 들어 있을 돈은 전부 얼말까. 그런 걸 생각했던 모양이다. 외출하지 않고, 사람을 만나지 않고, 혼자서 1년쯤 암거하려면 최소한 얼마간의 돈이 들 것인가.

그러다가 나는 이상한 체험을 하게 됐다. 하늘 쪽을 향했던 내 시선이 점점 힘없이 아래쪽으로 흘러내려 마을 언덕 중턱의 어떤 나무 한 그루를 보고 있었던 것인데, 이상한 체험이라는 건 그 나무를 보기 시작한 지 2, 30분쯤 뒤에 왔다.

글쎄, 그걸 체험이라고 해도 될지 모르겠지만, 어쨌든 나는 그 나무를 금방 무척 좋아하게 되었다는 것이다. 나는 프리지어를 좋아합니다라거나, 나는 주물럭 등심을 좋아합니다라고 할 때의 '좋아한다'는 말과는 아주 딴판의 감정이었지만, 당장은 그렇게밖에 표현할 수 없는 좀 묘한 느낌이었다.

그게 주목인지 비자나문지 가문비나문지는 잘 알 수 없었지만, 멀리서 보아도 겉씨 식물의 일종이라는 건 분명했다. 누군가가 다듬어 놓은 것 같지는 않았으나, 그 나무의 잔가지며 이파리들은 곧바로 뻗어 올라간 가운뎃줄기를 중심으로 정확한 대칭을 이루고 있었다. 현대식 쇼핑 센터나 애기봉 같은 데서 크리스마스 트리로 쓴다면 안성맞춤일, 그런 나무였다. 이등변 삼각형이었다.

나는 방바닥 위에 똑바로 앉아 그 나무를 바라보았다. 허리를 펴고 목을 세우고. 시간이 지나자 나는 그 나무를 점점 닮아 가고 있다고 생각하게 되었다. 내가 앉아 있는 폼이란 것도 이등변 삼각형이었던 것이다.

그걸 이상한 체험이라고 말하기 위해서는 두 가지 설명을 더 추가해야 할 필요를 느낀다. 그 나무를 닮아 가고 있다는 것 말고도, 그 나무가 나를 부르는 것처럼 여겨졌다는 것. 그리고 나무를 보고 있으면 낯설기 짝이 없는 평온이 찾아온다는 것.

나는 나무처럼 앉는 일에 쉽게 재미를 붙일 수 있었다. 나무처럼 앉아 얼을 빼고 있으면 세상일에 대한 잡념이 거짓말처럼 사라졌다. 그리고 나는 어느새 싱그러운 숲속에 앉아 있었으며 푸른 안개와 만났다. 심신이 만신창이가 되어 있던 나로선 그야말로 재미있는 일이 아닐 수 없었다. 코끼리처럼 느릿느릿 아침을 지어 먹고 서너 시간씩 우두커니 앉아 있었다. 오후엔 체호프와 모리아크를 읽다가, 저녁 햇살을 받고 있는 나무를 바라보며 또 이등변 삼각형으로 앉았다.

점차 몸이 좋아졌다. 물론 그 이유를 알 순 없었지만, 나무처럼 앉는 일이 회복을 촉진시켰을 거라는 믿음이 무조건 들었다. 나는 그 뒤로 이등변 삼각형 나무가 아닌 또 다른 나무가 되려고도 해 보았다. 일테면 신발장 곁에 놓여 있는 벤자민이라든가 영자나무 같은 것. 놀랍게도 나는 그들도 닮을 수 있었다. 그러나 어디까지나 나를 가장 평온하게 해 주었던 건 마을 언덕의 거대한 이등변 삼각형, 겉씨 식물이었다.

하루는 그 나무에 이끌려 마을 중턱까지 올라가게 되었는데, 그때 나는 그 양옥을 발견했던 것이다. 개장미 덩굴이 무성하게 우거진, 작고 퇴락한 양옥. 뭐 발견이랄 것까진 없었다. 내가 그곳에 갔던 건 무엇보다도 나무를 만나기 위한 것이었으니까.

방 안에 앉아 멀리 바라보던 것에 비하면, 그 나무의 생김새라든가 기운이라는 것은 실망스럽기 짝이 없는 것이었다. 주목이었는데, 검푸른 침엽에는 먼지와 흙가루가 켜켜이 앉아 있었고, 흑갈색 마른 줄기는 몇 개 안 되는 자색 열매를 지탱하는 일마저 힘에 겨운 듯 보였다.

주목이라면 깊은 산 속에나 사는 나무인데 누가 이곳에다 옮겨 심어 놨단 말인가라고 중얼거리며 언덕길을 내려오는 게 고작이었다. 하지만 하루 이틀 그 나무를 바라보며 참선을 하다 보면 어느새 나도 모르게 또 언덕을 오르게 되었다. 그래서 나는 아예 그 나무와 집 사이를 하루에 한 번 정도 운동삼아 오르내리게 됐던 것이다.

그러다가 보게 된 양옥이었으니 발견이라는 말이 어울리지 않을 수밖에. 게다가 첫눈에 탁 띌 만큼 아름다운 집도 아니었고, 시선을 잡아당길 만큼 별스런 구석도 없는 집이었다. 가옥의 형태가 양옥이었달 뿐이지 지붕의 기와와 외벽에 칠해진 도료로만 보자면 북부 힌두쿠시 산맥 원주민들의 주거 시설쯤 되어 보였다. 사막의 모랫바람에 십수 년은 시달린.

내가 그 집을 유심히 보게 된 것도 그 집의 외양 때문은 아니었다. 누군가가 일부러 내놓은 건지 아니면 내다 버린 건지 모를 낡은 평상 하나가 그 집 길 건너편에 놓여 있었기 때문이었다. 나는 아파트와 주목 사이를 오가며 가끔씩 그곳에 앉아 땀을 식히곤 했는데, 말하자면 그 집은 아주 더딘 속도로 내 관심의 영역을 비집고 든 셈이었다.

헌 장판이 씌워진 평상에 앉아 숨을 고르며 나는 흘끗흘끗 그 집을 바라보곤 했던 것인데, 어느 날 나는 그다지 신기하지도 않은 일에 공연히 놀라고 말았다. 줄곧 그 집을 보았지만 그 집을 드나드는 사람을 한 번도 보지 못했다는 사실이었다.

그런 사실에 호기심을 가진 뒤로 나는 그 집 앞을 지날 때마다 약간씩 긴장하고 흥분했다. 오늘은 누군가를 볼 수 있을까. 과연 볼 수 있을까. 그러나 얼마 동안 그 집에선 아무도 볼 수 없었다. 그제서야 나는 그 집의 앞마당이며 창문이며 처마 그늘이며를 심상치 않게 느끼기 시작했다.

작은 앞마당에는 잔디가 무성하게 자라 있었다. 희고 날카로운 잔가시가 유난히 많은 개장미도 사람의 손길이라곤 전혀 받아 보지 못한 것처럼 보였다. 앞쪽으로 나 있는 두 개의 창문은 해골의 눈처럼 어둡고 불길했다. 흐치흐치한 벽과, 한쪽으로 기운 빗물통. 해가 기울어도 전혀 움직이지 않을 것 같은 처마 밑의 완강한 그늘.

어쩌면 아무도 살지 않는 집인지도 모른다고 생각했다. 집이라는 것은 비록 손질을 하지 않더라도 사람이 살고 있으면 사람 사는 기운이 저절로 배어나는 것 아니던가. 반대로 아무리 번듯한 집일지라도 사람이 살고 있지 않으면 웬지 괴이쩍고, 형해(形骸) 같은 느낌을 발산하게 되는 것이다. 제주도 해변가라든가 충북 단양 어디쯤의 폐가를 텔레비전을 통해 익히 보아온 나로서는 자연스럽게 그런 쪽으로 생각이 이끌렸다. 하지만 이곳은 도심이 아니던가. 도심 주택가 한가운데 서 있는 폐가라니.

그 집 앞을 지나거나 평상에 앉아 땀을 식히자면 나는 납량 드라마 속에 들어와 있는 것 같은 기묘하고도 흥미로운 기분에 휩싸였다. 금방이라도 무슨 사건이 벌어질 것 같은 심상찮은 기운이 그 집의 담장과 지붕 위를 스멀거리며 기어다니는 것 같았으니까. 한여름에 혼자 은밀히 맛보는 이런 종류의 소슬함이란 참으로 각별한 것이었다.

그랬기 때문에 그 집에서 그 여인을 발견했을 때는 실망스런 기분마저 들었다. 그러면 그렇지 하고 한편으론 안도하면서도 다른 한편으론 며칠 동안 만만찮게 계속되던 긴장감에 미련이 남았다. 손해보지 않는 한도 내에서 인생이 줄곧 극적이기만 하다면 누가 마다하겠는가.

처음엔 그게 사람인지 뭔지 잘 알 수 없었다. 기울어진 빗물통 아래 제법 커다란 백자 항아리가 놓여 있는 것 같았으니까. 움직이지 않았고, 소리를 내지도 않았다. 그것 위로는 2층 테라스 난간의 그림자가 엷게 드리워져 있었다.

평소엔 없던 것이 놓여 있었으므로 나는 여느 날보다 더 오랜 시간 평상에 머물렀다. 그 허연 물건을 그곳에 갖다 놓은 사람은 과연 그 집 내부에 있을까 아니면 외부에 있을까. 남자일까 여자일까. 그런 하찮은 생각들에 골몰하는 것으로도 나는 얼마든지 즐거웠다. 사람과 만나는 일이거나 방송일에 대해 상상하는 것만 아니라면, 노래기가 보도 블록 위를 기어가는 일조차 재미있었다.

그런데 그게 사람이었다. 흰옷을 입은 여자였다. 그게 사람이라는 걸 깨닫는 데는 적지 않은 시간이 걸렸다. 10분은 족히 걸렸을 것이다. 그 동안 그녀는 정말이지 꼼짝도 하지 않았던 것이다. 내가 줄곧 보고 있었던 것은 그녀의 엉덩이 쪽이었다.

그녀는 땅 속의 무언가를 들여다보고 있었던 모양이다. 일어나서 허리를 펴고 그녀는 이쪽을 바라보았다. 위아래가 다 흰

옷인 데다 머리에 두른 스카프까지 흰색이었다. 간호사 복장 같기도 했지만 면 소재는 아닌 것 같고, 실크나 폴리에스테르에서나 볼 수 있는 연한 크림색이 배어나고 있었다. 보디 라인이 드러나지 않을 만큼 실루엣은 풍성했고, 천 끝을 찢거나 접은 것 같은(그런 걸 티어 디테일이라고 부른다는 걸 난 나중에서야 알았지만) 특이한 디자인의 의상이었다.

바람이 불 때마다 가슴이며 허리며 등 부분에 매달린 천 끝들이 살랑살랑 나부꼈다. 낡고 칙칙하고 괴이쩍은 양옥의 잡초 우거진 앞마당에 여인의 눈부신 드레스라니. 사람이 나타남으로써 다소 실망스러웠던 기분이 다시 새로운 긴장으로 죄어들었다. 납량은 계속되고 있었던 것이다.

이쪽을 바라보던 그녀가 어느 순간 놀란 듯 몸을 틀고 종종 걸음 쳐 집 안으로 들어가 버렸다. 경탄할 만큼 빠른 몸동작이었다. 몸을 숨기는 행동이 너무나도 민첩해서 나는 한동안 환영을 본 게 아닌가 멍하니 앉아 있었다. 그날 나는 그녀를 다시 볼 수 없었다.

이등변 삼각형 주목이 있었다, 내 아파트와 그 주목 사이에 작고 퇴락한 양옥이 있었다, 나는 그 길을 하루에 한 차례씩 오갔다. 이것이 내가 그 해 여름을 보낸 방식이다.

나는 그 길을 하염없이 오갔다. 오가며 낡은 평상에 앉았다. 어떤 날은 양옥의 앞마당이 조용히 비어 있었고, 어떤 날은 그녀가 땅 속을 들여다보거나 옷깃을 바람에 날리곤 했다.

그녀가 나를 경계하는 것만 같아서 난 그쪽을 유심히 바라보지도 않았다. 그저 잠시 땀을 식히고 있을 뿐이라는 사실을 그녀가 눈치챌 수 있도록 일부러 심상한 태도를 취했다. 목젖까지 보이도록 입을 딱 벌리고 하품을 한다거나, 하늘을 지나는 여객기를 물끄러미 쳐다보는 일이 그런 태도일 거라고 내 멋대로 생각하면서.

사실 나는 그녀를 유심히 관찰하거나 그럴 맘은 없었다. 내가 그 집 앞을 지나게 되었던 것, 그리고 평상에 앉게 되었던 것도 애초부터 그녀의 집이라든가 그녀의 존재와는 아무런 상관이 없는 일이었으니까. 그곳을 지나다 평상에 앉게 됐고, 그러다 보니 그녀의 집에 대해 얼마 만큼의 호기심을 갖게 되었던 것뿐이다. 하지만 집주인이란 사람이 그런 내 호기심 따위를 못마땅해한다면 당장이라도 그쪽을 바라보지 않을 수도 있었다.

난 그렇게 여름을 보내고 있었던 것이다. 내가 평상에 앉거나 앉지 않거나 하는 일도 어디까지나 전적으로 그날의 내 기분에 따랐을 뿐이다. 나는 평상에 잠시 앉았다 날아가는 비둘기나 참새와 다를 게 없었다. 그래서 그랬는지, 여름이 거의 지날 때쯤 해서는 그녀는 나를 보고도 도망치지 않았다. 길 가까운 쪽 담장으로 나와서 나를 바라보기도 했다. 눈길이 마주쳐도 놀라거나 황망히 피하지 않았다. 그녀는 나보다도 열 살은 더 먹어 보였다. 마흔두셋? 피부는 얇고 창백했으며, 눈에 잘 띄지 않았지만 눈가와 입가엔 몇 가닥 분명한 주름이 있었다. 미인이었다.

하루는——그녀를 서른 번째쯤 보던 날이었던가——나도 모르게 그녀에게 다가가 말을 걸었다. 그녀는 그날도 그 티어디테일 복장을 하고 있었다. 여섯 갠가 일곱 개의 길고 멋진 깃들을 바람에 나부끼며.

그녀는 자신의 작은 정원에서 나무들 사이를 유유히 비집고 다니며 무언가를 잡아먹고 있었다. '잡아먹는다'고밖에 달리 말할 수 없는 행동이었다. 개장미며 호두나무며 등나무 사이 사이를 유영하듯 빠져 나가며 나뭇잎에 붙어 있는 풍뎅이나 노린재나 뭐 그런 절지 동물들을 날렵하게 잡아먹고 있었던 것이다. 벌레들을 잡아채는 그녀의 손동작에선 그야말로 본능이 번득였다. 저 쥐라기 어느 때쯤부터 순전히 생존을 위해 수도 없이 반복해 온 동작인 것만 같아 소름이 끼쳤다.

그녀는 점점 담장 가까이로 왔고, 나는 마침내 그녀의 손이 잡아채는 등 푸른 풍뎅이 한 마리를 보았던 것이다. 손끝에 잡히는가 싶었는데 어느새 풍뎅이는 자취를 감추고 없었다. 그녀의 손은 빈손이었다. 나는 풍뎅이가 그녀의 입 속으로 들어가 버렸을 거라고 생각했다.

마흔이 넘어 보이는 창백한 피부의 미녀가, 얇고 화사한 드레스를 입고, 손질되지 않은 정원을 휘젓고 다니며 벌레를 잡아먹는다. 나로선 아무래도 알 수 없는 상황이었던 것이었다.

"잔디가 웃자랐군요."

그러나 나는 그녀의 행동에 관계된 질문을 할 수가 없었다. 그녀에게 혼란을 주고 싶은 맘도 조금도 없었다. 그녀는 자신의 행동을 이상하다고 여기진 않았을 테니까.

그녀는 나를 바라보고 파아——소리를 내며 웃었다. 나는 그때 그녀의 어딘가가 결락돼 있음을 알아차렸다. 그 어딘가가 어디인지는 알 수 없었지만, 그녀는 분명 결락되어 있었다. 그런 걸 알아차리는 데는 별다른 분석이나 유추 따위가 필요 없는 것이다. 다 건너뛰어 알 수 있는 거니까.

"그런가요? 그런가?"

그녀는 자신의 좁은 정원을 둘러보았다. 그것은 잔디라기보다 잡초밭이나 마찬가지였다. 강아지풀이나 사초류의 것들이 대부분이었다. 그녀는 백치가 아닐까, 하고 나는 속으로 중얼거렸다. 내가 말을 더 재미있게 하는 부류였다면 아마, 그녀는 멍청이가 아닐까라고 뇌까렸을 것이다.

그날 몇 마디 더 주고받았는지 어쨌는진 잘 모르겠다. 내가 그녀의 정원 안으로 들어갈 수 있었던 것은 그 다음날이었던 걸로 기억한다.

그녀도 내가 어느 때쯤이면 평상에 나타나는지 이미 알고 있었던 것 같았다. 하기야 서른 번 넘게 마주쳤으니 아무리 멍청이라도 그 정도는 알 수 있겠지.

그날 그녀는 길가 쪽의 담장 안에 서 있었다. 창백하도록 흰 얼굴색과 깨끗하고 눈부신 드레스는 여전했다. 나를 보자 전날 웃었던 것과 거의 똑같은 웃음을 웃었다. 나는 웬지 웃음이 나오지 않았다.

"보여 드릴 게 있어요."
라고 말하고 그녀는 건물 쪽으로 걸어갔다. 들어와도 상관 없습니다라는 뜻으로 받아들이고 나는 그녀의 정원 안으로 발을 들여 놓았다.

그녀가 멈춘 곳은 언젠가 그녀가 커다란 백자 항아리처럼 엎드려 있던 곳이었다. 그곳에 도착한 나는 그녀가 왜 그런 자세로 오랫동안 꼼짝없이 엎드려 있었는지 금방 알 수 있었다. 그곳에는 둘레가 5미터쯤 되는 작은 타원형의 연못이 있었던 것이다.

"어제, 잔디가 웃자랐다고 했었지요?"
그녀가 물었다. 어딘지 찰기가 없는 음성이었다. 나는 물 속을 바라보며 고개를 끄덕였다.

"그렇담 얼마큼 자라야 알맞게 자라는 것인가요?"

음성도 음성이지만 발음도 그냥 풀풀 풀어지는 느낌이어서 도무지 질문 같다는 생각이 들지 않았다. 대답을 하지 않아도 상관 없을 것 같았다.

"제 말은, 좀 깎아 줬어야 하지 않느냐는 거였습니다."

뭐 별뜻은 아니었다는 투로 대답하고 나는 물웅덩이를 자세히 들여다보았다. 물밑에 깔려 있는 모래와, 물빛과, 고기들의 등비늘 색깔이 좀처럼 구분이 되지 않았다. 유의해서 보지 않으면 고기가 몇 마리쯤 들어 있는지 알 수 없을 것 같았다. 이따금씩 손바닥만한 비늘고기가 은빛 나는 측면을 번쩍거리며 물살을 가르긴 했지만.

"그러면 죽잖아요."

그녀가 말했다. 나는 고기에겐 손끝 하나 대지 않았던 것이다. 나는 서양인들이 그러듯 어깨를 움츠리고 양 손바닥을 늘어뜨려 보였다. 뭘 어쨌다는 것인가.

"풀을 깎으면, 풀이 죽잖아요."

아, 그 얘기가 계속되고 있었던가. 나는 그제서야 얼굴을 펴고 웃었다.

"그렇겠네요. 그렇겠지요?"

무슨 대답이 이럴까, 라는 생각은 들었지만 당장은 별다르게 반응할 수도 없었다.

물웅덩이 곁에 앉아서 나는 하늘을 바라보았다. 담장을 뒤덮고 있는 개장미 덩굴과 콩 같기도 하고 아카시아 씨 같기도 한 등나무 열매들을 바라보았다. 내가 줄곧 앉던 길 건너편의 평상을 바라보았다. 내가 아주 작게 보였겠구나, 하고 중얼거렸다. 평상이 놓인 뒷벽엔 국판 사이즈 크기의 창문이 높게 뚫려 있었다. 그 위로는 조악한 시멘트 부조가 붙어 있었다. 연꽃인지 무궁환지 벚꽃인지 모를.

여름 내내 오간 길이었으나 그녀의 정원 안에 앉아서 내다보는 풍경은 아주 낯선 것이었다. 사람의 센머리처럼 탈색되어가는 강아지풀의 무성한 대궁 너머로 그 낯선 풍경을 바라보는 일은 쓸쓸했지만 제법 흥미로웠다. 조용하고 엄숙하고 경건한 기분마저 들었으니까. 핵폭풍이 지구를 휩쓸고 지나간 수억 년 뒤, 어떤 폐허 위에 나와 그녀 단둘이 앉아 있는 아주 과장된 상상마저도 그 분위기에선 자연스러웠다.

그곳에 앉아서 무슨 말을 나누었던가. 특별히 기억 나는 것은 없다. 그녀는 물웅덩이를 응시하며 '저 납자루가 또 텃세를 부리네……'라고 중얼거리거나 '알을 잡아먹으면 곤란하지'라며 웅덩이 주위를 발로 쿵쿵 구르거나 했다. 고기들의 세상을 훤히 꿰고 있는 듯한 시선이었고 발놀림이었다.

그 정원을 나오면서 나는 '물웅덩이 잘 보았습니다'라고 말하려다 그만두었다. 인사말치고는 어딘지 잘 안 어울린다는 생각이 들었으니까. 하지만 그녀는 그걸 일부러 내게 보이고자 했던 것이었다. 어떻게든 인사 치레 같은 걸 해야 하는 거 아닌가 궁리하다가 결국 아무 말도 못 하고 내 아파트로 돌아오고 말았다.

그 뒤로 나는 그녀의 정원에 자주 들어가게 되었다. 그녀가 정원에 나와 있는 게 보이면 들어와도 좋다는 허락 같은 것관 상관 없이 어슬렁어슬렁 걸어 들어갔다. 언제부턴가 그녀도 으레 내가 들를 거라는 생각을 했던 모양이었다. 얼음 채워진 오렌지 주스라든가 포도빛 나는 탄산수를 준비해 놓고 있었으니까.

사람의 손길이 닿지 않은 듯한 퇴락한 양옥의 칙칙한 그늘.

그 밑에서 화사한 드레스의 여인과 잘 식은 과일 주스를 마시는 것도 그런 대로 각별한 데가 있었다. 우리는 L 음료사의 전문 모델인 것이다. 스태프들은 점심 먹으러 인근의 중화 요리집으로 몰려갔고, 우리는 별로 식욕이 없어 잠시 초가을의 햇볕을 쬐는 중이다. 필름은 컬러로 하되, 색보정 과정에서 우리 둘과 음료잔만 남기고 나머지는 몽땅 흑백으로 처리할 계획이다.

그런 생각을 하면서 차가운 음료를 천천히 목구멍 안으로 흘려 넣는 것. 별달리 할 일도 없었던 나 같은 인간에게는 한낮의 축복일 만도 했다. 나는 아주 천천히, 조금씩 그것들을 마셨다. 한 번에 잣 알갱이만큼씩.

"언제부턴가 당신을 보았어요. 창 밖으로. 이 동네로 이사 온 지 얼마 되지 않았나 보죠. 전 저 앞길을 걷는 사람들을 대부분 기억하고 있거든요."

찰기도 없고 발음도 풀풀 풀어지는 그녀의 음성. 그러나 그즈음 나는 그녀의 발성에 어느 정도는 익숙해져 있었다.

"4년 됐어요, 이사 온 지. 그 동안 주로 밤길을 다녔지요. 방송사엘 다녔는데 어느 날 아이스크림을 먹다가 그만뒀어요."

그녀는 고개를 끄덕였다. 손에 들려 있는 잔이 반짝 하고 빛났다. 아무래도 그 잔은 큐빅이나 뭐 그런 걸로 가공된 것 같았다. 유난히 투명하고 반짝였다. 저 칙칙한 집 내부에 그토록 깨끗하고 투명한 유리잔 같은 게 있었단 말인가. 티끌 하나 없는 외계의 공간을 떠돌다 별똥별과 함께 문득 떨어져 내린 것처럼 낯설었다. 그녀의 무릎을 덮고 있던 옷자락이 바람에 날리며 그 잔을 스쳤다. 잔 속의 포도 음료가 바다처럼 출렁거렸다.

테라스에 앉은 조라 *137*

"물고기들은 대개 여름에 알을 낳지요. 산란하기에 적합한 온도만 맞춰 주면 사시 사철 낳지만, 노천에 있는 물고기들은 아무래도 여름을 택하죠. 수온이 올라가니까……. 그래서 여름엔 자주 나와 저 물웅덩이를 보죠."

그녀는 시선을 웅덩이 쪽으로 돌렸다. 어깨도 따라 돌아갔다. 나는 그녀의 희고 뾰족한 팔꿈치가 살짝 드러나는 걸 보았다.

페인트가 군데군데 벗겨진 정원용 철제 테이블 위에 그녀의 팔꿈치는 놓여 있었다. 그녀의 팔꿈치와 내 음료잔 사이는 겨우 30센티미터 정도 떨어져 있었지만 나에겐 그 거리가 굉장히 멀게 느껴졌다.

"물고기들이 저곳에서 알도 낳고 겨울도 나고 그럽니까?"

"미꾸라지나 종개류는 그래도 잘 견디는 편이지만, 아무래도 깊은 물에서 살던 것들은 겨울이면 힘들어 해요. 하지만 뭐 서머스탯 하나면 해결되니까……. 아, 자동 온도 조절기 말예요."

"흐음."

종개니 서머스탯이니 하는 것들, 내가 알아먹기엔 좀 어려운 얘기들이었다. 하지만 잘 모를 때는 그냥 그런 게 있나 보다 하고 고개를 끄덕이면 되는 것이다. 그래서 나는 턱을 쓰다듬으며 고개를 끄덕였다.

얼굴빛 창백한 그 중년 여인은 물고기에 대해 아는 게 많은 것 같았다. 밖에 나와선 물고기의 동태를 관찰하고, 집 안에 들어가선 낯설도록 깨끗한 잔으로 음료를 마시며 커튼 사이로 길 위의 사람들을 바라보는 게 그 여자가 살아가는 방식의 전부일 거라는 생각이 갑자기 들기도 했다.

나는 의자에 비스듬히 앉아 그 여자의 옆모습을 보았다. 흰 스카프 위로 막 높아지기 시작한 하늘이 보였다. 이마와 코끝과 턱선이 미려한 편이었지만, 우수라고 이름할 미세한 입자들이 그녀의 속눈썹이며 뺨 주위에 떠다니고 있었다.

무얼 하며 나이를 먹어 온 여자일까. 궁금증이 내 머릿속에다 이런저런 모양의 그림을 그리며 지나가는 대로 나는 내버려 두었다. 적어도 20억 이상의 재산을 가진 정치가나 사업가의 아내였는지도 모른다. 아니면 한때 아주 인기가 좋았던 미남 가수 모씨의 정부였을지도 모르지. 그들은 대수롭지 않은 액세서리 잠금 장치를 가지고 사소한 말다툼을 벌이다가 결국 치유할 수 없는 상처를 입고 헤어진다. 여자는 남자로부터 얼마간의 돈(이자만 갖고도 평생 살 수 있는 거액이다)과 작은 양옥 하나를 받고 물러난다. 시간이 지날수록 그녀는 남자가 자기와 헤어지기 위해 일부러 액세서리 잠금 장치를 빌미삼아 싸움을 걸어 왔다는 걸 깨닫게 된다. 헤어진 지 27일 만에 그 남자가 다른 여자와 살고 있는 걸 확인했으니까. 억울했지만 이미 어쩔 수 없는 일. 그녀는 3년 정도 우울증으로 시달리다가, 요즈막엔 그저 얼을 빼고 잡초 무성한 정원을 거닐며 하루하루를 보내는 것이다. 그런 사고 방식이 최고의 치료 효과를 가져온다는 걸 그녀도 이제 알게 된 거겠지.

유치하기 짝이 없는 내용이지만 나는 그런 상상을 하며 천천히 음료를 마셨다. 삶이란 것, 칼 같은 걸로 째고 들여다본다면 특별히 경건하게 봐 줄 만한 건 그다지 없는 거 아닐까. 결국 혼자 사는 여자의 사연이란 네 가지나 다섯 가지 레퍼토리를 벗어나지 않을 거라는 쓸데없는 생각까지 했다. 시시하지 않은 인생을 사는 인간이란 많아 봤자 전체 인류의 0.01퍼센트 정도일 테니까.

"저 담장 밖으론 나가지 않습니까?"

음료를 한 모금 마시고 그녀에게 물었다. 그녀가 내게로 얼굴을 돌리고 웃었다. 표정에 서려 있는 분위기와는 달리 그녀는 웃기를 좋아했다.

"가끔 나가지요. 시장 같은 델 가야 하니까. 실지렁이는 직접 키우지만 배합 사료 같은 것도 필요하거든."

나는 고개를 끄덕였다. 그녀는 석 잔째 주스를 들이켜고 있었다. 웬 물을 저다지 마시는 걸까. 나는 잔을 든 그녀의 깨끗한 손가락과, 잔 끝에 닿는 얇은 입술을 보고 있었다.

"하지만 될 수 있으면 나가지 않으려고 해요." 그녀가 말했다. "숨이 차거든요. 왜 그토록 숨이 차는지 몰라, 저 담장 밖에만 나가면."

"저도 보름 넘게 방 안에만 박혀 있었던 적이 있지요. 그땐 정말이지 다시는 바깥 구경을 못 할 것만 같았어요."

"그랬군요." 그녀가 웅덩이의 수면을 물끄러미 내려다보며 말했다. "하지만 당신은 다시 이렇게 나와 있군요."

"그렇습니다. 나무 때문이지요. 저 언덕 위에 큰 주목 한 그루가 서 있는 겁니다. 언제부턴가 그 나무가 은밀히 저를 부르기 시작했던 거예요. 은밀히. 맞아요, 그건 은밀한 거였어요."

"주목나무? 그거라면 저도 알아요. 저쪽 언덕 중턱에 서 있는 것. 그걸 저는 고흐의 나무라고 불러요. 어떤 날 밤 별빛 아래 드러난 그 검은 나무를 본 것 같애. 뒷창문에서 그 나무가 잘 보이거든. 고흐 그림 중에 그런 나무가 나오는 작품이 없던가요? 난 왜 그 나무를 고흐나무라고 불렀던 걸까?"

"그런 그림을 아닌 게 아니라 어디서 본 것도 같군요. 그게 고흐의 그림에서였는지는 몰라도."

"전 말이죠. 저 담장 밖으로 나가면 금방 알 수 있어요. 내겐 허파가 없다는 걸."

"허파가?"

"네. 숨이 막힌단 말예요."

무슨 말인지 알 수는 없었지만 나는 버릇처럼 고개를 끄덕였다. 내가 그녀에게서 보았던 결락이란 것이 혹시 그것이 아니었을까. 허파. 허파가 없는 여자.

"언제까지 당신은 저 길을 오갈 건가요?" 그녀가 물었다.

"일 안 하고도 살 수 있어요?"

"몸이 추스려지면 무슨 일이든 다시 해야겠지요. 안 할 순 없는 거 아니겠습니까. 그렇잖아도 빨리 와 달라는 곳이 있습니다만."

그녀는 천천히 고개를 주억거렸다. 나는 그녀가 이미 폐경기를 맞은 건 아닐까 하고 생각했다. 허파가 아니라 멘스가 없는 게 아닐까. 달이 차고 기울어도 월경을 하지 않는 여자란 얼마나 쓸쓸한 존재인가. 나는 엉뚱하게도 그녀의 오그라든 나팔관과 구멍 숭숭 뚫린 골강(骨腔) 따위를 제법 사실적으로 떠올리며 하늘 한 귀퉁이를 쳐다보았다.

그러다가 그만 잠이 들었던 건지, 나는 혼자 정원에 남아 있었다. 낡은 추녀가 드리운 그늘이 내 어깨와 머리에 떨어져 있었고, 낯선 청색 타월이 무릎을 덮고 있었다. 나는 눈을 뜨고 정원을 둘러보았다. 그녀는 보이지 않았다. 물고기들이 뱉어내는 것 같은, 기포 터지는 소리가 물웅덩이 쪽에서 조그맣게 들려 올 뿐이었다.

나는 의자 등받이에 등을 기댄 채, 손등에 느껴지는 청색 타월의 보드라운 감촉과, 그곳에 은은하게 배어 있는 여자의 살 냄새를 언제까지나 음미하고 있었다. 색이 바래 가는 강아지풀이며 왕바랭이 따위가 건조한 바람에 흔들리는 걸 바라보며.

그녀는 다시 정원으로 나오지 않았다. 자리에서 일어난 나는 푸른 타월을 네 번 접어 등받이에 걸쳐 놓고, 긴 그림자를 끌며 천천히 밖으로 나왔다.

그런 식이었다. 주목을 만나고 돌아오다 그녀가 정원에 있는 게 보이면 어슬렁어슬렁 걸어 들어가서는 주스를 얻어 마시고, 물고기 얘기를 하고, 내가 닮아 가고 있는 주목나무며 벤자민이며 영자나무 얘기를 했다. 높아지는 하늘과, 건너편 담장의 알 수 없는 시멘트 부조와, 메뚜기의 속날개에 대해 띄엄띄엄 말했다. 그런저런 말이란 건 어떤 의사를 주고받기 위한 것이 아니라, 단지 내가 여기에 있고 그녀가 거기에 있다는 하나의 표지로서의 소리였다.

따라서 그녀와 얼마만큼의 시간을 보냈다고 해서 그에 비례하는 개인 정보가 나누어진 건 아니었다. 나는 여전히 그녀가 무얼 하며 나이를 먹어 온 여자인지 알 수 없었고, 그녀 또한 내가 결혼을 한 남자인지 어떤지를 알지 못했다.

지방 방송 보도국으로 떠나기 전날에도 나는 그녀의 정원에 들렀다.

"이 정원에 들어온 사람으론 당신이 처음이에요." 그녀가 내게 말했다. "풍뎅이라든가 딱정벌레 같은 건 종종 있었지만."

지방으로 내려가게 되었다는 말을 나는 그녀에게 하지 않았다. 적어도 1년 정도는 견딜 수 있을 것 같았는데 결국 반 년 만에 나는 다시 세상으로 나가게 된 셈이었다. 그런 말을 그녀에게 한다면 내면에 웅크리고 있던 열패감이 다시 상기될 것이었다. 나는 그게 싫었다.

"건방지다고 생각만 않는다면 당신한테 무슨 얘긴가를 하고 싶은데."

그날따라 그녀는 줄곧 나를 정면으로 바라보며 말했다. 그녀의 눈빛을 다 받아 낸다는 게 그날 내겐 힘들게 느껴졌다.

"건방지다고 생각 안 해요."

내가 대답했다. 그녀는 의자를 끌어당기며 웃었다. 그녀의 코끝이 내 코끝에 닿을 것만 같아 나는 깜짝 놀랐다.

"삶을 안다는 건 아주 어려운 일이지만 간단한 방법이 있긴 있어요."

"삶을?"

"그래요, 삶."

갑자기 삶이라니. 거창하게.

"그걸 어떻게……."

"알려고 하지 않는 거예요."

그녀는 유리잔의 음료를 꼴깍 소리가 나게 마시고 말했다.

"어떻게든 알아 내려고 애쓰지 않는 거예요. 이리저리 노려보고 만져 보고 하지 않는 거라구요. 책을 읽거나 기도를 하거나 명상을 하지 않는다구요. 삶에서 떠나는 거예요. 멀어지는 거죠. 비행기를 타거나 열기구를 타고 땅에서 이륙하듯 삶에서 떠나는 거예요. 멀리멀리. 난 모르겠다. 네까짓 것 거기 있으려면 있어라 난 떠나마, 하고 떠나는 거예요. 낭만적으로만 들릴지도 모르지만, 다르게 말하면 삶 자체를 포기하는 방식이 될 수도 있지요. 삶을 포기할 수 있어야 삶은 제 모양의 지도를 비로소 내놓거든요. 삶을 포기하는 것. 삶으로부터 버림당하는 것도 삶으로부터 떠나는 한 방식이지요. 철저하게 버림당하는 것⋯⋯."

"으음."

나는 고개를 끄덕였다. 뭘 알겠어서 그런 건 아니었지만.

그녀는 암청색 음료를 두 모금 마시고 다시 입을 열었다.

"멀어져 갈수록 삶이라는 것이 지니고 있는 색깔이며 냄새며 형태 같은 것들이 드러나지요. 지도가 그려지는 거예요. 둥그런 나무가 있고, 나무들 사이를 흐르는 푸른 강이 있고, 초록의 들판과 흰 안개가 있지요. 바위 산과 오리나무 숲이 보이고, 더 높이 멀어지면 긴 산맥 너머 큰 바다도 보이고 만선기를 단 어선과 갈매기⋯⋯ 그런 것들이 보이는 거예요. 우리가 살고 있는 땅이 그렇듯, 삶이라는 것도 아름답다거나 추하다거나 그런 걸 다 넘어서서 그냥 존재하고 있을 뿐이지요. 제 모습으로. 고흐나무 같은 것처럼."

"고흐나무 같은 것처럼⋯⋯."

나도 모르게 그녀의 말끝을 따라했다. 서로의 숨결이 느껴질 만큼 우리는 가까이 밀착되어 있었다. 나는 그때 그녀가 입고 있는 옷의 색깔이 천천히 변하고 있는 걸 보았다.

그러나 착각이 아닌 걸 확인하기 위해 일테면 코오롱 기술 연구소 같은 데로 확인 전화를 걸 수 있는 상황은 물론 아니었다. 그녀는 저 얇은 정체 불명의 드레스 속에 그 무엇도 입지 않았을지도 몰라. 그런 생각이 갑자기 들었다. 내 안에 오랫동안 휴면하던 시커먼 욕망이 벌떡 일어나 앉는 것처럼, 그렇게 갑자기.

그녀도 자신이 입은 옷의 색깔이 변해 가고 있는 걸 알아차린 모양이었다. 크림색 천이 형광빛 분홍으로 변색하는 동안 그녀의 창백한 얼굴도 발그레 상기되었다.

나는 신기한 눈으로 그녀를 바라보았다. 파충류라든가 게 같은 갑각류가 허물을 벗기 전에 몸의 색깔을 일시적으로 변화시킨다는 상식밖에 모르던 나로서는 그녀의 변색이 놀랍고 신비하기만 했다. 성장한 애벌레의 등을 찢고 매미가 우화(羽化)할 때도 그런 탈색의 과정을 거친다고 하던가.

잠시 후면 그녀의 옷이 앞자락부터 서서히 균열되며 어쩌면 눈부신 알몸이 햇살 아래 드러날지도 모른다는 상상을 했다. 상상은 자유니까라는 이유 때문에 그런 건 아니었다. 그런 상상이, 저절로, 됐던 것이다.

"집 안으로 들어가려고 하는데 함께 들어가지 않을래요?"

넋이 나간 내 눈을 오랫동안 들여다보던 그녀가 말했다. 그러고는 천천히 일어나 현관문 쪽으로 걸어갔다. 그녀의 등은 형광빛 분홍으로 완전히 물들어 있었다. 나는 무엇엔가 홀린 듯 그녀의 뒤를 따라 들어갔다. 어쩌면 앞으로 일, 이십 분 뒤에 그녀의 침대에 함께 누워 있을지도 몰라라고 중얼거리면서.

2층으로 오르는 계단은 좁고 어둡고 침침했다. 물 위에 떠 있는 수상 가옥의 내부를 걷고 있다는 착각이 들 만큼 습기가 대단했다. 벽이며 기둥이며가 물에 흠뻑 젖어 있는 것 같았다. 그녀는 내 앞쪽에서 말없이 걷고 있었다. 그녀와 내 발자국 소리만 어둠침침한 공간에 괴이쩍게 울려 퍼졌다. 분명 2층을 향해 오르고 있었지만 기분은 자꾸 지하로 걸어 내려가는 것만 같았다.

"여기예요."

그녀가 어떤 문 앞에 멈춰 서서 말했다. 여기라니. 긴장했던 탓인지 그녀의 말이 심상치 않게 들렸다. 여기라니.

그녀가 낡은 손잡이를 돌려 문을 열었다. 나는 나도 모르게 그만 입을 딱 벌리고 세상에! 하고 신음을 토해 냈다.

집 안이 습기로 가득 차 있는 이유를 알고도 남을 것 같았다. 문 안은 한 트럭 분도 넘을 물로 가득 차 있었던 것이다.

"들어와 봐요."

그녀가 웃으며 손짓을 했다. 나는 조심스럽게 발걸음을 옮겨 놓았다. 어항이랄지 수조 같은 게 백 개도 넘을 법했다. 유리로 만들어진 것, 사기로 만들어진 것, 질그릇, 플라스틱, 돌절구, 조립식 벽돌…… 온갖 모양의 용기에 온갖 종류의 물고기들이 가득가득 들어 차 있었다. 용기는 주먹만한 것에서부터 대각선의 길이가 50인치쯤 되어 보이는 것까지. 고기는 개울에서 쉽게 잡을 수 있는 피라미로부터 과테말라나 베네수엘라 바다에서 잡아 온 것 같은 열대어까지. 그것들은 튼튼한 철제 앵글 위에 층층이 놓여 있었다.

내가 보기엔 아무래도 엄청난 물의 하중을 견디지 못해 금방이라도 집이 주저앉을 것만 같았다. 나는 아주 조심스럽게 걸어다니며 휘황찬란한 수조들의 놀라운 세계를 구경하기 시작했다.

"카디널 테트라라는 고기예요. 예쁘죠? 4센티미터밖에 안 되지만 굉장히 비싼 거예요."

"큰 물고기들한테 잡아먹히지 않나요?"

"자기들끼리 싸워서 죽는 경우는 종종 있지만 다른 종한테 잡아먹히는 경우는 그다지 흔치 않아요. 한 수조 안에 넣을 때는 육식성이냐 아니냐를 가리고 수질이 산성 쪽이냐 알칼리 쪽이냐를 따지고 수온을 공유할 수 있느냐 없느냐를 우선 따지니까……. 십자매와 문조를 함께 키울 수 있지만 매류나 올빼미

류를 그것들과 섞어 넣을 수 없는 것과 같은 거죠."

"흐음."

그녀의 말에 생기가 돌기 시작했다. 발음도 어느새 또랑또랑
해져 있었다. 아주 신기한 세상에 들어와 있는 거야라고 나는
혼자 중얼거렸다.

"저 수초들, 다 수입한 건가요?"

내가 물었다. 그녀는 망사 커튼을 걷고 작은 테라스 쪽으로
나 있는 미닫이 유리문을 열었다. 거기에는 수초들만 무성하게
자란 사각형 수조 하나가 직사광선을 받고 있었다.

"국산 수초는 저온에서 자라기 때문에 우리 민물고기에만 넣
어 줘요. 수온이 높아지면 녹아 버리거든요. 이것들, 원산지는
남미나 동남 아시아 쪽이지만 대부분 귀화 식물이 돼 버렸지
요. 저기 저 나무가 그 나무 아닌가요? 저기 저."

테라스로 나간 그녀가 손가락으로 하늘 아래 어디메쯤을 가
리켰다. 과연 그곳에는 내가 늘 보아 오던 이등변 삼각형의 검
은 주목이 서 있었다.

"맞아요, 맞아!"

그녀의 작은 유리문을 통해 보는 주목은 내 아파트 창문으로
보던 것보다 훨씬 컸다. 나는 한동안 말없이 그 나무를 바라보
았다. 내일이면 저 나무와도 이별이구나 생각하며.

테라스의 유리문을 열어 놓은 채, 주목을 이따금씩 바라보
며, 삶으로부터 이탈되는 얘기를 그녀와 얼마간 더 했던 걸로
기억한다. 그녀는 슬리퍼를 벗고 푸른 카펫 위에 옹크려 앉았
고, 나는 차가운 앵글 기둥에 비스듬히 등을 대고 다리를 뻗
었다. 그녀의 흰 맨발에 햇살이 떨어졌다.

그녀는 내게 필통처럼 생긴 오동나무 곽을 보여 주었다. 전

등갓이 홍옥처럼 빨간 스탠드 아래 그것들은 한 다스 정도 쌓여 있었다. 이게 뭔 줄 아세요?라고 그녀는 물었고, 나는 고개를 가로저었다. 붕어관이에요라고 그녀는 말했다. 깨끗하고 가볍고 부드러운 질감의 오동나무 목곽이었다. 붕어가 죽으면 한천지(寒天紙)에 싸서 그 목곽 안에 넣고 정원에다 흙을 파고 묻는다고 했다. 그렇게 묻은 관만 해도 이백 개가 넘는다고 했다. 관을 묻고 나면 이듬해부터 그곳에 커다란 강아지풀들이 자라나, 마치 생전에 붕어가 헤엄을 치던 것처럼 탐스러운 이삭들을 바람에 하늘거리며 춤을 춘다는 것이었다. 나는 연신 고개를 끄덕였다. 그렇겠구나, 참 그렇겠어.

오동나무 목곽은 고급 수저를 담는 포장 용구였다. 그걸 구하기 위해 필요하지도 않은 고급 수저를 끊임없이 사들일 수밖에 없었다. 그런 얘기들. 방 안에 있는 물고기의 종류는 총 193종인데 열대어가 172종, 국산 민물고기가 21종이라는 얘기. 얘기를 나누면서 나는 비로소 그녀가 무얼 하며 나이를 먹어 왔는지 조금은 알 수 있을 것 같았다.

그녀와 어떤 얘기를 얼마나 더 나누었는지 자세히 기억할 순 없으나, 어쨌든 얼마간 얘기를 나누던 끝에 나는 그녀의 옷이 다시 붉은 빛으로 물들기 시작하는 걸 보았다. 처음에는 가슴 부분이, 다음으론 배와 어깨 부분이 붉어지기 시작했다. 몸의 열기를 따라 색깔이 변하는 것이라고 나는 생각했다. 나는 그녀의 옷에다 오동나무 목곽을 살며시 갖다 대 보았다. 과연 그것이 닿았던 자리는 크림색의 자국이 선명했다. 일시적인 냉각 현상일 터였다. 나는 가위며 투명 테이프며 문고본 따위를 차례로 그녀의 옷에 갖다 댔다. 갖다 대는 대로 그 모양이 만들어졌다간 5, 6초쯤 지나면 다시 붉은 색에 함몰되곤 했다.

이유 같은 걸 제대로 설명할 재주는 없지만, 나는 수백 마리의 물고기들이 지켜 보는 신비하고 아름다운 그 방에서 그녀를 원해야 한다는 생각을 했다. 그녀보다 열 살이나 어린 주제에, 라고 잠시 망설이기도 했다. 그러니까 더욱 그래야 한다는, 일종의 의무감마저 들었다. 그게 왜 의무감인가. 역시 알 수 없었으나 무작정 그렇게 느껴졌던 것이다.

하지만 곧 그녀가 의외로 쉽게 자신의 나신을 스스럼없이 내 앞에 드러냈으므로 내가 그녀를 원해야 한다는 게 결코 나의 일방적인 생각만은 아니었다는 게 밝혀진 셈이었다. 나와, 그녀와, 수백 마리의 물고기가 한꺼번에 어떤 동일한 염력을 감지하고 있었던 것일까. 어쨌든.

그녀의 몸은 생각보다 나이 들어 보이지 않았다. 가냘프긴 했어도 피부가 늘어진 곳은 한 군데도 없었다. 그녀는 내 앞에 알몸으로 우두커니 서 있었다.

결과부터 말하자면 그날 난 그녀를 어떻게도 하지 못했다. 할 수가 없었던 것이다. 나는 내 방식대로 그녀에게 다가갔다. 내 방식이라는 건 그다지 무례하거나 거칠지도 않으며 지나치게 신중하거나 소극적이지도 않은, 말하자면 무난한 편에 속했다. 그러나 끝내 그녀에게 받아들여지지 않았다.

알몸이 되고 난 뒤로 그녀는 일절 말을 하지 않았다. 눈빛과 손짓으로 무슨 뜻인가를 내게 전달하려고 했지만 나는 알아들을 수가 없었다. 그녀는 똑바로 서서 머리를 치켜세우고 토끼 뜀과 같은 이상한 춤을 추었다. 나에게 따라하라는 시늉을 하면서.

이건 뭔가 제대로 돼 가는 게 아니라는 생각이 금방 들었다. 여자가 알몸으로 토끼뜀을 뛰는 상황이란 어쩌면 하느님도 얼른 이해하지 못할 거라고 여겨졌다.

그녀는 내가 토끼처럼 깡총깡총 춤을 추다가 자신의 엉덩이를 코끝으로 슬쩍 밀어 주기를 바라는 것 같았다(내가 읽은 바로는 그랬다). 그녀가 즉흥적으로 만들어 낸 장난이라면, 생각하기에 따라 재미있을 수도 있을 것이었다. 장난이라는 건 어떤 형태로든 다 가능한 거니까. 그러나 그녀의 표정은 사뭇 진지했고, 반드시 그런 식이 아니면 안 된다는 태도였다. 하지만 내 안에 일고 있던 정체 불명의 의무감이란 것은 그녀의 이상한 체위에 기꺼이 부응할 만큼 강렬하거나 절실한 게 아니었다. 나는 어디까지나 '정상적'으로 그녀를 원할 수 있기를 바랐던 것이다. '정상적'인 것을 거부했던 건 그녀 쪽이었다.

그 다음날 나는 예정대로 대전으로 내려갔고, 금방 바쁜 일과에 휩쓸리기 시작했다. 방송국 로비의 대형 수족관을 지나칠 때마다 그녀의 희고 가냘픈 몸을 떠올리며 그때 그녀가 원하던 방식을 따랐어야 하는 게 아니었나, 후회 같은 걸 하기도 했다. 그러나 나는 곧 그녀를 잊었다.

3년이란 세월이 흐르는 동안 내가 그녀에 대해 뒤늦게 알 수 있었던 건 한 가지. 그때 그녀의 이상한 동작은 가시고기의 교미 행위와 매우 흡사했다는 것이었다. 어느 아파트의 인테리어 취재를 갔다가 그 사실을 우연히 알게 되었는데, 그런가? 그랬었나? 하고 잠깐 놀랐을 뿐 또 까맣게 그녀를 잊고 지냈던 것이다.

언덕 위의 검은 나무를 만나려고 반 년 남짓 오르내리던 한남동의 그 길은 3년 전 모습 그대로였다. 나는 그 길을 따라 천천히 걸어 올라갔다. 국민 학교 저학년생인 듯한 아이들이 귀가 따갑게 재잘거리며 길을 내려오고 있었다.

나는 멈칫거리며 그 양옥이 있던 자리를 두리번거렸다. 평상이 놓였던 자리를 몇 번이고 가늠하고는 다시 양옥이 있던 방향으로 시선을 던졌다. 그러나 그곳에 개장미도 강아지풀도 그 무엇도 없었다.

팀과 헤어지고 그곳에 가 보려고 했을 때부터 나는 어쩌면 양옥의 부재를 예감했는지도 모른다. 그 집이 아직도 남아 있을 거란 생각이 조금이라도 들었다면 팀과 함께 방송국으로 곧장 돌아갔을지도 모른다는 말이다. 이미 나는 돌이킬 수 없을 만큼 세상에 깊이 빠져 버린 것만 같았으니까. 앞으로도 여전히 그녀를 까맣게 잊고 지내야 할 것 같았으니까. 보라, 그녀의 집이 없잖은가. 안도의 한숨마저 터져 나왔다.

그렇지. 흔적 없이 사라지는 건 언제라도 있는 법이지. 해태 타이거즈가 7연승을 올리고 있을 때도 무언가는 조용히 사라지고 있었던 거야. 지금 이 순간에도.

양옥이 있던 자리엔 15층짜리 멋진 고층 아파트가 드높은 하늘을 이고 서 있었다. 하늘엔 흰 구름이 떠 있고, 발코니마다엔 눈부신 빨래가 마르고 어떤 아낙인가가 목청껏 아이의 이름을 불렀다. 나는 아흠, 아흠, 하고 큰 숨을 두 번 들이켰다. 허파가 없어졌을지도 모른다는 생각이 갑자기 들었던 것이다. 아가미가 없는 동물이란 허파 없인 못 사는 법이다. 세상에 살아남기 위해선 무엇보다 튼튼한 허파가 필요한 것이다.

※「테라스에 앉은 조라」는 앙리 마티스 작품. 캔버스에 유채, 1912.

파애(破愛)

김소진

김소진

金昭晋

1963년 강원 철원 출생.
1991년 단편 「쥐잡기」 경향신문 신춘문예에 당선.
1993년 소설집 『열린 사회와 그 적들』 솔 출판사에서 출간.
1993년 단편 「혁명 기념일」 실천문학에, 「고아떤 뺑덕어멈」 샘이 깊은
        물에, 「가을옷을 위한 랩소디」 민족문학에, 「破愛」 세계의 문
        학에 발표.
1994년 단편 「개흘레꾼」 한국문학에, 「쌍가마」 문학정신에 발표.

파애 (破愛)

새벽녘에 광기를 번득이며 휘몰아쳐 왔던 그 여인의 이미지는 영화의 마지막 장면처럼 사뭇 장엄했다. 무엇을 바라보는가? 일제히 한쪽으로 고개를 꺾는 억새풀들의 목덜미를 짓밟고 오는 겨울 바람에 살짝 비껴 서 있는 그네의 왼쪽 몸매는 풍성한 굴곡을 드러내 보였다. 반란이라도 일으킨 듯이 얼굴로만 한사코 덤벼들어 엉겨붙는 머리타래 사이로 바람과 대결하고 있는 두 눈이 언뜻언뜻 비쳤다. 그네는 깃발처럼 온몸으로 펄럭이는 중이었다.

눈길이 마주치면 안 된다. 나는 앉은 채로 몇 번이고 몸을 후득후득 떨었다. 꿈이면 깨자! 문득 희부윰해진 창문이 눈에 들어 왔다. 나는 간밤에 잠을 이루지 못했던 모양이었다. 책상 앞 의자 등받이에 비스듬히 몸을 기댄 모습으로 눈을 떴으니 말이다. 비몽사몽이란 이런 경우를 두고 일컫는지도 몰랐다. 그러나 간밤의, 아니 이른 새벽까지도 나의 관자놀이를 휘젓던 그 불덩이 같은 분노는 이미 온몸의 기운과 함께 스르륵 자취를 감춰 버리고 난 뒤였다. 아내는 가끔씩 그러는 일이지만 지금 집에 없다.

"저기 춘천에서요, 편집부 회의가 열리거든요. 오늘 출근길에 애기를 하고 나온다는 게 깜빡했지 뭐예요. 내일 아침에나 들어갈 수 있을 거예요."

"응, 그럼 잘 다녀와요. 내 걱정은 말고."

정작 아내는 내 걱정을 하고나 있었을까? 아마도 전화를 끊자마자 재빨리 플러스펜을 손가락 틈새에 낀 채 옆이마를 짚는 그 특유한 자세로 누군가와의 대화에 열중할 아내의 뒷모습이 어른거렸다. 하지만 내게는 이렇듯 선선하게 대답하는 도리밖엔 없었다. 나는 도량이 넓은 남편 티를 내는 걸로 만족해야 했다.

둥근 식탁 위에는 반의 반쯤 마시다 만 국산 특급 위스키 병과 술잔이 정물화처럼 가지런히 놓여 있었다. 얌전히도 마셨군. 나는 아랫배를 손바닥으로 문지르다 말고 술병에서 황급히 눈을 떼었다. 병 안에 괴어 있는 누르끼리한 액체를 바라보기만 해도 속에서 그와 비슷한 게 넘어올 것 같았기 때문이다.

성남시와의 경계에 맞닿아 있는 이곳은 서울의 막장과 같은 동네였지만 조용한 전원풍의 주변 환경에다가(그린벨트여서) 방세도 싼 편이었다. 단독 주택 이층이라는 이 집의 구조상 침실 이외의 큰방 하나를 주방과 작업실로 같이 썼다. 아내는 명색이 글쟁이였으니 옹색하나마 이런 식으로라도 작업실이 필요했다. 아내의 손때가 묻은 워드 프로세서는 죽은 체하는 딱딱

한 풍뎅이의 등껍질 모양 납작하게 엎드려 있었다. 나는 이삭처럼 갈래갈래 뭉친 머리카락 틈새로 두 손을 찔러 넣고 서너 번 우악스레 쥐어뜯었다.

그 여인은 미리 말해 두건대 실성한 여자였다. 지난해 말 한창 추울 때 임존성에 올라갔다가 우연히 목격했을 뿐인데 그 인상이 왜 뜬금없이 새벽녘에 내 뇌리를 파고들었는지 나는 자못 궁금했다.

"현구야, 네가 한번 내려가 보라고. 그것도 좋은 경험이 될 게야."

"에이, 취재부서에선 뭣들 허구 교열부에서 내려가요? 사정이 여의찮으면 지방 주재 기자들도 있잖아요? 거기라면 유석태 선배가 터줏대감인데."

"걔들은 또 딴 일 맡겼응게. 아따, 실병력이 없는 부서가 돼놔서 죽갔네, 죽갔어. 너희 부서 최 부장하고는 이미 말이 다 돼 있응게 걱정 말고."

다음 주말의 한마당 특집 우리 고장 명소 순례에 예산군 편을 꾸린다고 한 특집부장 한 선배는 내가 예산에 내려가 살펴볼 임존성을 비롯해 추사 김정희의 생가 등 취잿거리를 미리 지정해 주었다. 그러고는 예산군청 공보실과 예산 문화원 전화번호를 적은 쪽지를 튕겨 주었다.

군청 공보실과 예산 문화원에서 서류 봉투에 차곡차곡 넣어서 건네 주는 자료더미만 갖고도 기삿거리는 충분했다. 그들도 그런 일에는 이골이 났는지 자신들이 잘 아는 집에 들러서 이곳 술맛이나 보고 가라는 투였다.

"에헤 김 기자, 이런 추위에 뭣하러 그 성터 꼭대기까지 올라가겠다는 게여? 그 흔헌 차두 한 대 안 끌고 왔다믄서.

게다가 땀 뻘뻘 흘리고 올라가 본들 거긴 폐허가 다 돼 가지고 볼 것 아뭇거도 없다구. 괜히 사서 고생하지들 말고…….”

“아닙니다. 심 계장님. 취재에 협조해 주셔서 고맙구요. 이담에 제가 다시 들를 일 있으면 꼭 찾아뵙고 소주 한잔 사지요 뭐.”

“말만 들어도 눈물이 날 것 같다. 여기가 개발이 제대로 안 돼서 궁벽진 곳이다 보니깐 내놓고 떠벌릴 게 뭐 변변히 있어야죠. 가진 것 없는 난쟁이 거시키 큰 것만 자랑한다고, 다 무너져 내린 돌무더기나 다름없는 임존성 따위나 기껏 향토 명소랍시고 디밀고 말이죠 응? 황차 임존성이 백제 부흥 운동의 거점이면 어떻고 신라 부흥 운동의 거점이면 으떤겨? 막말루다.”

“신라 부흥 운동도 다 있었어요? 전 첨 듣는 말씀입니다, 계장님.”

“이 사람아, 말꼬투리 잡기는. 말하자면 그렇다는 게지.”

괜한 참예를 했다가 퉁바리를 맞은 직원이 볼펜 끝으로 뒤통수를 득득 긁었다.

“이곳이 원래부터 백제의 고토이긴 해서 정서적으로나 문화적으로나 그 흔적들이 어렴풋이 남아 있는 건 사실인데……. 그깟 성터보다 대기업체 공장 하나 들어서는 게 여그 지역 주민 입장에서는 한결 보탬이 되는 일이지, 암. 말을 하자면…… 임존성표 타이어라든가. 우스개지 뭐, 지금 헌 말은. 그 뭣이냐, 오프 더 레코드라고 허던가? 꼬부랑 말씨로. 어이, 맞지, 홍 주임? 영어 사전을 끼고 사는 양반이 확인 좀 해 줘 봐. 쉬운 말로 기사로 쓰진 말아 달라 그건데. 아, 이름값이 한 군청의 공보실 계장이란 작자가 그런 비문화적인 소릴 뇌까린다면 딴 고장 사람들이 을매나 숭볼겨? 아 안 그래요, 김 기자?"

"일리가 있는 말씀인데요 뭐."

——임존성에 구경거리가 없긴 왜 없어? 임존성이라면 말 그대로 님이 계신 곳이란 말인데 응? 거 있잖아. 요즘 그 꼭대기에 두억시니 같은 미친 여편네가 움막 속에서 거적 뒤쓰고 혼자 있다잖아.

——뽕녀 말시? 움막은 무슨? 성 밑 절의 공양간에서 불목하니 노릇을 해 주면서 거 뭇이냐, 왕년에 고시생들이 한때 끓었던 행랑채에서 기식을 한다더구먼.

——얼라? 어쩜 그리 빠삭혀. 그럼 자네두 한번 올라가 봤남? 뜬소문인지 몰러두, 그 흐벅진 뽕녀 허벅지 덕분에 객고를 못다 푼 홀애비나 영감탱이들이 너두나두 성 꼭대기에 올라 거시키 뿌리가 덜렁덜렁하도록 원없이 힘쓰고 내려온다던대.

——예끼! 보자보자허니깐 뭇 허는 소리가 없어! 근무 시간에.

양지바른 창가 쪽에 앉은 직원 둘이서 키들키들 웃으며 우스개를 주고받는 소리를 들으며 문을 닫고 나왔다. 그러고는 예산 시외 버스 터미널 쪽으로 거슬러 올라갔다.

임존성이 주봉으로 끌어안고 있는 상봉산 정상까지 올라가자 등줄기에 수증기 같은 땀기가 호로록 배어 올랐으나 산바람 한 줄기에 덧없이 식어 버렸다. 그 옛날 어느 아침 서릿발을 두르고 그 위에 햇살을 받아 단단하게 빛났을 성채를 떠받들던 벽돌들은 천삼백 년의 비바람을 이기지 못하고 담뿍담뿍 무너져 내렸으나 성벽 위를 따라 구불구불 난 길은 사람들의 발길에 많이 쏠렸음인지 그런대로 뚜렷이 틀이 잡혀 있었다. 북문 쪽을 돌다가 돌 틈에 기왓장 쪼가리가 널려 있어 허리를 구부리고 하나를 주위 들었다. 투박한 빗살무늬가 희미하게 어른거렸으나 그것이 천년 세월 너머의 당대의 것인지는 자신할 수 없었다. 물론 예산 문화원에서 만난 사람들은 아직도 성채 주위에 그때의 기와 쪼가리나 벽돌 쪼가리가 심심찮게 나온다고 했으나 천년 세월이 이렇게 쉽게 건져진다는 것에 대해 나 스스로가 잘 실감하지 못하는 듯했다.

임존성을 반대쪽으로 한 번 더 돌고 남서쪽 비탈로 성을 가로질러 올라가던 중 나는 바로 그 여인을 맞닥뜨렸다. 그 남서쪽 비탈은 지리산의 세석 평전을 닮은 듯 아주 완만한 기울기를 갖고 있어 나는 그곳에 아무래도 옛 누각이나 우물터 등이 자리잡고 있을지도 모른다는 생각이 들었다.

억새밭 속에 서 있는 그네는 하얀 저고리에다가 고동색 몸뻬 같은 통 넓은 바지를 입고 있었다. 움찔해진 나는 제자리에 멈춰 서서 눈살에 힘을 모아 바라보았다. 혹시 헛게 아닌가 싶었기 때문이다. 그러나 분명 잘못 본 것은 아니었다. 여인은 나지막하게 노래를 읊조리고 있었는데 귀기울여 듣자니 찬불가 종류인 듯싶었다. 나는 서쪽으로 뉘엿뉘엿 넘어가려는 해를 바라보았다. 내가 그 비탈을 가로질렀다가 내려갈 만한 시간은 충분히 됨직해 보였다. 나는 메고 있던 가방줄을 지그시 잡아당기며 다시 발짝을 떼기 시작했다.

비탈 아래서는 그 여인이 억새밭에 파묻혀 있는 듯 보였으나 막상 다가가 보니 그네의 발치 주변은 평평한 맨땅이었고 바로 옆에 옛날 우물터임을 알리는 표지석이 언뜻 눈에 띄었다. 얼핏 고개를 빼고 들여다본 옹달샘처럼 응숭한 우물 안은 녹조류 투성이여서 식수로 쓸 수 없을 만큼 더럽혀졌음을 짐작하게 했다. 뜻밖에도 여인은 꽁꽁 언 맨발이었다. 나는 살갗이 터진 발등에서 그네의 실성기를 처음으로 읽어 냈지만 군소리 없이 꾸역꾸역 산을 올랐다. 그네의 발등과 바로 옆에 반쯤 묻힌 것 같기도 하고 어쩌면 반쯤 깨진 채 버려진, 암갈색 항아리의 색깔은 거의 같았다.

청산은 나를 보고 말없이 살라 하고
창공은 나를 보고 티없이 살라 하네
탐욕도 벗어 놓고 성냄도 벗어 놓고
물같이 바람같이 살다가 가라 하네

해탈가!? 노래를 멈춘 여인이 씩 하고 웃었다. 그땐 나는 이미 그 여인 앞을 지나쳐서 충분히 등을 보이고 있었는데 어떻게 그네의 미소를 봤다고 느꼈는지 지금도 잘 이해가 가지 않지만, 어쨌든 그 미소가 내 귀밑의 솜털을 오소소하게 일으켜세운 느낌만큼은 여실했다.
"총각, 이보우."
나는 후들거리는 다리를 돌려 세웠다. 정작 그네는 딴 데를 보며 천연덕스레 웃고 있었다.
"뭡니까?"
나는 간신히 소리를 질렀다.
"이보우, 총각."
그네는 옆발길질로 반쯤 깨진 항아리를 풀썩 걷어찼다. 그러자 그 안에서 나온 웬 해골바가지 하나가 나뒹굴었다. 순간 쩍 벌어지려는 내 입 속으로 찬바람이 쑤시고 들어와 틀어막았다. 양미간을 찡그리며 바라보니 그것은 사람의 해골이 아니고 주둥이가 비죽한 개의 해골이었다.

"보시 좀 허시구려. 갈 길이 먼 외로운 혼령인데."

나는 뒤도 안 돌아보고 허둥지둥 비탈을 올라서 산 아래로 내려갔다. 임존성 바로 아래에는 백제 부흥 운동에 참여했다가 나중에 귀족 출신 복신에게 죽은 승려 도침이 창건한 것으로 알려진 절이 있었다. 그곳에서는 시빗거리가 생겨 웬 중년의 엽총꾼과 젊은 중 사이에 큰 소리가 오가는 중이었다.

"그 아래서는 이 또랑물을 받아서 빨래도 허구 심지어는 식수로도 쓰는 집이 있는데 말이여, 여그다 절간에서 개숫물을 하냥 그대로 흘려 버리른 대관절 으쩌자는 겨?"

"저 아래 인가에 닿기 전까지 땅 속으로 스며서 흐르기 때문에 어느 정도 정화가 되게 마련이고 또 이 물을 식수로 쓰는 집은 인자 아무도 없다니깐 그러네요, 그러길?"

"부처님 섬기믄서 마음을 닦는다길래 그리 안 봤는데, 아무려도 맴보와 말씨가 도통 글러묵었어. 내 우리 형이 군 의원인데 이러고도 견디나 한번 보자구! 봐!"

"그런 말씀 마시소. 우리 절 신도 중에는 그만한 인물 없을까 싶소?"

말은 그렇게 하지만 생활 하수를 그대로 흘려 보낸 절 쪽이 아무래도 말발이 달리는 듯싶었다. 드잡이를 벌이며 달아오를 것 같았던 실랑이는 의외로 쉽게 가라앉았다. 내가 사냥꾼의 허리에 주렁주렁 매달린 꿩들을 바라보며 한 마디 던진 것이다.

"임존성은 수렵장도 아닌데 꿩이 많이 튀는 모양이네요."

엽총꾼은 우물쭈물 혀끝을 수그렸고 그 바람에 달아오르려던 분위기가 너누룩해져서 시비의 당사자들은 고개를 돌리고 헛코를 팽팽 푼 다음 제각기 갈 길을 잡았다. 나는 아무 일 없었다는 듯 대웅전으로 난 돌층계를 경중경중 올랐다. 목이 마르기도 했거니와 아까 우물터 옆에서 본 여인이 대웅전 옆의 얼기설기 엮은 행랑채 뒤쪽으로 들어가는 게 눈에 띄었기 때문이었다. 아까는 그렇게 귀기를 내뿜던 여인이 이제는 전혀 그렇게 보이질 않았다. 그저 한 협수룩한 아낙으로 비칠 뿐이었다.

나는 대웅전 앞의 두레우물에서 목을 축인 다음 대웅전 단위에서 팔짱을 낀 채 날 내려다보고 있는 중에게 고개를 말갛게 쳐들고 물었다.

"스님, 개를 다 키우십니다."

두레박을 기울여 입가로 물을 쏟아붓는데 허여스름한 잡종개 한 마리가 크게 짖으며 내달았던 것이다.

"나무아미타불…… 절에서 키우는 게 아니라 저기 행랑채 보살이 옆에 두고 있는 거라…….."

"보살이세요?"

"같은 기차 건널목에서 아이를 거푸 둘씩이나 잃고 시댁에서 쫓겨나 끝내 실성까지 한 아낙인데 지난 가을부터 공양간 일을 하도 간간히 잘 봐 줘서 그저 보살이라고 합니다만."

그때 공양간으로 보이는 어둑신한 곳에서 그 여인이 바가지를 들고 나와서는 뭐라고 소리쳐 개를 불러들인 뒤 엉덩이를 실룩샐룩 흔들며 뒤꼍으로 데리고 갔다. 팔 없는 마괘자 같은 털옷을 입고 온 팔을 그대로 드러낸 채 팔짱을 끼고 있던 중이 입가에 보일 듯 말 듯한 미소를 지었다.

"물 잘 마시고 갑니다, 스님."

그 임존성에를 갔다 온 다음 난 그때를 떠올리며 몇 번 수음을 한 적이 있었다. 암갈색 항아리와 개 해골, 그리고 실성한 여인. 나중에 되짚어 볼수록 그 여인이 보통 이상의 미모를 지닌 사람이라는 생각이 들었다. 그 둥근 항아리 옆에 서 있는 모습이 너무나 육감적으로 다가왔던 것이다. 그러나 그 뒤끝이면 내 물건은 시든 오이꼭지처럼 사그라들었고 뒤미처 엄청난 혐오감이 밀려들었다.

그 암갈색의 항아리를 나는 운명처럼 다시 만나야 했다. 올봄 결혼을 앞두고 어렵사리 얻은 신혼집에 신접 살림을 들여놓을 때였다. 살림은 가전 대리점이나 가구점에서 직송되다시피 해서 거의가 포장을 뜯지 않은 새것 일색이었다. 아내의 손때를 타던 물건들은 어차피 신혼 여행에서 돌아와 처가에 이바지 음식을 들고 신행을 할 때 챙겨 오기로 했으니 묵은 살림은 한 점도 없었다. 단 지금 내가 앞에 선 이 오래된 항아리를 빼고는.

이 항아리는 지금은 전화기 받침대로 쓰인다. 항아리의 테두리 위에 유리를 깔고 전화기를 올려놓았다. 나는 맨 처음 이것을 봤을 때 주인집이 동치미를 담갔다가 겨우내 다 꺼내 먹고 마당에 내놓은 못 쓰는 항아린 줄 알고 막 대형 냉장고를 나르다 지친 몸을 잠시 쉬게 하느라 엉덩이를 대고 걸터앉았다. 그런데 그 모습을 본 아내는 눈동자를 휘둥그레 뜨고는 내 등짝을 후려치며 얼른 내려오라고 야단이었다.

——현구 씨, 뭐 하는 거예욧!

그때만 해도 나는 그 항아리가 아주 더러운 데 소용되던 물건이라 옷이 더럽혀질까 봐 그런 호들갑을 떠나 보다고 선의로 생각했다. 그러나 그게 아닌 모양이었다. 아내는 손수 그 항아리를 보듬어 안고 몇 번 손바닥으로 쓸어 주기까지 하면서 나를 곁눈질로 하얗게 흘겨보는 것이었다.

——아니, 그게 무슨 고렷적 골동품이라도 되는 거야?

나는 어이가 없어서 이렇게 비아냥거렸는데 아내는 대답 없이 여자 혼자 힘으로는 무거워 보이는 그 항아리를 낑낑거리며 끌어안고는 이층 층계를 올랐다. 나는 그것이 아내의 호사가 취미려니 하고는 넘어갔었다. 글 쓰는 사람이니간 나 모르는 습벽이 많이 있겠지 하고 에둘러 생각했다. 하지만 그 동안 집에 항아리가 하나밖에 더 이상 늘지 않은 걸로 봐서 아내가 항아리 수집광이 아닌 것은 틀림없어 보였다.

한데 나는 아내의 「오래된 항아리」라는 단편 소설을 읽으면서 어쩌면 그 항아리가 소설 속에 나오는 항아리인지도 모르겠다는 생각이 들었다. 그 대목은 이러했다.

…… 나는 발밑을 조심하며 내 눈길을 끌었던, 불쑥 튀어나온, 물체 가까이로 다가갔다. 그것은 뜻밖에도 항아리였다. 암갈색의 크고 잘생긴 항아리가 오랜 세월의 표적처럼 벌판을 지키고 있었다. 그 모습은 예전에 그곳에 살았던, 그러나 지금은 떠나고 없는, 주인을 그리워하고 있는 것처럼 보였다. 스산히 바람이 불었다. 나는 그것이 금방이라도 어디론가 떼굴떼굴 굴러갈 것 같았다.

이쯤에서 난 이 '파애(破愛)'의 출처를 밝혀야겠다. 뜻 그대로 풀이하면 애정이 깨짐, 뭐 이 정도로 새김직한 이 말은 아내가 그렇게 애지중지하는 항아리의 겉에 써 있는 글씨이며 곧 그 항아리의 이름이었던 것이다. 아내가 왜 그 항아리에 파애(사실 항아리라는 사물에 이름을 붙이는 것조차가 파격이지 않은가)라는 썩 내키지 않는 이름을 붙였는지는 잘 알 수 없었다. 나는 밑둥치에 날카로운 쇠붙이 따위로 긁힌 듯이 적힌 그 항아리의 이름을 한참 나중에야 발견했을 때 묘한 기분을 숨길 수가 없었다. 파애? 파혼? 제길!

가만 생각해 보니 아내처럼 자의식이 강하고 까다로워 보이는 여자가 어떻게 나처럼 술덤벙물덤벙하는 놈하고 연이 닿았는지 아리송해질 때가 있었다. 다음과 같은 구절은 아내의 그러한 측면을 잘 보여 준다.

…… 그러나 나는 늘 누군가 내 등 뒤에 서 있는 것 같았다. 학교에서 동무들과 이야기를 할 때라든지, 버스를 타고 내릴 때, 또는 버스를 타고 있는 순간조차 나는 그 사람을 의식했다. 길은 언제나 왼쪽으로 가고(덩치 큰 차들이 무섭게 달리니까), 버스를 탈 때는 앞도 뒤도 아닌 중간에 타고(뒤에는 주로 문제아들이 모여 있으니까), 높은 데 매달려 있는 버스 손잡이는 잡지 말고(허리의 옷 틈새로 속살이 보이니까), 버스 안에서 헤프게 웃지 말고(남자애들이 쉽게 접근하니까) …….

아내가 처녀가 아니었다는 건 분명해 보였다. 이런 말을 버젓이 내뱉는다는 게 얼마나 의미 없는 일인가를 나 역시 잘 안다. 그리고 난 그 사실에 유쾌해하지도 않았지만 별로 괴로워하지도 않았으니까. 신혼 여행 때만 해도 그렇다. 우리가 서로 교감했던 관계는 딱 한 번으로 기억된다.

여섯 쌍의 신혼 부부가 한 팀이 된 첫날의 에이 코스에서 포토제닉으로 뽑힌 커플이 있었다. 딴 건 몰라도, 첫날의 에이 코스만은 꼭 팀으로 돈 다음 나머지 날은 너희들 맘대로 하라고……. 호텔을 소개해 준 여행사의 정 선배는 이렇게 말했었다. 아닌 게 아니라 에이 코스는 꽃밭으로만 돌아다니도록 일정이 짜여 있어 기념 사진을 찍어 두기에는 더할 나위 없이 맞춤했다.

찍사 노릇까지 떠맡은 안내인은 포토제닉으로 뽑힌 이백십팔 호 커플에게 렌즈를 들이댈 때마다 아, 좋습니다 하는 감탄사를 연발했다. 나에겐 신부의 목덜미를 팔로 좀더 부드럽게 감싸안으라고 주문한 안내인은 얼굴 표정 좀 피라는 당부를 매번 잊지 않았다.

──아 글쎄, 어젯밤 그렇게 옆방 사람 잠도 못 자게시리 무리를 허니껜 표정이 펴질 리가 있나 그래.

누군가 농지거리를 던져 분위기를 눙치는 바람에 나는 겨우 희미한 미소를 떠올릴 수 있었다.

──저분들은 정말 한폭의 정물화를 연상케 하던데요. 여미지(如美地) 식물원의 흐드러진 철쭉 꽃밭에서 턱을 포개고 찍을 땐 둘의 모습이 꽃보다 화사해서 꽃이파리들이 실쭉샐쭉 질투를 하는 건 아닌가 하는 착각이 들 정도였어요.

아내는 내 귀에 대고 속살거렸다. 나는 건성으로 고개를 주억거렸다.

──응, 정말 보기 좋은 한 쌍이었어.

그날 밤 호텔에서 마련해 준 허니문 파티에 그 쌍은 나오지 않았다. 그 대신 그들에 대한 수군거림이 뜬금없이 불쑥불쑥 비어져 나왔다.

──신랑보고 완이 아빠라고 부르는 소리를 들었어.

──여자보고는 형수님이라고도 하던데.

──설마!? 하긴…… 지난밤에 가만히 듣자니 늘켜 우는

여자 울음소리가 새나와 이상하다 싶었는데, 둘 다 사련(邪戀)으로 얽히고 설킨 관계인가?

나는 그런 입방아에는 관심이 없었다. 아내는 남의 약점을 심심파적거리로 삼아 입방아를 찧어쌓는 그들에게 노골적인 경멸의 눈길을 던졌다. 나의 관심은 줄곧 내가 그것을 세 번도 채우지 못한다는 데 있었다. 왜 하필이면 세 번이란 말인가. 그건 오로지 아내가 내게 제공해 준 강박 관념 때문이었다.

아내가 쓰는 글은 소설이고, 소설은 이론적으로 볼 때 허위를 있었던 일처럼 드러내는 것이라는 말은 아주 기초적인 상식에 속하는 거였다. 그러나 상식은 어쩔 땐 단지 상식일 뿐이었다.

아내의 글에는 유독 정사 장면이 꼭 빠지질 않았다. 상상력이 뛰어난 것인가 아니면…… 어느 정도 현실을 반영한 것인가. 스스로도 참 어리석은 설정이라는 생각이 들지 않은 것은 아니지만 웬지 찜찜한 느낌은 지우기 힘들었다. 일일이 예를 들자면 한이 없지만…… 가령.

실감나지 않게 섹스는 금방 끝났다. 장이 너무 빨리 흥분했다. 무방비로 강간당한 여자처럼 나는 바닥에 늘어붙어 있었다. 장이 농담삼아 지껄였다. 어려서 배곯아 자라서 그래, 허겁지겁 마음이 급해져서, 도무지…… 느릴수록 좋은데 말이야. 그러고는 그지? 하고 내 히프를 툭 건드리며 벌떡 일어나 욕실로 들어갔다.

그의 육체 위에서 떠돌던 그의 시선이 부화를 꿈꾸는 알속의 핵──노른자처럼 흐물거릴 때, 주머니 주둥이를 옴켜

쥐고 있던 끈은 이미 열리고 있었다. 물컹물컹, 미끌미끌, 어둠 속의 어둠덩어리 둘이 서로 엉겨붙고, 옷들은 저절로 떨어져 나갔다.

스무 살이 되었을 때, 나는 들꽃 한 다발을 들고 아버지를 찾아갔다. 나는 그때 사랑에 빠져 있었고, 남자와 처음 잠을 잤다. 나와 동급생이었던 그 녀석은 희멀건 애숭이였는데, 나를 행복하게 만들어 주겠다고 큰소리쳤다. 그애는 대학 들어오기 전에 벌써 여러 차례 여자와 자 본 경험이 있어서 나를 제법 능숙하게 다뤘다. 어찌나 기를 쓰고 뒹굴어 대던지 다음날까지도 내 몸에선 그 녀석 냄새가 가시지 않았다.

우리는 대낮부터 오후까지 세 번 그 짓을 했다. 호텔 방이 흥건히 젖었고 우리는 세상이 끝장난 듯이 무섭게 뒤엉켜 있었고, 나는 그의 털이 수북한 억센 가슴팍을 어루만지다 잠이 들었다……

이것들은 아내가 쓴 글의 한 대목이었다. 나는 이들을 잡지마다 찾아 읽었다. 어떤 젊은 평론가가 이를 두고 언어의 관능화니, 말의 에로스화니 하는 수사를 달았지만 나로선 적어도 그 순간마다 아, 이건 실제 상황이 아닐까 하는 느낌이 휘몰아쳤던 것이다. 물론 순전히 느낌이긴 했지만 특히 '다음날까지 그 녀석 냄새가 가시지 않았다'나 '흥건히', '털이 수북한 가슴팍' 같은 구절은 직접 경험에서 우러난 표현이라는 직감이 퍼뜩 와 닿았다.

내가 신혼 여행 내내 헛되이 그 세 번에 집착을 했다면 그건 순전히 이런 대목 때문이라 해도 과언이 아닐 것이다. 그러나 난 번번이 첫번째에서조차 실패하고 있었다.

"현구 씨, 이제 그만 돌아가요."

아내는 거의 울먹이는 목소리로 통사정을 하였다. 그러나 우리는 방파제의 반도 채 건너지 못한 상태였다. 원래 그날은 궂은 날씨만 아니었다면 한라산을 오르려 작정했던 날이었다. 호텔 방 안에서만 하느작거리자니 좀이 쑤시던 판에 아내가 먼저 마라도나 한 번 다녀오는 게 어떻겠냐고 불쑥 제의했다. 모슬포 선착장에 와 보니 서귀포에서는 불지 않던 바람까지 불어제치고 있었다. 둘은 도중에 얇은 비닐 비옷을 하나씩 사서 둘렀다.

"마라도 가는 밴 잉, 완전 끊겼시다. 이 바람 속에······ 웬."

선착장을 돌아 나올 때 내 눈에는 저 멀리 솟은 흰 등대가 하나 아련하게 들어 왔다. 나는 갑자기 그 등대로 끌리는 내 마음의 파동을 읽었다. 가자, 등대로! 아내는 내키지 않는다는 듯 지싯지싯 뒤를 좇았다. 등대로 뻗은 구불구불한 방파제에 올라서 보니 비바람의 세기는 상상을 훨씬 뛰어넘었다.

"어휴, 살점을 마구 떼어 가는 것 같아!"

살점까지는 몰라도 비옷의 비닐자락을 찢어 놓을 듯한 비바람 때문에 허술한 비옷의 앞단추 부근이 찢겨 나가 우리는 손으로 비옷자락을 거머쥐며 허청허청 발짝을 옮겼다. 깊은 균열이 간 바다에는 나뭇잎처럼 출렁거리는 통통배가 헐떡거리며 방파제 안으로 떼밀려 오는 중이었다. 아내는 도중에 몇 번이고 등을 돌리고 그 자리에 주저앉았다. 폭 좁은 방파제에서 밀리는 날에는 끝장이었다.

"엄살 떨지 말고, 일어섯!"

나는 가지런한 잇바디를 드러내 얼굴을 줄줄이 흐르는 빗물을 물어뜯으며 낮게 으르렁거렸다.

"현구 씨, 왜 이러는 거야! 아주 미쳤어!"

방파제는 길었다. 아니, 길게 느껴진 건지도 몰랐다. 우리는 바다의 끝에 와 서로를 꽉 붙들고 등대처럼 우뚝 섰다. 바람이 찢어지는 소리를 낼수록 정신은 또렷해졌다. 그때였다.

"현구 씨, 등대 안에 누가 있나 봐!"

"뭔 소리야! 손잡이에 녹이 시뻘겋게 슬어 있는데."

나는 소리를 버럭 지르며 둔중해 보이는 등대의 녹슨 손잡이를 힘껏 비틀었다. 그러자 분명히 사람, 사람의 그림자가 그 안에서 일렁이는 게 비쳤다. 허억, 나는 문짝을 있는 힘을 다하여 다시 닫았다.

"누구야? 맞지? 그 사람들. 이백십팔 호 포토제닉 맞지? 우우우, 정말이야 현구 씨? 세상에 어떻게 이런 데서 그런 ……."

아내는 무척이나 상기된 표정을 지었다. 비바람에 퍼레진 입술에 불현듯 화기가 도는 듯했다.

"형씨, 본의 아니게 대단히 실례했음다."

잠시 뒤 흐트러진 옷매무새를 쓰다듬으며 등대 문을 배시시 열고 나온 사내는 영락없는 그 포토제닉이었다.

"사진 찍어 뒀으면 굉장했겠시다. 이런 비바람도 아랑곳없이 말이오."

"뭘요, 산다는 게 다 그런 거지요."

"산다는 거요?"

나는 어처구니가 없어 허공을 향해 너털웃음을 날렸다. 그러나 그는 나의 의중을 정확히 꿰뚫어보고나 있다는 듯 정색을 하며 대꾸했다.

"암요, 산다는 거…… 발 닿는 곳마다 역사를 이뤄 가야죠."

"그러자니 필수적으로 내숭이라는 걸 떨어야 된다는 건 아닐 테고."

"이를테면 이런 거겠죠. 함께 살아갈 사람을 떠올릴 때마다 사추리께가 저절로 뜨거워지면서 울끈불끈하는 것 말이죠. 남는 건 그것밖엔 없다."

포토제닉은 어느덧 시인이 돼 가고 있었다.

"이 외로운 섬 남단의 모슬포 선착장에 비가 내립니다. 이유는 바로 그것 때문이었다니깐요. 등대가 호텔로 보이지를 않나……."

우리가 그들이 떠난 바로 그 자리에서 진하게 몸을 섞기 시작한 것은 그들이 우리처럼 비옷을 뒤집어쓰고 부리나케 등대 밖의 비바람 속으로 떠난 지 십 초도 안 돼서였을 것이다. 아내가 왼팔로 내 목덜미를 능숙하게 낚아챘다. 그리고 우린 참으로 격렬했었다. 아내가 가느다란 말울음소리를 내자 내 장딴지는 삶은 호박처럼 흐물흐물해졌다. 모슬포…….

파애를 자세히 살펴보면 희미한 금이 가 있는 걸 발견할 수 있을 것이다. 금방이라도 항아리를 놀부가 탄 박통처럼 두 쪼가리를 내버릴 듯한 균열로 보이지만 그간 한 반 년간의 사용으로 볼 때 대세에 큰 지장은 없는 것이었다. 그 항아리 안에는 퓨즈가 끊어진 소형 변압기, 연장통, 인주밥, 편지 꾸러미 등의 잡동사니들이 들어가 있고 유리 깔판을 놓은 위에 전화기를 올렸지만 지금까지 튼튼히 잘도 버텨 왔다. 하지만 난 그 금을 보고 난 뒤부터는 생각 이상으로 불안해했다. 금이 간 항아리는 언제나 불안했다. 아마 세찬이 형네 장독대에서 산산이 부서지던 그 많은 항아리들이 연상 작용으로 떠올라서 그런지도 몰랐다.

세찬이 형 엄마는 사치가 심한 여자였다. 남편은 진병이 들어 자리 보전을 하고 있고 얼굴이 반반해 술집으로 빠져 남자들한테 인기가 하늘을 찔렀다는 숙자 누나를 빼고는 누이들이 모두 공장에 나갔건만 그들이 벌어 오는 돈으로 자신의 몸치장, 입치레를 하고도 모자라 빚을 끌어 대기가 일쑤였다. 세찬이 형은 그 집안에서 남자라고 해서 유일하게 야간 공업 고등학교를 다니고 있었다. 우리 집도 세찬이 엄마가 처음엔 워낙 이자를 세게 붙여 주니깐 주근주근 이불자락 밑에 꿍쳐 둔 돈을 건넸다가 당시 돈으로 근 삼만 원을 떼일 처지에 놓인 모양이었다. 청소 수레를 끌던 아버지는 바퀴에 발등을 찍혀 집안에 들앉아 바람벽에 등을 기댄 채 기두발을 못 하게 됐는데 난처해진 어머니가 세찬이 엄마에게 수없이 빚독촉을 해도 꿩 구워 먹은 소식이라 드디어는 날 앞세워 그 집에서 아예 드러눕는 작전으로 나서게 됐다.

―― 얼릉 꼴딱 삼키라니깐!

어머니도 그게 질겅질겅 씹어 먹을 음식이 못 되는 줄은 아는 모양이었다.

세찬이 형네 집으로 날 끌고 가기에 앞서 어머니는 뒷동산의 개개말라빠진 덤불에서 떼온 쐐기알을 화덕에서 노르스름하게 구워서는 내 입에 대고 끝내 먹으라고 성화였다. 내가 그렇게 봐서 그런지는 몰라도 쐐기알에서 꺼낸 그놈은 알 속에서 한참 자라나 이제 막 부화를 하려 했는지 거의 성충 꼴을 갖추고 있었다. 몸뚱이의 윤곽이 어슴푸레 잡히고 털도 막 솟으려는 듯 군데군데 까칠해 보였다. 나는 비위가 틀려 고개를 홱 젖혔다.

그러자 눈앞에 별이 반짝거리도록 맵짠 어머니의 따귀가 뒤따라왔다.

나에게 그것을 먹으라고 강요하는 어머니의 얘기로는 내가 침을 잘 흘려서, 특히 잠잘 때 더욱 심해서 아침마다 베개가 흥건히 젖는다는 것이었는데 나는 그 말을 믿을 수 없었다.

──엄마, 그 침은 뱃속에서 회가 끓어서 그래요!

──그러니깐, 이걸 먹으면 뱃속의 회도 죽고 아무튼 침 흘리는 증상이 싹 가신다니까.

이번엔 어머니가 부엌에서 연탄 집게를 찾는 시늉을 했다. 일단 연탄 집게를 한번 손에 넣으면 한 차례라도 휘두를 것이 틀림없기에 나는 물사발에 입을 대고 한 모금 빤 다음 쐐기알을 털어넣고 약을 삼키듯 꼴깍 넘겼다. 그러다 사레가 들려 목을 두 손으로 감싸쥐고 캑캑거리며 야단법석을 떨었다. 그러나 어머니는 그런 내 고통에는 아랑곳없이 내가 그 벌레를 잘 삼켰나 입 안을 살펴본 다음 방금 밥을 뜸들이고 난 시커멓고 두꺼운 소댕 위에 밥을 떠 놓고 간장과 달걀을 깨넣어 썩썩 비빈 다음 이번에는 그걸 다 먹도록 했다. 그리고 나서야 날 세찬이 형네로 끌고 갔던 것이다. 지금 와서 생각해 보니 담요까지 싸들고 가 장기 농성을 할 채비였던 어머니는 차마 혼자선 갈 수 없고, 어린 날 데리고 가자니 한바탕 그런 굿판을 벌여야만 했던가 보았다. 쐐기를 구워 먹인 건 그것이 진짜 침 흘리기를 멈추는 데 효과가 얼마나 있는가를 떠나서 빚 받으러 가는 어린 나의 담력을 좀더 키워 놓으려는 속셈이 있지 않았나 싶다.

어머니는 진짜로 세찬이 형네 집 안방까지 쳐들어가 담요를 깔아놓고 진을 친 다음 평소와 다름없이 세찬이 엄마와 한바탕 쌈박질을 했다. 나는 고개를 푹 숙인 채 옷자락만 뜯고 있었다. 막내아들을 데리고 담요까지 끼고 온 어머니의 평소와 다른 결기를 봐서 그런지 세찬이 엄마도 죽어도 못 줘, 하며 더욱 악다구니를 썼다. 두 사람 사이의 입씨름이 한창 독이 올랐을 때 갑자기 다락방에서 공부를 하고 있던 세찬이 형이 빠루라고 불리는, 공사장에서 대못을 빼는 데 쓰이는 기다란 쇠막대를 끌고 내려왔다. 그러더니 괴성을 지르면서 달겨들어 장독대 위의 물독들을 와장창 작살내기 시작했다. 그 서슬에 눌려 어머니와 세찬이 엄마는 그만 입을 꾹 다물었다.

── 아주머니, 암만 빚을 받으러 오셨다지만 학생이 공부를 하는데 이렇게 막무가내로 구실 수 있습니까!

── 어머닌 제발 좀 그러지 마세요. 왜 우리보다 못 먹고 못 입는 집에서 돈은 꾸어다 허투루 쓰면서 안 갚으시는 거예요!

그날 결국은 세찬이 형의 몸태질이 효과를 거뒀는지 세찬이 엄마는 집 안에 들어가 빚 삼만 원의 절반인 만오천 원을 가지고 나와 건네면서 나머지는 천천히 갚겠지만 이잣돈은 꿈도 꾸지 말라고 했다. 어머니도 그것을 순순히 받아 들고 쓰다 달다 아무 대꾸 없이 담요를 걷고 내 손목을 낚아채고는 집으로 돌아갔다. 나는 어머니의 힘센 손아귀에 손목이 짓눌려 어기적어기적 걸어갔다. 좀전에 장독이 하나하나씩 왈각왈각 요정 날 때마다 오줌을 찔끔찔끔 재려 가랑이가 축축했던 것이다.

그때부터 금간 항아리만 보면 오금이 허턱 당기고 안절부절 못해지는 버릇이 생겨났다. 그래서 그 금간 파애를 쳐다볼 때마다 손톱 끝으로 금자국을 따라 어루만지며 항아리를 몇 번씩 톡톡 쳐보기도 했다.

"이 항아리에다 왜 파애라는 이름을 붙였어?"

내가 한번은 단도직입적으로 이렇게 물어 봤지만 아내는 딴

청을 피우며 대답하지 않았다. 나는 속으로 몹시 불쾌했지만 내색하지는 않았다. 가령 우리가 아직까지 혼인 신고를 하지 못하고 있는 것만 해도 그렇다.

내가 바쁜 틈을 내서 교통도 불편한 강남구청까지 길을 물어 물어 찾아간 것까지는 좋았다. 육십 항목이 넘는 혼인 신고서를 그것도 다섯 통씩이나 작성하고 난 뒤라 구비 서류와 함께 호적계에 내고 난 뒤 엄지와 검지의 두 번째 손마디를 감싸쥐고 얼얼함을 풀어 주던 참이었는데 혼인 신고서와 서류를 번갈아 검토하던 구청 직원은 간단하게 퇴짜를 놓는 것이었다. 마침 그날은 토요일이어서 다시 작성하고 어쩌고 할 시간적 여유가 없던 터라 나는 얼굴을 벌겋게 물들이며 그를 쏘아봤다. 그러나 그의 입에서 흘러 나온 말은 자못 충격적이어서 나는 맥이 좍 풀릴 지경이었다.

──아니 어떻게 장가를 들었다는 분이 장모 되는 분 성함도 모르셔?

그는 혹시 내가 짝사랑하는 처녀 하나를 서류상으로 작살내기 위해서 거짓으로 혼인 신고를 하는 게 아니냐는 눈빛까지 밝히고 있었다. 나는 적이 당황해진 표정으로 그가 붉은 색연필로 동그라미를 쳐 주는 부분을 눈여겨보았다. 아, 아, 이거 뭐가 잘못된 모양입니다. 나는 당혹해하면서 아내가 자신의 호적 초본이라고 떼어 준 서류를 뚫어져라 쳐다봤다.

──후후, 그러지 마시고 다시 한번 찬찬히 확인해 보세요. 그런 경우가 왕왕 있긴 있으니깐.

직원은 내게 한심하다는 표정을 넘어 가엾다는 표정을 지어 보였다. 나는 그 직원의 지적이 틀림없음을 확인하고는 아내에 대한 알 수 없는 분노를 느꼈다. 왜 내게 이런 얘기를 하지 않왔던 것일까?

장모의 성명이 적혀 있어야 할 호적 초본의 '모' 난에는 강춘만 대신에 조순임이라는 낯선 이름이 자리를 차지하고 있는 거였다. 내 머릿속에는 갖가지 상상력의 조합이 꼬리를 물고 떠올랐지만 나는 머리를 흔들어 모두를 지워 냈다. 아내에게 물어 보자. 그러면 확실히 알 수 있을 테지. 그러나 아내는 끝내 묵비권을 행사했다. 때가 되면 저절로 알게 될 테니 지금은 알려고 들지 말라는 거였다.

——그럼 우린 혼인 신고를 영원히 할 수 없을 걸. 자, 봐봐. 여기 어머니 성명 난에는 조순임이라고 써야 하는데 지금 주소지의 세대주인 장모님과 자기의 관계 난에는 또 뭐라고 써야 하냐구. 생모가 맞긴 맞아?

——아무케나 쓰라구요!

——장난이 아냐!

——현구 씨, 나도 장난이 아냐! 혼인 신고가 그렇게 중요한 거야?

——이건 당신이 잘못하는 거야. 분명히. 반드시 해명이 필요한 거구. 그렇지 않으면 뭔가 크게 꼬여.

난 처의 주소지의 세대주와 아내의 관계를 묻는 난에 동거인으로 써서 호적계에 디밀까 하다가 그만두었다. 그렇게까지 하면서 혼인 신고를 하고 싶지 않았다. 아내 입으로 그 내막을 듣고 싶었다. 아내여, 입을 열라!

결국 난 그 내막을 알게 되었다. 그러나 아내의 입을 통해 직접 들은 것은 아니었다. 그렇지만 결국 아내가 가르쳐 준 것이나 다름없었다. 왜냐하면 아내가 어느 잡지엔가 발표하려다 만 묵힌 소설 원고를 우연히 찾아 읽다가 바로 아내의 가족사의 일부를 접했으니 말이다. 그 원고는 사진첩 사이에 끼어 있었는데 그 사진첩은 내가 곧잘 뒤적여 보곤 하던 것이었다. 내가 손이 잘 가는 곳에 그 원고가 들어 있던 데에는 아내의 고의성이 깃들여 있지 않을까 하는 생각이 들었다. 물론 아내가 잡지에 발표한 소설 곳곳에도 자기의 가족사를 언급하는 대목이 없진 않지만 그것들은 대부분 속알맹이를 짐작하기 어렵도록 각색돼 있거나 변죽을 올리다 만 것뿐이어서 감질만 돋우고 말기 일쑤였다. 그러나 그 원고는 좀 감이 달랐다. 웬지 묵직한 논픽션의 냄새가 물씬 풍기는 거였다.

그 소설은 제목은 '문 밖의 여인'이었다. 한 여자가 자신의 어머니로부터 처녀성에 대한 강박 관념을 물려받고 살아오면서 성격 파탄에 이르게 되나 나중엔 이를 극복해 낸다는 줄거리였다. 나는 이 소설 제목 옆에 꼭 자전적 사소설이라는 부제가 달려 있어서 그런 게 아니라 첫머리를 읽는 순간서부터 아, 이건 아내의 자전적 소설이고 또 자신의 은밀한 콤플렉스를 털어 놓는 소설이구나 하는 느낌을 받았다.

나에게 오래도록 간직한 나만의 비밀이 하나 있었다. 나는 순결하지 않다는 믿음이 그것이었다. 그러니까 나는 태어나면서, 아니 내가 비로소 여자가 된 열 몇 살의 소녀 때부터, 이상하게도, 나는 어쩌면 처녀가 아닐지도 모른다고 믿어 버렸다.

그러나 나는 처녀였다.

무슨 이유로 그런 생각이 들었는지 나 자신도 이해할 수 없었지만, 그 믿음은 어느덧 머릿속 악마가 되어 내 무의식에 깊이 뿌리 내렸다. 벙 뜨여진 입, 휘둥그레진 눈, 소곤대

는 입술, 피하는 시선, 그리고 이유 없이, 설레는 가슴.(나는
처녀가 아니다. 그러므로 나는 마음껏 자유롭다.) ······

주인공을 낳은 어머니가 시집을 간 집안에는 첫날밤을 치른
며느리의 첫 서답빨래를 넣어 두는 항아리가 대대로 전해 내려
오고 있었다. 처녀막이 터져 붉으죽죽하게 물든 첫 서답빨래를
며느리가 자랑스럽게 그 항아리에 넣어 두면 다음날 문 틈새로
엿보던 시어머니는 몰래 그것을 꺼내 마을 공동 빨래터로 가지
고 가서는 동네 아낙들이 보는 앞에서 자랑스럽게 방망이질을
하며 빨았다. 그 전통이 언제부터 내려왔는지는 아무도 몰
랐다. 시댁에서는 그 항아리를 일컬어 첫항아리라고 불렀다.
  그런데 주인공 어머니 대에서 문제가 발생했다. 그네는 첫날
밤을 치르고 난 다음날 아침 서답빨래를 그 첫항아리에 넣어
둘 수가 없었다. 순결의 상징으로 여겨진 하혈이 없었기 때문
이었다. 문 틈새로 눈이 빠져라 첫항아리가 채워지길 기다리던
시어머니는 끝내 기함을 해 안방 미닫이문을 끌어안고 넘어갔
고 우물터에서 시댁 집안의 관례였던 첫 서답빨래를 하는 광경
을 보려고 옹기종기 모여들었던 아낙들은 시댁 쪽을 향해 코방
귀를 팡팡 뀌며 빨래 함지를 이고 제각기 집으로 돌아갔다. 남
우세를 당한 시어머니는 그 길로 머리를 명주자락으로 싸매고
는 자리 보전을 하고 말았다. 그러자 집안에서는 이러저러한
이유를 대어 그네에게 친정으로 돌아갈 것을 강력히 종용했다.
하지만 그네는 남편의 사랑이 아직은 식지 않은 터라 그에게
의지하여 아이도 낳고 그럭저럭 살다 보면 사정이 달라지겠지
생각하고 이를 악문 채 한 오 년은 견딜 수 있었다. 그 사이에
아들과 딸 하나를 두기까지 했지만 남편조차 집안의 조직적인

등쌀에 마침내는 마음이 돌아서기에 이르러 다른 혼처를 정했다.

남은 것은 오직 최후의 담판뿐이었다. 그네는 시어머니에게 자신이 낳은 아이 둘은 무슨 일이 있어도 스스로 키울 테니 논 열 마지기 문서를 떼 달라고 했다. 시어미는 그럴 줄 알았다는 듯 선선히 승낙을 하면서 그 대신 그 아이들의 호적은 파 가지 말고 그대로 두라는 조건을 달았다. 나중에 아이들을 빼앗길까 우려도 되었지만 애비 없는 호래자식 소리를 듣고 자라는 것보다는 호적상으로나마 애비 이름을 걸어 두는 게 나을 것 같아 그 조건을 받아들였다.

그네는 아이 둘을 데리고 눈보라가 휘날리는 마당으로 성큼 나섰다. 털가죽을 댄 남바위 끈을 턱끝이 아릿하도록 질끈 동여맨 아이들은 영문을 모른 채 희희낙락이었다. 당시 주인공의 나이 겨우 세 살이었다. 순간 그네의 눈에 안방 마루청 한끝에 놓인 첫항아리가 눈에 띄었다. 그네는 피가 머리끝으로 역류하는 듯한 느낌을 받았다.

대문을 허청허청 나서려던 그네가 갑자기 홱 돌아서 시어머니를 노려봤다. 시어머니도 이에 뒤질세라 쌍심지를 돋웠다.

── 거기서 뭐 더 필요한 게 있단 말이냐!

── 하나 더 남았습니다, 어머님.

── 욕심이 과하지 않느냐.

── 과해도 이 부탁을 마저 들어 주지 않으면 이 대문 밖으로 한 발짝도 내딛지 않겠사오니 그리 아십시오.

그러면서 그네는 보따리를 마당에 홱 내팽개쳤다. 시어머니는 눈살을 깊이 우그러뜨렸다.

── 대체 뭐가 또 남았단 말이냐? 답답하구나.

――바로 저 첫항아리입니다. 저걸 제게 주십시오. 그러면
논 다섯 마지기 문서를 도로 내놓으란들 기꺼이 따르지요. 나
머지 다섯 마지기로도 아이들 키우는 데는 거칠 게 없으니까
요.
　한동안 머뭇거리던 시어머니는 고개를 끄덕이고 말았다.
――고얀 것!

　소설에 따르면 주인공이 나중에 자라서 그 첫항아리에 파애
라는 글자를 새기게 된다. 극단적인 성적 억압의 상징물에게
어울리는 이름이었다. 항상 그 첫항아리를 보면서 자란 딸은
어머니가 광적으로 압박하는 강박 관념 때문에 결벽증 환자가
되고 나중에는 심한 정신 질환을 앓는다. 그리고 글쓰기 행위
로써 어미에게 대항하는데 이 때문에 일부러 자신은 애초부터
처녀가 아닐지도 모른다는 강박 관념의 토로, 남자와의 상상적
인 교접 장면을 빠뜨리지 않음으로써 어미에 대해 일종의 복수
행위를 한다는 거였다. 그러나 그럼에도 불구하고 딸은 원천적
으로 아비의 부재에서 오는 그러한 콤플렉스가 너무나 깊이 내
면화돼 있어 어미 벽을 뛰어넘지 못하고 시집 갈 때 어미가 지
니고 있던 그 첫항아리를 물려받아 와서는 허드레 장식물로 쓰
지만 여전히 마음의 고통을 주체하지 못한다.
　그러한 고통의 회로에서 그네를 탈출시켜 준 사람은 바로 남
편이었다. 멍하니 앉아서 항아리 속으로 빨려만 드는 그네의
눈길을 안타깝게 바라보던 남편은 어느 날 꽉 막힌 항아리의
밑바닥에 조그만 구멍을 뚫고는 그 안에 흙을 채우고 꽃을 옮
겨 심음으로써 그 첫항아리를 화분으로 탈바꿈시킨 것이다. 그
첫항아리에서 이윽고 활짝 핀 꽃봉오리를 바라보던 딸은 이루

말할 수 없는 환희를 느끼며 자신도 모르게 마당에 꼿꼿한 자세로 서서 참았던 오줌보를 열어 준다. 그때 대문 밖에서는 어미의 부음을 알리는 전보를 가진 오토바이 소리가 요란하게 들린다.

나는 원고 초록을 천천히 덮고 나서 파애 앞에 다가가 무릎을 대고 앉았다. 그러고는 먼지가 잔뜩 앉은 항아리를 살포시 쓰다듬어 주었다. 아내가 쓴 소설이 허구일 뿐인지 아닌지는 당장 판단할 순 없지만 내 생각으로도 이 항아리를 화분으로 쓴다 해도 아무 손색이 없을 듯싶었다. 나는 전화기를 내려놓고 항아리 안으로 손을 집어 넣어 그 안을 채우고 있던 물건들을 하나하나 끄집어 내기 시작했다. 편지 꾸러미가 마지막으로 잡혀 나왔다. 나는 항아리를 오른손으로 잡고 슬쩍 기울여보았다. 그때였다. 노르스름한 햇동이 터 오며 창문을 넘어 들어온 것은. 그리고…….

항아리 밑으로 뚫린 작은 구멍을 통과한 어슴푸레한 빛이 무척이나 강렬하게 내 눈을 찌르는 것이었다. 항아리 밑에는 뜻밖에도 구멍이 뚫려 있었다. 나는 내 눈을 의심하여 항아리 밑으로 손가락을 집어 넣었다. 가운뎃손가락 끝은 허공을 찌르고 있었다.

아!

나는 결코 가볍지 않은 탄성을 내질렀다. 그러고는 파애를 번쩍 치켜들면서 문 밖으로 내달렸다. 아직 이슬이 채 마르지 않은 들꽃을 찾아 꺾어서는 파애 가득히 심어 두고 아내를 기다리고 싶은 욕구가 목구멍 속에서 주먹처럼 불쑥 뻗쳤던 것이다.

빈집

신경숙

신경숙

申京淑

1963년 전북 정읍 출생.
1985년 중편 「겨울 우화」 문예중앙 신인문학상 공모에 당선.
1990년 창작집 『겨울 우화』 고려원에서 출간.
1991년 「저 쪽 언덕」 문학사상에 발표.
    단편 「그 여자의 이미지」 문학과 비평에, 단편 「연등」 동서문학
    에 발표.
1991년 단편 「골짜기」 문학정신에 발표.
1992년 단편 「배드민턴 치는 여자」 한국문학에, 「직녀들」 문학사상에,
    「풍금이 있던 자리」 문학과 사회에 발표.
1993년 소설집 『풍금이 있던 자리』 문학과 지성사에서 출간.
1994년 장편 『깊은 슬픔』 문학동네사 출간. 단편 「빈집」 기형도 추모집
    에 발표.

빈
집

사랑을 잃고 나는 쓰네

잘 있거라, 짧았던 밤들아
창 밖을 떠돌던 겨울 안개들아
아무것도 모르던 촛불들아, 잘 있거라
공포를 기다리던 흰 종이들아
망설임을 대신하던 눈물들아
잘 있거라, 더 이상 내 것이 아닌 열망들아

장님처럼 나 이제 더듬거리며 문을 잠그네
가엾은 내 사랑 빈집에 갇혔네

　　　―기형도, 「빈집」 전문

스페인은 언제 가시우?
밤이 되면서부터 내리기 시작한 눈을 흠뻑 맞아 눈사람이 되어 스튜디오 경비실을 막 지나려는 그를 보며, 아니 그의 어깨에 걸린 기타를 보며, 늙은 경비원이 습관처럼 물었다.

봄이 오면…….

자신이 생각해도 어처구니가 없어 대답을 줄여 버리려는 참인데 스튜디오 뜰의 거위 우리의 꽉꽉 소리가 그의 소리를 잘라 먹었다.

웬 뜰에 거위를?

그가 늙은 경비원이 거위를 기르고 있다는 걸 모르고 꽉꽉거리는 소리에 짜증을 내며 물었을 때 경비원은 앉아 있던 자리에서 엄한 표정을 지으며 벌떡 일어났다.

집 지키는 덴 거위가 최고요. 나는 이때껏 거위만큼 집 잘 지키는 사나운 놈은 못 봤소. 나 어려서두 산골짝에 있는 내 집도 거위 두 마리만 있으면 하나도 안 무서웠으니까. 그러나 상관 마오. 댁은 여기 사는 사람도 아니잖우.

후에 알고 보니 늙은 경비원의 그런 신경질적인 반응은 그에게만 보이는 반응이 아니었다.

도저히 주거용 건물이 있을 것 같지 않은 시내의 한복판에 이 스튜디오는 뭔가 비현실적으로 삐딱하게 서 있었다. 평수는 가장 넓은 게 14평이고 가장 많은 게 10평짜리의 원 룸 형식의 방들이었다. 그러니 제대로 된 살림을 하는 이들은 없고, 시내에 직장을 둔 혼자 사는 사람들이나, 혹은 굽이진 사연을 안은 채 둘이 사는 사람들, 간혹 신혼 부부들도 있는 것 같았으나, 그는 지난 일 년을 그녀의 집에 드나들면서 여기에서 어린아이가 달린 가족들을 본 적은 없었다.

스튜디오라는 이름이 붙은 건물 주인은 따로 있고 모두들 보증금 얼마에 다달이 집세를 치르며 살고 있었다. 건물 주인의 먼 친척이라는 경비원은 여기에 채용이 되자마자 스튜디오 뜰에 거위 우리를 만들었고, 스튜디오보다 거위 보살피는 일에 더 시간을 보냈다. 늘 게으르게 눈이 내려뜨려져 있는 늙은 경비원의 눈이 부라려지는 순간은, 바로 사람들이 거위에 대해 불만을 드러낼 때였다. 한밤중 혹은 새벽 아무 때나 거위들은 꽉꽉거렸고, 그 소리에 잠 깬 피곤하고 창백한 사람들이 창에 얼굴을 내밀고 거위 욕을 하면 경비원은 대번 그 창쪽을 향해 눈을 부라렸다. 집 지키는 데는 거위가 최고라니께.

갑자기 웬 눈인지 모르겠구먼요. 눈을 보니 조놈들도 발 시렵고 깜짝 놀라겠는가 봐요. 눈 내리기 시작할 때부텀 저리 꽉꽉거리느만요. 아, 내 정신 좀 봐 스페인은 언제?

봄이 오면, 이라고 다시 대답할 수가 없어 그는 웃으며 돌아섰다. 지난 가을엔 뭐라고 대답했던가? 겨울이 오면, 이라고 했지. 겨울이 오면 가야지요. 소양 교육도 받아 놨으니.

스페인. 그는 웃고 있는 자신의 입꼬리를 갈무렸다. 겨울에는 스페인의 봄, 갈리시아의 이끼 낀 교회에 내리는 비를 생각하면 봄이 오면, 이라고 말했고, 막상 봄이 오면 스페인의 여름, 나자레 해변을 씻어 내리는 대서양의 물결을 생각하며 여름이 오면, 이라고 했다. 그렇게 또 여름이 오면 스페인의 가을, 한낮의 공원에서 푸른 거울 같은 하늘을 보며 빠져드는 그들의 낮잠을 생각하며 가을이 오면, 이라고 말했다. 그들은 그들의 언어로 시에스타라 불리는, 낮잠 자는 시간을 기준으로 하루를 두 번 산다, 했다. 겨울에는 겨울에는? 지금은 겨울인데 스페인의 겨울은 생각나지 않았다. 다만 계절을 넘어, 변해 가는 것과 변하지 않는 영원한 것의 공존을 넘어, 피레네 산맥이 있을 거였다.

지금은 겨울이다. 그래 겨울이지. 특히나 오늘은 갑자기 기온이 영하 7도로 떨어져서 그는 학원에서 여기까지 오는 동안 어깨에 짊어진 기타를 한 번도 손으로 잡지 않았다. 눈바람 속에 칼날이 느껴져 주머니 속에서 손을 꺼내기만 하면 그대로 얼음 조각으로 만들어 버릴 듯했다. 그래, 겨울이다. 무방비 상태로 내놓아진 얼굴, 살갗 밑에 살얼음이 쌓인 듯 시린 겨울.

어깨에, 머리에, 기타에 쌓인 눈을 툭툭 털며, 신발 위에 쌓인 눈도 털기 위해 발을 툭툭거리며, 계단으로 오르려는 그를 이보우, 하며 경비원이 다시 불러 세웠다. 돌아다보니 경비실 창으로 경비원의 늙고 핼쑥한 얼굴만 나와 있다.

깜박했는데 그 꽃 만드는 처녀 이사 갔수? 아우?

그는 대답 대신 낮에 그녀가 이삿짐이 실린 트럭에 올라타는 모습을 숨어서 지켜 보았던 스튜디오 입구의 건물에 시선을 주었다.

하긴 말두 안 하고 이사했을 리는 없고. 그럼 이 밤중에 뭐하러 빈집으로 올라가우? 뭘 놓고 갔다 허우? 열쇠는 있소?

그래, 그녀가 떠난 줄을 알면서 나는 왜 저 빈집에 들어가려 하는가? 무의식적으로 이끌려 온 걸음도 아니다. 학원 야간반 수업을 진행 중일 때, 수업을 마치고 미끄러운 학원 현관을 나설 때, 점점 굵어지는 거리의 눈발 속이나, 버스 정류장에서 우두커니 서 있을 때, 그는 분명 그녀가 갔음을 느꼈다.

그는 거리에서 스스로를 향해 속삭이기까지 했다. 낮에 몰래 숨어 그녀를 실은 트럭이 그녀를 태우고 스튜디오를 빠져 나가는 걸 보지 않았더냐, 한 달 전부터 그녀가 그녀 주변을 정리하고 있는 걸 느끼고 있었으면서 마치 그녀가 떠나기를 기다리고나 있었던 듯, 모른 척하다 맞이한 오늘이 아니었더냐고. 모른 척한 이유는 있었다. 나는 스페인에 가야 하니까, 언젠가는 그녀를 떠나야 하니까, 그녀가 가려 할 때 보내야지, 그때 상처가 안 되게. 그녀는 갔다. 자주 그녀를 감당할 수 없는 마음이 그녀를 붙잡지 않게 했다. 그녀가 간 줄, 이제 그녀의 집은 빈집인 줄 알면서도, 그는 여기로 오고 있었다. 한사코.

그는 현관문에 열쇠를 꽂다 말고 가만 귀를 기울였다. 그녀가 이사한 방 안은 분명 텅 비어 있을 텐데 방금 전 열쇠를 문에 꽂자 안에서 무엇이 놀라 후다닥거렸다.

혹시 그녀가 돌아왔나?

부질없이 귀를 기울이니 문 안의 기척은 사라지고 조용했다. 그녀가 있을 리가? 그래 있을 리가. 그가 다시 열쇠를 만지려는 적막 사이로 갑자기 옆집에서 켜는 텔레비전 뉴스 소리가 쨍하니 섞여 들었다.

오늘 오후 1시쯤 동대문구 이문 2동 307번지 김선식 씨 집에 세들어 살던 아파트 청소원 부부가 나란히 숨겨 있는 것을 셋째딸인 미영 씨가 발견했습니다. 미영 씨는 회사 기숙사에서 전화를 해도 받지 않아 이상한 생각이 들어 집에 와 현장을 발견했다고 합니다. 경찰은 문이 안으로 잠겨 있고 외부 침입 흔적이 없는 것으로 미루어 자살로 추정하고 있으나 자살할 이유가 전혀 없다는 가족들의 말에 따라 타살 가능성에 대해서도 수사하고 있습니다.

그는 그대로 망연히 서 있었다.

바람이 뼛속까지 휙 들어오는 것 같아 그는 다시 손을 열쇠에 갖다 대기 전에 손바닥을 비볐다. 어느 날 그녀가 그녀의

손가락에서 빼서 그의 왼손가락에 끼워 준 반지가 오른손등이
며 손바닥에 스쳐 갔다.

그는 문을 따고 안으로 들어와 문에 등을 대고 가만 서 있
었다. 처음엔 깜깜했던 방 안의 어둠이 차츰 익숙해지자, 흰
벽이 보이고 세면장 문이 열려 있는 게 보였다. 그녀가 떼어
가지 않은 선반이 구석에 그대로 매달려 있는 것까지 눈에 잡
혔을 때, 그는 손을 뻗어 방 안의 불을 켰고, 문에서 등을 떼
고, 어깨에 짊어진 기타를 풀어 문에 세워 두었다. 봄은 희망
이야. 봄이 되면 스페인에 갈 거니까. 거기 가서 빠꼬 데 루시
아처럼 악보 없이 플라멩코를 칠 거니까. 그래 그럴 거니까.

그녀를 만난 날도 봄이었다. 모두들 자칭 기타리스트들인 아
는 얼굴들이 모여 객석 의자가 마흔 개도 될까 말까 한 소극장
에서 연주회를 열었을 때, 그 자리에 그녀가 왔었다. 그가 마
르티니의 사랑의 기쁨과 마이어즈의 카바티나를 접속곡으로 연
주하고 났을 때 그녀는 박수를 쳤다. 그가 사티의 짐노페디를
켜고 마지막으로 타레가의 알람브라 궁전의 추억을 치고 났을
때도 그녀는 앉은 채로 계속 박수를 쳤다. 쉬지 않고 박수를
치고 또 쳤다. 그녀가 얼마나 많이 박수를 쳤는지 누구나 다
생각했을 것이다. 그녀의 손바닥이 얼마나 아플까를. 그래서
연주회가 끝났을 때 그가 극장을 빠져 나가고 있는 그녀 곁으
로 가서 물었다. 기타 소리를 좋아하는가 보군요. 그녀는 대답
이 없고 그녀와 동행한 그녀 곁의 늙은 여자가 가만 웃었다.
그는 둘이 모녀 사이인 줄 알고 이번엔 늙은 여자를 향해 따님
이 기타 소리를 좋아하나 봐요, 라고 다시 물었다. 그녀의 엄
마가 아니고 이모라는 늙은 여자가 대신 대답했었다. 이 앤 소
리를 들을 수 없어요. 귀머거린 걸요.

귀머거리? 그는 멍하니 선 채로 그녀와 그녀의 이모라는 늙은 여자가 극장을 빠져 나가 바깥으로 통하는 계단을 오르는 걸 바라보았다. 그의 시야에서 두 여자가 아주 안 보이게 되었을 때 그는 뛰어나가 그녀들을 찾았다. 버스 정류장을 향해 걷고 있는 그녀들을 찾아냈을 때의 그 반가움은, 오래 전 한 여자의 정중한 이별 후 처음 느껴 봤던 것이었다. 육 년 만인지, 칠 년 만인지, 그 동안 그 육 년인지, 칠 년 동안, 여섯 번인지 일곱 번인지 봄을 보내면서 여름 가을 겨울을 보내면서 그는 스페인에 가리라, 했다.

자그마치 저 옛날, 1600년대에 지은, 길이 94미터에 폭이 128미터의 사방이 둘러싸인 풍취 있는 마요르 광장에서, 화려한 왕가의 의식과 사나운 투우 축제와 종교 재판의 화형식이 있었던 그 마요르 광장에서, 유랑인들 틈에 섞여 기타를 치리라, 했다. 아, 그리고 마드리드에서 아란후에스로 가는 열차를 타리라, 황야 속에서 저 혼자 기름진 들판을 이루고 있는 아란후에스, 수많은 나무와 식물로 둘러싸여 있는 아란후에스, 그 왕가의 휴양소에서 물소리를 들으며 기타를 치리라, 했었다. 그것만이 그에게 여섯 번인가 일곱 번 봄 여름 가을 겨울을 보내는 대안이었다.

신발을 벗고 안으로 들어서려다 그는 다시 멈춰 섰다. 그녀의 냉장고가 놓여 있던 곳, 이제는 텅 비고 어둠이 내려앉아 있는 자리에 그녀가 냉장고 문을 열며 서 있는 것 같다. 밖에 춥죠? 엉덩이까지 내려오는 흰 셔츠를 입은 그녀가 입술을 달싹이며 그에게 다가오는 것 같다. 그는 저절로 춥긴 별로야, 혼자 공허하게 대꾸하다가 어깨를 한번 움츠리곤 안으로 들어섰다.

그녀는 대답을 소리로 듣지도 못할 거면서 무엇이든 물었다.

텔레비전의 동물의 세계 프로그램에서 밀림의 코끼리들이 천연적으로 알코올이 만들어지는 풀들을 뜯어 먹어 술 취해 비틀거린다는 얘기에 코끼리들이 왜 그래요? 하고 물었다. 그는 거창한 밀림이 자꾸 파헤쳐지고 그나마 살아 남은 코끼리들도 자꾸만 터를 뺏기는 데서 오는 스트레스 때문이래, 대답하다가 그녀를 물끄러미 바라보았다. 화면만 보고 진행자의 소리는 듣지도 못하면서 코끼리들이 뭘 하고 있는지를 알고 있는 것인가? 스트레스 때문이래, 라고 대답하는 그의 대답을 이해하긴 하는 것인가? 그의 의아심하고는 상관 없이 그녀는 엉뚱한 말까지 더 보탰다. 코끼리들이 스트레스를 받긴 받을 거예요. 이 지구상에선 커다란 것들이 점점 없어지잖아요. 다음엔 자신들이 소멸할 것이라는 걸 짐작하고선 그러는지도.

마치 냉장고 앞에 서 있는 그녀를 안으러나 가는 듯 그가 안으로 성큼 들어섰을 때 세면장에서 뭔가가 화다닥 움직이는 기척이 났다. 정말 그녀가? 순간 그의 가슴에 반가움이 흘렀다.

화수?

그는 얼른 세면장 안을 들여다봤다. 그녀는 없고 세면대 위 거울 앞에 그녀가 기르던 고양이가 등을 세우고 그를 쳐다보고 있다. 그렇겠지. 그는 멋쩍게 웃었다. 낮에 건물 뒤에 숨어서 그녀의 이삿짐이 트럭에 실려 떠나는 걸 두 눈으로 지켜 보았으면서도, 그랬으면서도 그녀가 아직 여기에 있으리라고 생각하다니.

어둠 속에서 사삭거리고 있는 고양이 눈이 새파랗다. 그녀가 기르던 두 마리의 고양이 중 점박이다. 점박이는 그녀가 원래부터 기르던 고양이었다. 갈색 털에 흰색 털이 점처럼 박혀 있어 점박이라고 부른다고 했다.

그녀가 트럭에 올라탔을 때 품에 안고 있던 고양이는 희디 흰 것이었다. 그 흰 것은 그녀의 것이 아니라 그가 어느 식당 에서 얻어 온 것이었다. 이제는 쟁쟁한 기타리스트가 되어 있 는 친구의 독주회에 갔다가 저녁을 먹으러 들른 식당에 새끼 고양이들이 다섯 마리나 있었다. 태어난 지 3주나 되었을까. 다른 놈들은 활발하게 식당 손님들의 발 밑을 기어다니고 뛰 어다니는데 온몸이 하얀 고양이 한 마리만 움직이지를 않고 주 눅이 들어 웅크리고 있었다. 사람들이 새끼 고양이들을 귀여워 하니까 음식 시중을 드느라 왔다갔다하던 주인이 기르고 싶으 면 가져가라, 했다. 어여뻐하면서도 막상 가져가라 하니까 누 구도 선뜻 나서지를 않았는데 그의 입이 어느새 내가 한번 길 러 볼까요, 말하고 있었다. 그는 여러 마리의 고양이 중 가만 히 웅크리고만 있는 흰 고양이를 안고 왔다. 털이 희다고 그는 그 고양이를 흰순이라 불렀다. 흰순이는 순하고 얌전했다. 하 지만 전혀 그를 따르지 않았다. 너무 어려서였을까, 흰순이는 그저 가만 웅크리고만 있었다. 아침마다 배달되는 우유를 반으 로 나눠 마시고 고양이들은 통조림을 좋아한다길래 슈퍼마켓에 서 참치 통조림을 사 와 접시에 조금씩 덜어 주었는데, 흰순이 는 그가 옆에서 쳐다보고 있으면 그걸 먹지도 않았다. 그가 모 른 척하고 있어야 겨우 조금 입에 댔다. 흰순이는 간섭할 필요 가 조금도 없었다. 작은 모래 상자를 만들어 옆에 뒀더니 거기 에 오줌도 누고 똥도 누고 안 그런 척 열심히 덮어 놓기까지 했다. 이틀째 되던 날이었다. 새벽에 눈을 떴는데 흰순이가 보 이질 않았다. 어디에 있겠거니 했는데 오전 10시가 돼도 안 보 였다. 출입구를 열어 두지 않은 이상 흰순이가 그의 방을 나갈 도리가 없는데 이 구석 저 구석을 다 들여다봐도 기척도 없었다. 그는 정말이지 그때 코미디언처럼 책상 서랍까지 열어봤다. 그의 방은 7층이었고, 나가면 곧 찻길이었다. 오므리고 앉아 있는 것밖에 사회성이라곤 눈곱만큼도 없어 보였던 흰순이가 방을 빠져 나갔다면 어리둥절한 채 교통 사고를 당했을 게 틀림없었다. 제발 방을 빠져 나가지 않았기만을 바라며 그는 책 사이사이, 악보 사이사이까지 들여다봤는데도 없었다. 정오가 되었을까, 그렇게 찾아도 기척이 없던 흰순이가 어디선가 가르릉, 소리를 내는 게 아닌가. 소리난 곳을 헤쳐 보니 악보들 사이사이 뒤켠 그의 옛사진들을 담아 놓은 노란 봉투 속이었다. 폭삭한 솜까지 깔아 준 집을 마다하고 흰순이는 그렇게 구석쟁이를 찾아 들어갔고, 그는 매일 구석을 쑤시고 다니느라 애를 먹었다. 흰순이는 책상 밑바닥에 달라붙어도 있었고 싱크대 서랍에 들어가 있기도 했으며 이젠 그가 신지 않는 낡은 신발 속에 웅크리고도 있었다. 한번 구석을 파고들면 그가 찾아낼 때까지 거기 오므리고 앉아 있었다. 그게 저 사는 방법이었는지 몰라도 음식을 먹질 않으니 걱정이 드는 건 그의 성가심이었다. 그는 정말이지 그의 방에서 죽은 고양이를 집어내는 일 같은 건 절대로 하고 싶지 않았다. 겨우겨우 찾아 내서 밥을 먹이곤 하는 일을 얼마간 하다가 그는 흰순이를 그녀에게 안고 갔다. 그녀가 흰순이의 터였을까? 흰순이는 그녀의 손 안에서 금방 투실해져 어린 티를 벗었다. 처음에 흰순이의 등장에 성을 돋우던 점박이는 나중엔 제 집을 흰순이에게 내주고 저가 냉장고 위나 신발장 위, 아니면 흰순이가 자고 있는 집 옆의 방바닥에서 잤다.

그는 숨을 크게 들이쉬었다. 거울 속으로 비친 점박이의 등이 실제의 등과 겹쳐 점박이는 아주 커다랗게 보였다. 그가 세면장으로 들어가서 웅크리고 있는 점박이의 두 눈을 가리며 안아 내리려니 점박이는 갑자기 베란다 쪽으로 화다닥, 튀어갔다. 그는 자신도 모르게 점박이의 뒤를 따랐다. 한 마린지 두 마린지 생쥐가 찌익——소리를 내며 어디론가로 사라졌다. 점박이는 아쉽다는 듯 생쥐가 사라진 쪽을 파란 광채의 눈으로 쏘아보고 있었다. 아직도 쥐덫이 있군. 그는 점박이 뒤에 서서 이쪽에서 저쪽으로 이어지는 좁은 베란다 끝에 아직 쥐덫이 놓여져 있는 걸 쳐다봤다.

어느 날 그가 그녀에게 쥐가 있나 보다고, 아주 가까운 데서 생쥐 소리가 들린다고 해도 그녀는 설마 쥐가 있을라구요, 하는 표정을 지었다. 그러던 그녀가 어느 날은 쥐덫을 사다 베란다에 설치한 뒤 노트에 썼다. 정말이었어요. 새벽에 세면장에서 생쥐가 비누를 갉아먹고 있는 걸 봤어요. 그는 새벽에 그녀의 세면장에서 비누를 갉아먹고 있는 생쥐의 모습이 어땠을까?를 떠올려보려고 했지만 떠올려지지가 않았다. 그는 쥐의 소리만 듣고 그녀는 쥐의 모습만 봤을 뿐이었다. 소리는 모습보다 질기다. 어느 날 새벽에 비누를 갉아먹느라 그녀에게 모습을 들킨 생쥐는 더 이상 음식이나 비누를 갉아먹지 않기로 한 모양이었다. 그랬다. 생쥐는 그녀가 귀머거리인 걸 알게 된 모양이었다. 쥐덫을 피해 구석구석 어딘가로 생쥐는 찌익——소리로만 나타났다가 사라지곤 했다. 모습이 안 보이니 그녀는 곧 생쥐도 쥐덫도 잊었다. 모습만 나타내지 않으면 생쥐는 그녀에게 자신의 존재를 완벽히 숨길 수가 있었다. 하지만 그의 귓속에서 생쥐는 찌익——소리로 존재했다.

그녀가 못 보는 생쥐의 존재를 그 자신 혼자서 소리로 느끼며 그는 외로웠다. 그 외로움은 언젠가 한 여자가 느닷없이 그를 떠난다고 했을 때, 당신의 기타 소리를 좋아했고 지금도 좋아하지만 그것만으로는 부족함을 느낍니다, 정중하게 말하고서 가 버렸을 때, 그가 그저 담배나 피우고, 얼마간 걸어다니다가 돌아와 기타를 치던 손톱을 깎고, 두 계절인가를 창 가까이에 앉아서 천장을 지나가는 거미나 바닥을 기어가는 바퀴벌레 같은 걸 보고 있을 수밖에 없었을 때 느끼던 것과 비슷한 것이었다. 빈방에 앉아 그것만으로는 부족함을 느낍니다, 라는 여자의 말을 웅얼거릴 때마다 마음에 스며들던 그것과. 이제 더 앉아 있지 말자, 무슨 일인가 하자, 마음 먹으며 다시 기타를 메고 학원에 나갔을 때 사람들은 그에게 기타 소리가 더 좋아졌네, 그로서는 알 수 없는 말을 했다.

그는 생쥐가 사라진 쪽을 바라보며 가르릉——거리는 고양이를 향해 엎드렸다. 그의 손이 닿자 점박이는 이미 세운 등을 더 세우고는 파다닥 튀어나갔다. 점박이는 방바닥을 딛고, 창틀을 딛고, 그녀가 떼어 가지 않은 선반 위에 사뿐히 올라가 앉았다. 그곳에서 얇은 책 한 권이 툭 떨어졌다. 다가가서 집어 보니 몇 편의 단편 소설이 수록된 얇은 책 속에 편지 봉투가 끼워져 있다. 그는 봉투를 내려다보았다.

또 시작이군. 봉투 속의 편지를 꺼내려는데 그의 귓속으로 망치 소리가 신경을 끊듯 섞여들었다. 도대체 저들은 벽에 무엇을 저토록 박는 걸까? 그녀와 함께 있을 때도 위층에서는 자주 벽을 망치로 두들기는 소리가 들리곤 했다. 저들은 한번 망치 소리를 내기 시작하면 적어도 두 시간은 소리를 냈다. 두 시간 동안 내내 두들기는 건 아니었지만 십 분 간격에 오 분 간격에 이십여 분 간격에 어김없이 쾅쾅 소리를 냈다. 처음에는 그러려니 하다가, 다음에는 그 벽이 아니라 아래층 이 벽이 허물어질 것 같은 생각이 들다가, 그도저도 지나가면 그땐 그 층의 벽이 망치에 얻어맞는 게 아니라, 그의 머리를 망치가 내려치는 것 같아졌다. 그 소리에 그는 괴로워 죽을 것 같은데 그녀의 검은 눈은 산 속처럼 고요했다. 그는 기가 막혀 노트를 꺼내 썼다. 저 소리가 안 들린단 말이야? 그러구선 내 기타 소리를 듣고는 어떻게 그토록 박수를 쳤지? 그녀가 받아 썼다. 당신 손가락이 기타 위에서 소리를 냈어요, 나의 손가락이?

겉봉에는 어떤 글씨도 없다. 그는 벽에 등을 대고 앉아 봉투 속에서 편지를 꺼냈다. 편지지의 글자 위로 위층의 쾅쾅거리는 망치 소리, 어딘가로 도망치는 생쥐의 찌익찌익 소리, 스튜디오 뜰의 거위가 화다닥거리며 꽉――하는 소리가 끼여들었다.

이 글을 그쪽이 읽게 되는지요.
한번은 그쪽이 이 빈집에 올 것이기에 나도 한번은 내 마음이 그쪽에게 읽힐 기회를 만들어 봅니다. 그쪽이 선반 위에 놓여질 이 편지를 발견하지 못하면 그만이고 만약 발견한다면 내가 그쪽 몰래 이 집을 비우고 가는 것이 언젠가 한번 그쪽을 떠난 여자 때문이 결코 아님을 알아 주세요.

그는 머리가 띵해 잠시 읽는 것을 멈췄다. 위층의 망치 소리가 천장을 흔들고 그가 기댄 벽을 흔들었다. 그 진동에 점박이가 놀라 그의 배 위로 폴짝 뛰어내렸다. 그는 지진 같은 진동을 이루는 망치 소리가 마치 자신의 손등을 내리치고 지나간 것 같은 타격을 느꼈다. 그녀가 그를 떠나간 여자의 존재를 알고 있었던가?

그는 다시 편지에 눈길을 돌렸다.

두통 때문이에요.

두통? 그는 눈을 번쩍 떴다. 두통 때문이라고? 그녀는 단
한 번도 그에게 머리가 아프다는 말을 해 본 적이 없었다.

그쪽에겐 기타줄 위에서 춤추듯 움직이는 그쪽 손가락을
보고 있으면 내 귀는 그 손가락들이 내는 소리가 들린다고
했지만 나는 그 무슨 대가를 치르더라도 단 한 번이라도 좋
으니 그쪽 손가락이 가는 자리에서 새어 나오는 진짜 소리를
듣고 싶은 욕망이 싹텄어요. 그 소리 속에 사랑하고 욕망하
고 후회하며 살아가는 모든 것이 다 담겨 있을 것만 같았어
요. 나는 그날부터 두통에 시달렸어요. 그쪽의 손가락이 튕
기는 소리를 한 번만 한 번만 내 귀로 듣고 싶어한 그 순간
부터요. 어제는 한줌 먹은 알약을 토해 냈어요. 의사는 내가
마음속으로부터 아무 생각을 하지 말아야 된다고 했어요. 그
의 진단처럼 아무 생각도 하지 않으려 했지요. 하지만 나날
이 너무나 괴로워서 슬퍼할 수도 없을 지경이었어요. 머리를
한쪽으로 가만히 두고 두 손으로 꼭 껴안고 있어도 두통은
거기까지 따라와서 나를 한밤중에 침대에서 떨어뜨리곤 했어
요. 머리 한 군데가 피투성이로 늘어진 것같이 아팠어요. 때
로 바로 앞에 앉아 있는 그쪽도 알아보지 못했답니다. 울거
나 웃으면 두통은 입 모양이 만들어지는 쪽으로 왈칵 쏠려
웃을 수도 울 수도 없었답니다. 한 번만 당신이 내는 소리를

듣고 싶어한 대가가 너무 슬퍼요. 너무 아파서 이젠 사람이라고 할 수도 없어요. 어느 날 자다가 일어나 찬물에 머리를 넣고 나와 머플러로 침대와 내 머리를 묶어 두고 배 위에 양손을 포개고서 한 번만 그쪽 손가락이 내는 소리를 듣고자 했던 원을 놓았어요. 그러니 머리가 편안해졌습니다. 안녕, 내 사랑. 차라리 이 빈집에 들어와 이 편지를 읽지 말길. 내가 집 정리를 하는 줄 알면서도 그쪽의 또 다른 마음이 모른 척하였듯 차라리 내가 두통 때문에 그쪽을 버리고 가는 걸 영원히 모르길. 그러면 뒷날 그쪽 마음에 내가 가엾을는지.

아아아──그는 소리를 지르며 편지를 떨어뜨렸다. 하지만 그의 비명은 쾅쾅거리는 망치 소리를 이기지 못했다. 무엇에 놀랐는지 뜰의 거위들조차 꽉──외마디를 지르며 파드득거렸다. 망치의 쾅 소리와 거위의 꽉──소리 사이로 어디선가 찌익──하며 생쥐가 지나갔다.

철커덕 철커덕 지하철 지나가는 소리, 자동차 끼익 급정거하는 소리, 후다닥 계단을 뛰어가는 소리, 오래된 아파트 무너뜨리는 소리, 셔터 내리는 소리 속에 끼어 있을 때마다 그는 생각했었다. 저 소리소리들이 결국 살아가고 싶은 욕망을 균열지게 할 거라고. 봄이 돼도 햇볕이 들지 않는 그늘진 육교를 지나거나, 강습 시간은 늦었는데 트럭과 소형차들 속에 끼어 움직이지 않는 버스 속에서 기타를 메고 거리를 내다보면서도. 그런데 그녀는?

그랬으면서도, 그가 사티의 짐노페디를 칠 때면 그 곁에 바짝 앉아 마치 자신의 귀에 기타 소리가 들리는 듯 행복에 겨운 미소를 짓다니, 사실은 그 미소가 한 번만 그의 소리를 듣고 싫어하는 간절한 괴로움인 줄도 모르고서 손가락을 보고 있으면 소리가 들린다는 그녀의 말을 단 한 번 의심도 없이, 누구 앞에서보다 그녀 앞에서 손가락을 더욱 깊이 더욱 사삭거렸다니, 그럴수록 그녀의 두통이 더 깊어졌으련만.

편지를 든 채로 멍하니 앉아 있는 그에게로 점박이가 다가왔다. 그는 편지를 떨어뜨리고 점박이를 안았다. 그녀가 떠날 때 너는, 너는 어디 있었니.

그녀는 이삿짐을 실은 트럭을 기다리게 하고 흰순이를 품에 안은 채 애타게 점박이를 찾았다. 어딨니? 그녀는 점박이를 찾으려고 이미 열쇠를 채우고 나왔을 여기로 몇 번을 오르내렸고, 트럭 위로 올라가 거꾸로 세워진 의자 사이, 탁자 사이 책 사이사이를 들여다보았고, 우편함까지를 열어 보았고, 어디 갔을까요? 방금까지 있었는데 경비실을 서성였고, 딱 두 동밖에 없는 스튜디오 여기저기를 돌아다녔고, 나중엔 스튜디오의 황폐한 겨울 뜰과 5층 꼭대기 옥상을 향해 어딨니?를 외쳐 대었다.

그는 점박이의 양 겨드랑에 손바닥을 집어넣고 그녀의 침대가 놓여 있던 자리에 길게 누웠다. 그는 그의 배 위에 점박이를 내려놓았다. 금세 점박이가 앉아 있는 자리에 따뜻한 기운이 퍼졌다. 그는 눈을 가늘게 뜨고 자신의 배 위에 웅크리고 있는 점박이를 쳐다보았다. 너 그때 어디 있었어? 그의 목소리가 공허하게 그녀의 살림이 빠져 나간 일곱 평의 실내를 떠돌았다. 흰순이를 품에 안고 애타게 점박이를 찾고 있던 그녀의 초췌한 모습이 떠올라 그는 지금 그의 배 위에서 가만히 앉아 있는 놈이 야속해졌다. 어떻게 들어왔을까? 현관문도 창문도 다 닫혀 있었는데.

그는 망치 소릴 이제 혼자 들으며 자신의 손가락을 쳐다 봤다. 그녀가 끼워 준 반지. 정말 아무것도 세상의 어떤 소리도 들리지 않는다고 느껴지던 날 금은방에 가서 사서 낀 거예요. 귓속의 깜깜한 칠흑을 이 반지가 위로해 줄 거라고 혼자 최면을 걸었죠. 그러고 나니 정말 아무 소리도 들리지 않을 때 이 반지를 만지고 있으면 불안하지 않아요. 그는 말했었다. 앞으론 어쩔려고? 이젠 괜찮아요, 소리가 들리지 않아도 살 수 있어요. 무슨 힘으로? 그녀는 썼다. 그쪽이 내 곁에 있는 힘으로.

언제부턴가 자주 그녀의 눈에 눈물이 어렸다. 그랬다, 그는 알고 있었다. 그 눈물의 어림이 그치면 그녀가 가리란 것을. 그는 그녀가 풍기는 이별의 냄새 앞에 무얼 해야 할지를 몰랐다. 그는 알고 있었다. 그녀가 간 후면, 그저 담배를 피우고, 얼마간 걸어다니다가 돌아와 기타를 치던 손톱을 깎고, 한 계절이거나 두 계절 창 가까이에 앉아 있으리란 걸, 저것 봐라, 여기도 거미가 있지 않은가, 창문 위, 물방울 무늬의 거미가 스륵, 제가 짜 놓은 거미줄을 타고 기어 내려오고 있다. 나무나 수풀, 돌 밑이나 풀 속, 바닷가나 사막, 물 속이거나 꽃 위가 아니라 저 거미는 왜 여기에서 기어다니는 건지. 그러다가 어느 날 이제 더 이상 앉아 있지 말자, 무슨 일인가 하자, 마음먹으며 다시 기타를 메고 학원에 나가면 그때도 사람들은 그를 향해 기타 소리가 더 좋아졌네, 그로서는 알 수 없는 말을 할 것이었다.

그는 점박이 머리를 쓰다듬던 팔을 아무렇게나 떨어뜨려 버렸다. 그의 팔은 그에게서 버림받고 바닥에 축 처졌다. 그의 눈에 흰순이를 품에 안고 이놈을 못 찾아 허둥거리던 그녀의 모습이 어려졌다. 찾다가 찾다가 다시 한번 이미 열쇠를 채운 이 텅 빈 공간에 올라갔다 내려온 그녀는 체념한 듯 고갤 수그리며 인부들에게 품삯을 계산하는 것 같았고, 그러고는 다시 한번 3층, 그들이 자주 창가의 의자에 앉아 바깥을 내다보고 하던 그 창을 잠시 바라보더니 트럭에 올라탔었다. 그녀는 그 트럭 기사와 함께 오늘 종일 고속 도로를 달렸을 것이다. 그녀가 이 도시를 아예 떠나겠다고 그에게 말한 바도 없는데 그는 그녀의 이삿짐을 실은 트럭이 이 도시의 톨게이트를 지나 온종일 고속 도로를 달렸을 거라고 생각한다. 언젠가는요. 내가 떠나 온 곳으로 다시 돌아가고 싶어요. 그녀가 떠나 온 곳이 어디인지 그는 모른다. 거기가 어딘데? 라고 그는 묻지 않았다. 단지 그곳이 아주 먼 곳일 거라는 생각, 여기 바깥일 거라는 생각, 그는 거기까지만 생각했다.

그녀가 그녀의 살림들을 싣고 고속 도로로 나갔든 아니든 트럭 기사 옆에 앉은, 어딘가로 옮겨 가는 그녀 곁엔 그가 아니라 한 마리의 고양이가 있어 줬다. 품속에 그 고양이만이 따뜻한 체온으로 안겨 있었다. 어쩌면 지금쯤 그녀와 고양이 한 마리는 종일 고속 도로를 달려, 지금쯤 그녀가 떠나 와 한 번도 가 본 적이 없다는 그녀의 그곳에 닿아 있을지도 모를 일이다. 낮에 함께 갔으면 너도 그랬을 텐데 너는 왜 여기 이 빈집에 홀로 있니?

그는 누운 채로 자신의 버려져 있는 듯한 팔을 모아 배 위의 고양이를 안았다. 고양이의 부드러운 등털 속에서 그녀의 손길이 느껴졌다. 그랬을 거라고, 그녀도 이렇게 어느 순간순간을 이 부드러운 등털 속에 손을 묻으며 밤과 낮을 보냈을 거라고 생각하니, 그는 얌전하게 점박이의 등을 만지고 있을 수가 없어졌다. 그의 손길에 힘이 들어가고 어지러워지니 천년이라도 그의 배 위나 손바닥 위에 웅크리고 앉아 있을 것 같던 점박이는 그를 차 내고 가볍게 창틀을 딛고 이젠 비어 있을 벽의 선반 위에 가 사뿐히 앉았다.

그가 그의 배 위를 떠나 버린 고양이를 누운 채 우두커니 올려다보고 있는데 포포롱 포포롱——새 우는 소리가 들렸다. 새 소린 망치 소리에 섞여 그리고 거위 소리에 섞여 있어 생쥐 소리에 섞여 있어 그는 포포롱, 포포롱, 소리가 초인종 소리라는 걸 한참 뒤에야 알았다. 이 집에 초인종이 있었나? 그는 벌떡 일어섰다. 포포롱 포포롱 소리가 잠시 멎어 그는 잘못 들었나, 하는데 다시 포포롱 포포롱, 거린다. 혹시 그녀가? 그는 성큼성큼 현관 쪽으로 가 문을 땄다.

문 밖에 한 남자가 흰 마스크를 입에서 턱으로 밀어내리고 있다.

누구세요.

관리실 직원이에요.

그런데?

소독 좀 하려구요?

그러고 보니 남자의 다른 손엔 분무기가 들려 있다. 그는 어이가 없어 분무기를 든 남자를 빤히 쳐다봤다. 밖에 아직도 눈이 내리는가? 남자의 어깨에 머리에 눈이 소복하다. 허연 남자는 그의 시선을 떨쳐 내고 그를 밀치고선 안으로 한 발 들어섰다. 그래서 본의 아니게 그가 아니, 하며 막은 손바닥이 남자의 가슴을 친 격이 되어 버렸다. 그의 제지에 남자가 멈칫섰다.

잠시면 되는데요.

밤 열 시에 무슨 소독을 하겠다는 거요.

다른 집은 낮에 다 했는데 문이 잠겨서…… 경비원이 지금 문이 열렸다길래…… 댁이 가면 또 잠길 것 같으니까.

소독 한 번 안 했다고 무슨 일 나오? 유령같이 한밤에 무슨 소독을 하겠다는 거요?

그는 말하고 나니 섬뜩해졌다. 정말 분무기를 들고 서 있는 남자가, 눈을 흰 모자처럼 쓰고 있는 남자가, 유령인지도 모른다는 생각이 들었다. 그는 유령 같은 남자를 밀어 내고 문을 닫아 버렸다. 문이 닫힌 후에도 소독하는 걸 포기하지 못한 유령 같은 남자는 초인종을 다시 눌렀다. 포포롱 포포롱——새 우는 소리. 그녀는 듣지도 못하면서 초인종을 왜 달아 놨을 까? 이 집에 들어올 때 그는 언제나 그녀가 어느 날 손바닥에 얹어 준 열쇠로 직접 따고 들어왔다. 관리인이 초인종을 누르기 전엔 이 집에 초인종이 달려 있었는지조차 그는 알지 못했다. 안에서 그가 대답이 없자, 밖에서 유령 같은 남자가 문을 주먹으로 쿵쿵 두드린다. 문 두드리는 쿵쿵, 소리는 쾅쾅거리는 망치 소리에 비하면 소리도 아니다. 유령 같은 남자는 그걸 알았는지 분무기를 들어 철제 현관문을 부술 듯 두드렸다. 발끈한 그는 안에서 따는 보조 키를 따고 문을 와락 밀쳤다. 그 바람에 유령 같은 남자는 소독 분무기를 든 채로 반은 넘어져 있다.

이 방은 소독할 거 없소!

문 두드리는 양으로 봐서는 지금 어떻게든 소독을 하고 갈 기세더니 유령 같은 남자는 몸을 일으키며 턱에 내려가 있는 마스크로 다시 입을 가리고는 힘없이 계단을 내려갔다.

현관문의 보조 키를 잠그고 그는 방으로 성큼 걸어 들어와

방 가운데 망치 소리와 거위 소리와 생쥐 소리 속에 오래 서 있었다.

한 시간이나 지난 후에 그는 그 자리에 스스륵 무너져 누웠다.

점박이가 요기롭게 가르릉거리며 선반 위에서 내려와 그의 이마 위에 몸을 오그리고 앉았다.

이마가 점박이의 발톱에 팬 듯 아파 왔다.

하지만 그의 팔은 방바닥에 버려져 있을 뿐 힘을 내어 이마에 앉아 있는 점박이를 들어 올릴 줄을 몰랐다.

그가 겨우 점박이를 향해 혼잣말로 너, 저 편지를 내게 읽게 해 주려 남아 있었구나, 하는데 몸을 웅크리고 앉아 있던 점박이가 날카로운 이빨을 드러내며 부드러운 털 속에 숨기고 있던 발톱을 카르릉, 세우더니, 마치 금방 잡은 살코기를 팽개치듯 힘껏 그의 이마를 찼다.

아악, 그가 비명을 지르는 사이 고양이는 날듯이 창틀을 한 번 딛고는 다시 선반 위로 옮겨 가 앉았다. 점박이 발톱에 할퀸 그의 이마는 짝——금이 가더니 금세 핏물이 그의 눈으로 흘러들었다. 그는 팔을 들어 팔소매로 핏물을 닦았다. 자꾸만 핏물이 눈으로 들어가 그가 몸을 일으켜 고개를 숙이자 핏물이 방바닥에 투둑, 떨어졌다. 그는 얼굴을 천장을 향해 들고서 윗옷을 벗었다. 어깨선에서 소매가 붙어 있는 곳을 찢어 이마를 감싸서 뒤로 묶었다. 그렇게 그는 누워서 벽의 선반 위에 올라가 새파란 눈을 빛내고 있는 고양이를 올려다보았다. 너는, 너는 내 두 마음을 보았지? 붙잡고 싶으나 보내고도 싶은 내 두 마음을. 너는 알고 있었지, 마침내는 보내고 싶은 내 마음이 이기는 걸.

그는 방바닥에 팔을 버렸다. 점박이는 알고 있었을 것이다. 그녀의 두통을. 점박이는 보았을 것이다. 그녀가 밤에 자다가 일어나 세면장으로 기어가 찬물에 머리를 담그는 것, 머플러로 침대와 그녀의 머리를 꽁꽁 묶는 것을. 점박이는 느꼈을 것이다. 그녀가 한 번만 그의 손가락이 내는 소리를 듣고 싶어한 것, 그녀 깜깜한 귓속 칠흑의 외로움을. 그래서 너 지금 내게 이러는 거다, 그럴 게다.

그녀, 여기에 앉아 책을 읽을 때도 그토록 머리가 아팠을까? 그 아름다운 색색의 꽃들을 만들 때도? 그녀의 손끝은 마술에나 걸린 듯 색색의 종이 위에서 섬세하고 빠르게 움직여 금세 꽃을 만들어 놨다. 장미, 안개, 아이리스, 백합. 그녀가 조용히 앉아 만든 꽃은 그녀 이모가 하는 서점을 겸한 장식품 가게에 진열되어 팔려 나가곤 했다. 책을 사러 온 손님들이 책을 구경하다 말고 그녀가 만든 꽃에 시선을 주면, 저만큼에서 책방 점원으로 서 있는 그녀를 두고도 그녀 이모는 말했다. 아름답죠, 귀머거리가 만든 꽃이랍니다. 그는 그녀에게 말해 주고 싶었다. 기타는 마음에다 대고 환하게 말하는 진짜 노래야, 아무리 퍼 내어도 마르지 않는 샘과 같은 거지, 라고.

하지만 그가 한 번 해야 할 말은 그 말이 아니었다는 걸 그는 느꼈다. 그가 했어야 할 말은 그녀가 꽃을 만들 때 나는 사삭사삭 소리에 대해서였다. 그 소리들이 얼마나 아득한가에 대해 말했어야 했다.

그의 마음 깊게 반향되어 외려 앞을 가리는 기타. 그는 악기 중에 피아노와 기타가 가장 좋았다. 나중에 생각해 보니 그 두 악기만이 화음과 멜로디 두 가지 다 할 수 있는 것이라서, 였는가 보았다. 피아노가 멀어진 건 가지고 다닐 수가 없어서 였다. 가지고 다닐 수 없는 피아노가 멀어지는 대신 기타는 그의 신체 중의 하나가 되어 있었다, 그녀처럼.

그러나 그녀는 그에게서 떨어졌다. 헝겊으로 줄을 하나씩 훑어서 깨끗이 닦아 주던 그녀가.

그는 팔을 바닥에 버린 채 소리소리들 속에서 오래 그러고 있었다.

어느 땐가 그는 버려 놓은 양팔을 들어 허공을 향해 휘저어 보다가 손가락을 깍지껴 팔베개를 했다.

다시 얼마 후 그는 담배를 한대 피웠으면 싶었지만 팔을 푸는 게 귀찮아 그대로 가만 있었다.

그가 그러고 있는 동안 창 밖의 세상으로는 눈이 내렸다.

(오랫동안 기타를 치지 못했던 때가 있었다. 이 땅의 날씨가 나빴고 그는 그 날씨를 견디지 못했다. 그때도 거리는 있었고 자동차는 지나갔다. 가을에는 퇴근길에 커피도 마셨으며 눈이 오는 종로에서 친구를 만나기도 했다. 그러나 기타를 치지 못했다. 그가 하고 싶었던 말들은 형식을 찾지 못한 채 대부분 공중에 흩어졌다. 적어도 그에게 있어 기타를 치지 못하는 무력감이 육체에 가장 큰 적이 될 수도 있다는 사실을 그는 그때 알았다.

그때 눈이 몹시 내렸다. 눈은 하늘 높은 곳에서 지상으로 곤두박질쳤다. 그러나 지상은 눈을 받아 주지 않았다. 대지 위에 닿을 듯하던 눈발은 바람의 세찬 거부에 떠밀려 다시 공중으로 날아갔다. 하늘과 지상 어느 곳에서도 눈은 받아들여지지 않았다.

그러나 그는 그처럼 쓸쓸한 밤눈들이 언젠가는 지상에 내려
앉을 것임을 안다. 바람이 그치고 쩡쩡 얼었던 사나운 밤이 물
러가면 눈은 또 다른 세상 위에 눈물이 되어 스밀 것임을 그는
믿는다. 그때까지 어떠한 죽음도 눈에게 접근하지 못할 것
이다.)*

저기가 텔레비전이 있던 곳, 오디오가 놓여 있던 곳. 그녀는
들리지도 않을 소리들을 언제나 켜 놓았다. 어느 땐 너무 크게
틀어 놓아 그가 볼륨을 줄여야 했을 정도였다. 저기는 이인용
식탁과 의자가 있던 곳. 그는 빈방에 누운 채로 옷장이 빠져
나간 곳을 응시했다. 그러다가 그는 가만 몸을 일으켰다. 일어
나 빈 방 안을 그는 성큼성큼 걸었다.

그녀가 식탁에 앉아 있다. 그녀가 옷장문을 열고서 옷걸이를
꺼내 그의 윗옷을 받아 걸고 있다. 그녀가 거울 앞에 서서 로
션을 바르고 있거나, 그녀가 텔레비전 채널을 돌리고 있다. 그
녀가 세면장 문을 빠끔히 열고 수건을 그에게 넣어 주다가 닿
은 그의 손을 잡는다, 싶었을 때 그는 방바닥에 내팽개치듯 버
려져 있는 그녀의 편지를 주워 들었다. 그는 사진을 찍듯 선
채로 편지의 글씨들을 마음에 찍었다.

이 글을 그쪽이 읽게 되는지요.
한 번은 그쪽이 이 빈집에 올 것이기에 나도 한 번은 내
마음이 그쪽에게 읽힐 기회를 만들어 봅니다. 그쪽이 선반
위에 놓여질 이 편지를 발견하지 못하면 그만이고 만약 발견
한다면 내가 그쪽 몰래 이 집을 비우고 가는 것이 언젠가 한
번 그쪽을 떠난 여자 때문이 결코 아님을 알아 주세요.

두통 때문이에요.

그쪽에겐 기타줄 위에서 춤추듯 움직이는 그쪽 손가락을 보고 있으면 내 귀는 그 손가락들이 내는 소리가 들린다고 했지만 나는 그 무슨 대가를 치르더라도 단 한 번이라도 좋으니 그쪽 손가락이 가는 자리에서 새어 나오는 기타 소리를 듣고 싶은 욕망이 싹텄어요. 그 소리 속에 사랑하고 욕망하고 후회하며 살아가는 모든 것이 다 담겨 있을 것만 같았어요. 나는 그날부터 두통에 시달렸어요. 그쪽의 손가락이 튕기는 소리를 한 번만, 한 번만 내 귀로 듣고 싶어한 그 순간부터요. 어제는 한줌 먹은 알약을 토해 냈어요. 의사는 내가 마음속으로부터 아무 생각을 하지 말아야 된다고 했어요. 그의 진단처럼 아무 생각도 하지 않으려 했지요. 하지만 나날이 너무나 괴로워서 슬퍼할 수도 없을 지경이었어요. 머리를 한쪽으로 가만히 두고 두 손으로 꼭 껴안고 있어도 두통은 거기까지 따라와서 나를 한밤중에 침대에서 떨어뜨리곤 했어요. 머리 한 군데가 피투성이로 늘어진 것같이 아팠어요. 때로 바로 앞에 앉아 있는 그쪽도 알아보지 못했답니다. 울거나 웃으면 두통은 입 모양이 만들어지는 쪽으로 왈칵 쏠려 웃을 수도 울 수도 없었답니다. 한 번만 당신이 내는 소리를 듣고 싶어한 대가가 너무 슬퍼요. 너무 아파서 이젠 사람이라고 할 수도 없어요. 어느 날 자다가 일어나 찬물에 머리를 넣고 나와 머플러로 침대와 내 머리를 묶어 두고 배 위에 양손을 포개고서 한 번만 그쪽 손가락이 내는 소리를 듣고자 했던 원을 놓았어요. 그러니 머리가 편안해졌습니다. 안녕, 내 사랑. 차라리 이 빈집에 들어와 이 편지를 읽지 말길. 내가 집 정리를 하는 줄 알면서도 그쪽의 또 다른 마음이 모른 척하였듯 차라리 내가 두통 때문에 그쪽을 버리고 가는 걸 영원히 모르길. 그러면 뒷날 그쪽 마음에 내가 가엾을는지.

"이젠 사람이라고 할 수도 없어요" 부분의 '사람'이란 글씨에 핏물이 튀어 '람' 자가 일그러져서는 '랑'으로도 읽혔다. 그가 핏물이 일그러뜨려 놓은 부분을 이젠 사랑이라고 할 수도 없어 요, 라고 되읽고 있는 틈 망치의 쾅쾅 소리 사이로 고양이가 카르릉, 소리를 내며 뭐에 놀란 듯 팔짝 그의 어깨 위에 뛰어 올랐다.

고양이를 놀라게 한 건 악——비명을 지르며 계단을 뛰어 내려오는 소리였다. 그는 그의 어깨 위에 내려앉은 고양이와 함께 창가로 가서 바깥을 내다봤다.

광장이랄 것도 없는 스튜디오 앞 작은 뜰로 머리가 헤쳐지고 긴 치마를 입은 여자가 눈이 쏟아지고 있는 뜰로 튀어나왔다. 차가운 눈바람이 여자의 치마를 위로 확 제치니 그 바람에 뜰 에 내려앉아 있던 눈이 쿨렁거렸다. 수은등 불빛이 눈빛 위에 창백하게 쏟아지고 있다. 그 불빛에 비치는 살려 줘요, 외치며 죽어라 도망치는 여자의 발은 눈 위에 맨발이었다. 온몸이 두 려움에 질려 있는 여자의 맨발은 눈 위에 닿을 새도 없이 화다 닥 내달렸다. 잠잠해져 있던 거위 우리 속에서 거위들이 동시 에 후다닥거리며 꽉——소리를 내질렀다.

아이구 이 사람들이, 거위가 놀라잖우.

늙은 경비원이 뛰어나와 거위 우리로 가는데, 맨발의 여자가 뜰을 막 돌아서는데,

거기 섰지 못해,

사나운 소리와 함께 여자가 튀어나온 자리에서 시커먼 남자

가 뛰쳐나왔다. 거위들이 다시 후다닥거리며 꽉── 질겁했다.

이 사람들아.

늙은 경비원은 마치 남자가 여자를 향해서가 아니라 거위 우리를 향해 뛰어오기라도 하는 양 눈발 속에서 거위 우리를 가로막고 섰다. 거위 우리를 늙은 몸으로 막고 서 있는 경비원과 사납게 여자를 뒤쫓아가는 성난 남자를 쳐다보는 그의 머리가 땅했다. 저게 뭔가. 눈 속에서 여자를 뒤쫓아가는 남자의 손에서 뭔가 섬뜩하게 번득였다. 처음에는 눈빛인가 했다. 하지만 그것은 남자가 팔을 저으며 내달릴 때마다 휘둘러지며 푸른빛을 냈다. 설마, 그는 한 걸음 물러섰다. 그것이 식칼이라는 걸 깨달았을 때 그는 그만 아득해졌다. 거위 우리를 막고 서 있던 늙은 경비원도 남자의 손에 들려진 것이 식칼인 줄을 알았던지 그 자리에 철버덕 주저앉아 버렸다. 그는 놀란 가슴으로, 그의 어깨 위의 고양이는 새파랗게 광채를 내며, 식칼이 어둠 속에서 휘둘러질 때마다 내는 칼빛을 창가에 서서 쳐다보았다.

저 남자는 저 여자를 붙잡으면 정말로 저 식칼을 내꽂을 것인가? 얼마 후에 그도 거위 우리 앞의 늙은 경비원처럼 창틀 밑에 철버덕 주저앉아 버렸다. 그 통에 그때껏 그의 어깨 위에 파란 눈빛을 내며 앉아 있던 고양이가 가르릉, 거리며 바닥으로 뛰어내렸다. 처음 보는 싸움 구경이 아니다. 저들은 자주 저렇게 싸웠다. 윗집도 아니고 아랫집도 아니고 옆동인데도 그들의 싸우는 소리는 요란하게 벽을 뚫고 들려 왔다. 그러다가 가끔 저렇게 살려 줘── 외마디 소리를 지르며 여자가 아파트 뜰로 튀어나왔고, 뒤이어 남자가 거기 섰지 못해, 를 외치며 따라나왔다. 그녀는 창에서 서서 그들을 구경하다가 늘 피식 웃곤 했다. 그가 왜 웃는가? 물으면 그녀는 그럼 울까요? 했다. 빈손으로가 아니라 식칼을 들고 여자를 쫓아가는 남자를 보고도 그녀는 웃을까? 싸움 때마다 살려 줘——하는 여자의 외마디를 듣지 못한다 해도 저 남자의 손에 들려진 저 식칼은 보일 것이다. 그래도 그녀는 웃을까? 웃는 그녀를 보고 그가 여전히 왜 웃는가 물을 수 있을까? 그때도 그녀는 그럼 울까요?라고 대답할 수 있을까.

괜찮아, 괜찮다.

주저앉혀진 몸을 일으켜 세워 다시 창 밖을 내다보니 남자가 휘두른 식칼에 놀라 거위 우리 앞에 폭삭 무너졌던 늙은 경비원이 바닥에서 겨우 몸을 일으켜서는 거위들을 달래고 있다. 도망치는 여자와 식칼을 들고 쫓아가는 남자와 거위를 달래고 있는 늙은 경비원과는 상관 없이 눈은 하염없이 내렸다. 바람이 불 때면 순간순간 눈은 그가 서 있는 창으로 달려와 판화처럼 어렸다.

그는 주저앉아 편지를 접어 봉투에 넣었다. 그녀의 편지가 얌전히 끼워져 있던 단편 소설 책은 저만치 내팽개쳐져 있다. 그는 편지를 처음과 같이 책에 끼워 두었다.

그가 그러고 있는 동안 위층의 쾅쾅 망치 두들기는 소리, 스튜디오 뜰의 거위가 꽥——거리는 소리, 어디선가 생쥐가 찌익——하며 재게 몸을 숨기는 소리가 그치지 않았다. 빈방에 홀로 앉아 있는 그의 귀에 망치, 거위, 생쥐 소리들이 채워져 그는 감각을 잃어 가며 앉아 있다.

그가 편지를 다시 끼워 넣은 책갈피를 막 닫을 때였다. 그의 옆에 등을 세운 채 가만히 앉아 있던 고양이가 현관 쪽으로 빠르게 걸어갔다. 그 움직임이 얼마나 날쌔던지 휙——바람이 일었다. 점박이는 현관문 밑을 발톱으로 마구 긁어 댔다. 그러다간 그를 돌아다봤다. 점박이 눈의 새파란 광채가 더욱 파래져 있었다. 고양이가 몸통을 돌려 그를 보고 있는데도 문 긁는 소리가 계속 나는 게 이상해 그는 몸을 일으켰다. 분명 바깥에서 긁는 소리다. 무슨 소리지? 망치, 거위, 생쥐 소리들 사이로 문 긁는 소리는 신선하게 끼여들었다.

누구요?

그의 목소리가 새나가자 조용하다. 그러다가 다시 문을 긁기 시작한다. 무얼까? 그는 조심스럽게 보조 키를 따고 현관문을 밀었다. 문 밖에 희디흰 고양이 한 마리가 긴장한 채 앉아 있다. 그녀가 안고 트럭에 올랐던 고양이 흰순이다. 안의 점박이는 바깥의 흰순이를 보자마자 야옹, 몸을 완전히 말았다가 폈다.

점박이는 흰순이에게 화다닥 달라붙어 나뒹구는데 흰순이는 무엇에 질린 듯 등을 세운 채 꼼짝 않고 있다. 그는 눈이 휘둥그레진 채 두 고양이들을 내려다봤다. 두 고양이들을 밀어서 안으로 들여 놓고 그는 어두운 계단을 쳐다봤다. 누군가 돌아온 고양이 뒤에 서 있을 것 같았는데 아래층으로 내려가는 계단은 어둡기만 하다.

그가 다시 문을 닫고 들어왔을 때도 흰순이는 세운 등을 펴지 않고 질려 있다. 점박이만 흰순이에게 몸을 비비며 발을 들어 얼굴을 쓸어 보고 드러누웠다가는 발딱 일어나며 흰순이와 한몸이 되어 보려 하지만 흰순이의 몸은 외려 바들바들 떨리기까지 했다.

그는 돌아와서 떨고 있는 흰순이의 머리에 손바닥을 갖다 댔다. 얼마나 먼 밤길을 달려왔는지 등의 털이 차갑디차갑다. 너 왜 그러니? 그는 흰순이의 목을 만지고 등을 쓸어 내리다가 섬뜩했다. 흰순이의 등에 붉은 핏방울이 점점으로 떨어져 있다. 흰털에 바싹 말라붙어 있긴 했으나 그건 분명 핏방울이었다. 그가 핏방울을 내려다보자 점박이도 피냄새를 맡았는지 수선을 그치고는 흰순이의 등털에 말라붙은 핏방울을 핥아본다. 무엇을 본 게야? 그는 흰순이의 얼굴을 쓰다듬었다. 점박이는 핏방울을 핥다 말고 흰순이의 얼굴에 제 얼굴을 대며 시무룩해졌다. 그렇게 얌전히 그에게 목이며 등에 얼굴을 대보던 점박이가 갑자기 등이 휘도록 몸을 사리더니 베란다 쪽으로 홱 내달렸다. 그 날쌤 사이로 생쥐의 찌익 찍——하는 소리가 들렸다. 찌익 찍——거리는 소리엔 두려움이 섞여 있다. 점박이가 그렇게 홱 내달아도 흰순이는 가만 있다. 그가 점박이를 따라가 보니 베란다의 쥐덫에 생쥐 세 마리가 갇혀 있다. 쥐덫 바깥에서 발을 동동거리고 있던 어미 쥐는 그와 고양이의 출현에 기겁을 한 듯 몸을 사리면서도 새끼가 갇힌 쥐덫 곁을 떠나지 못하고 질려 있다. 카르릉 카르릉, 덫에 갇힌 생쥐와 어미쥐에게 달려들어 그들을 물어뜯고 싶은 점박이는 베란다 문을 사납게 긁어 대며 몸을 부딪혔다. 그는 베란다 문을 더욱 꽉 잠그며 점박이를 안으로 몰았다. 겁에 질린 어미 쥐가 잠시 옆벽을 타고 물러섰다가는 다시 쥐덫 가까이로 다가오며 까만 두 눈으로 그를 쏘아봤다. 흰순이의 등에 떨어진 핏방울을 핥아 줄 때만 해도 다정히 느껴지던 점박이가 얼마나 맹수 같은지, 그는 순간 자신이 쥐로 태어나지 않은 것을 고맙게 여길 지경이었다. 점박이는 숨기고 있던 발톱과 이빨을 드러내고 화다닥 문 위로 튀어 올랐다가 그의 머리로 팔딱 내려앉았다가 다시 문을 요란하게 긁어 댔다. 그 통에 그의 이마에 동여매져 있던 셔츠 팔소매가 풀어져 바닥에 떨어졌다. 그는 점박이를 향해 꽥 소리를 지르면서 안으로 몰고는 떨어진 피 묻은 셔츠 팔소매를 주워 다시 이마에 친친 맸다.

안으로 몰아도 다시 베란다 창으로 향하는 점박이를 안으로 몰고 몰다가 그는 현관문 곁에 세워 둔 기타를 들고 와 기타집에서 기타를 꺼냈다.

그의 손가락이 다섯 개의 기타줄을 퉁겼다. 그가 그녀의 청에 의해 기타를 켤 때 그녀의 무릎 위에 나란히 웅크린 채로 아무 소리도 듣지 못하는 그녀 대신 그의 기타 소리를 듣던 점박이였다. 그는 덫에 갇혀 온몸이 겁으로 단단해진 생쥐들이 찌익 찍——거리는 소리 속에서, 그 쥐덫 곁을 맴돌며 안타깝게 찌익——거리는 어미 쥐의 소리 속에서, 위층의 탕탕거리는 망치 소리 속에서, 약이 올라 등털과 꼬리털이 뻣뻣해진 점박이의 카르릉카르릉 소리 속에서, 피 묻은 셔츠의 팔소매를 이마에 동여맨 채로 세 살 때 실명한 로드리고의 아란후에스 협주곡을 퉁겼다.

로드리고, 아무것도 볼 수 없는 눈으로 어떻게 왕궁의 영화와 향수를 느낄 수 있었을까. 그래, 거기라면 고원 여기저기에 왕궁이 흩어져 있는 아란후에스라면, 아름다운 자연에 둘러싸여 있는 아란후에스라면.

왜 달라졌을까? 처음 그녀가 그의 손가락을 봤을 때 그녀는 그의 손가락 움직임만 보고서도 소리를 들을 수 있다고 했는데, 무엇이 그 소리를 넘어 그녀로 하여금 한 번만, 이라는 원을 품게 하였을까.

그의 손가락은 그의 슬픔을 타고 한 번도 가 본 적이 없는, 그러나 봄이 오면, 혹은 여름이 오면, 가을이거나 겨울이 오면, 다시 또 봄이 오거나 여름이 오면, 가을이 오면, 혹은 겨울이 오면 가 볼지도 모를 스페인의 사방에 흩어져 있는 고성과 폐허, 아란후에스나 알람브라 궁전에서 있을 아직 만들어지지 않은 그의 추억을 연주했다. 거위와 생쥐와 어미 쥐와 고양이와 망치 소리를 상대로 기타를 뜯는 그의 모습은 고즈넉했으나, 그의 손가락은 그가 낼 수 있는 최대한의 음량을 어느 순간 넘어가고 있었다.

창에 어리는 눈처럼 그의 마음에 그녀가 어렸다.

스페인에 가면 시작만 할 것이야. 곡이 끝난다는 이미지조차 머릿속에서 지워 버릴 것이야. 시계는 열둘까지의 숫자를 두 번 돌면 하루가 지날 테지만, 스물여덟 번 돌면 십사 일이 지날 테지만, 그곳에서 나는 그것을 거스를 것이야. 내 소리로 시간을 정할 것이야.

그의 기타 소리가 깊어지자, 베란다 문 앞에서 발광을 하던 점박이가 천천히 돌아와 흰순이의 등에 제 얼굴을 묻고 방바닥에 엎드렸다. 이따금 바르르, 떨던 흰순이가 먼저 잠들었다. 이어 점박이가 잠들었다. 쥐덫 속의 생쥐가 잠들고, 어미 쥐가 갇힌 새끼들 곁에서 잠들고, 위층의 망치 소리가 잠들었다. 싱크대 밑의 바퀴벌레와 천장을 기어가던 거미도 납작하게 엎디어 잠들었다. 그래, 소리여, 자유로이 쾅쾅, 찌익찍, 꽉, 찌익, 가르릉, 을 넘어가라, 울타리를 넘고, 하수구를 넘고, 공기를 넘고, 행렬을 넘고, 자꾸만 멀리 가서, 그녀의 귓결, 그 어두운 속에 닿아라.

그는 기타를 기타집에 넣어 어깨에 메고, 그녀의 편지가 끼워진 책을 처음대로 선반 위에 올려놓았다. 그는 방 안의 불을 끄고 쥐나 고양이가 잠이 깨지 않게 가만가만 걸어 문 밖으로 나와 빈집의 문을 잠그는데 옆집에서 막 켜는 텔레비전 자정

뉴스 소리가 확 퍼져 나왔다.

…… 오늘 전라 남도 광양의 국도에서 1.5톤 트럭이 눈길에 미끄러져 가로변의 미루나무를 박고 추락해 있는 걸 발견했습니다. 운전 기사로 보이는 남자는 중상을 입고 병원으로 옮겨졌고, 이십대 후반으로 보이는 여자는 사망했습니다. 트럭에 이삿짐이 실려 있는 걸로 보아 이사 중이었던 것 같은데 남자가 중상이라 아직 정확한 신원이 밝혀지질 않고 있습니다. 사고 시간은 오후 6시로 추정되고 발견된 시간은 밤 10시경입니다. 늦게 발견된 것이 여자를 죽음으로 몰아간 것 같습니다…….

그는 진저릴 쳤다.

밤 10시라면? 관리인이 분무기를 들고 소독을 하겠다고 하던 무렵이었다. 그는 계단을 걸어 내려왔다. 여자가 그녀라는 법이 있나? 다짐을 두는데 그의 안에서 또 다른 얼굴이 반문했다. 그녀가 아니라는 법은 또 어디 있지? 그는 경비실 앞을 지났다. 눈은 계속 내리고 있었다. 그가 뜰의 거위 우리 앞을 지나려니 그 앞에 쭈그리고 앉아 있던 늙은 경비원이 그의 이마에 매여 있는 피 묻은 셔츠 팔소매를 올려다봤다. 경비원은 고갤 갸웃하더니 이내 상관 않고 눈을 맞으며 순하게 잠든 거위만 들여다봤다.

이상한 일이구라, 갑자기 이리 순하게 잠들다니.

그는 눈 속에 서서 그녀가 살았던 3층을 한 번 올려다봤다. 그녀가 없는 빈집의 창은 어두웠다. 빈집을 뒤로 하고 고개를 떨구는 그의 내부가 빈집만큼 어두워졌다. 그가 막 스튜디오 입구를 빠져 나가는데 순하게 잠든 거위 우리 앞에 쭈그리고 앉아 있던 늙은 경비원이 생각난 듯 외쳤다.

스페인은 언제 가시우?

봄이 오면.

---

* 괄호 속의 문장은 기형도 시집 『입 속의 검은 잎』 뒤표지에 새겨진 것임. 소설의 흐름상 '시를 쓰지'를 '기타를 치지'로, '나는'을 '그는'으로 '내가'를 '그가'로 '나'를 '그'로 바꾸었다.

은어 낚시 통신

윤대녕

윤대녕

尹大寧

1962년 충남 예산 출생.
1988년 단편「원」대전일보 신춘문예에 당선.
1990년 단편「어머니의 숲」문학사상 신인상 당선.
1992년 단편「銀魚」현대문학에,「카메라 옵서큐라」문학사상에 발표.
1993년 단편「January 9, 1993 미아리 통신」문학정신에,「국화 옆에서」
　　　　민족과 문학에,「소는 여관으로 들어간다 가끔」문예중앙에 발
　　　　표.
1994년 창작집『은어 낚시 통신』문학동네에서 출간.

은어 낚시 통신

　내가 태어나던 1964년 7월 12일에 아버지는 울진 왕피천에서 은어 낚시를 하고 있었다. 여름이 되면 그는 왕피천과 호산 기곡천, 그리고 양양에 있는 남대천으로 계류 낚시를 즐기러 가곤 했다. 그리하여 그날 칠월의 무더위 속에서 어머니는 땀을 뻘뻘 흘리며 혼자서 나를 낳았던 것이다.

　그날따라 조황이 좋았던지 아버지는 바구니 가득 은어를 채우고 집으로 돌아와서는 강보에 싸인 나를 내려다보고 말했다.

　이놈이 크면 함께 은어 낚시를 가야지.

　나는 그 소리에 잠이 깨 마구 울어대기 시작했다.

　나는 속성 재배하는 채마처럼 쑥쑥 자라 여름철이 되면 아버지를 따라 은어 낚시를 다니곤 했다. 은어들은, 강을 거슬러 오르던 중에 우리의 털바늘 낚시나 놀림 낚시 채비에 걸려들었다. 우리는 은어가 산란을 하기 위해 하구로 내려오기 시작하는 구월 무렵까지 낚시를 계속했다.

　은어가 봄이 되면 바다로부터 돌아와 여름내 강물을 거

슬러 오르듯이, 나 또한 해마다 여름이 되면 그들을 따라
강으로 회유하곤 했다.

그들이 내게 첫번째 통신을 보내 온 것은 수요일의 늦은 밤
이었다.

그것은 내가 살고 있는 아파트 일층 우편함 속에 들어 있
었다. 가을비가 부슬부슬 내리는 저녁, 나는 집 앞에 있는 24시
간 편의점 로손에서 간단한 저녁거리를 사들고 집으로 돌아온
참이었다. 식빵과 야채 주스, 캔 맥주, 그리고 원두 커피를 끓
이는 데 필요한 여과지 따위들이었을 것이다. 희미한 외등 불
빛을 받아 어쩐지 서글픈 빛으로 길게 늘어나 있는 내 그림자
를 밟으며 아파트 현관으로 들어섰을 때, 나는 주황색 우편함
속에 꽂혀 있는 청첩장 크기의 하늘색 봉투를 발견했다.

'은어 낚시 통신' 겉봉 좌상귀에는 컴퓨터 프린터 글씨체로
이같이 씌어 있었다. 그러나 보낸 이의 주소라든가 전화 번호
는 적혀 있지 않았다. 혹시 우편함을 잘못 찾아온 게 아닌가
싶어 오른쪽 아래를 보니 역시 같은 글씨체로 내 이름과 주소
가 또박하게 인쇄돼 있었다.

현관에서 잠시 고개를 갸우뚱거리고 있는 사이 수위실의 사
내가 휴대용 텔레비전에서 아홉 시 뉴스를 보고 있다가 뚱한
눈으로 나를 내다보았다.

나는 우선 비에 젖은 옷을 벗어 세탁기에 던져 넣은 다음 커
피를 끓이고 저녁 식사를 했다. 그러고는 때로 누군가 찾아와
주기를 바라는 어둑한 거실의 소파에 앉아 빌리 홀리데이의 노
래를 들으며 천천히 맥주를 마셨다. 알코올과 약물 중독의 늪
에서 헤어나지 못한 채 1958년 마흔네 살의 나이로 자신이 늘
읊조리던 슬픈 노래처럼 죽어 간 빌리 홀리데이. 혼자 있게 되

는 음울한 저녁 나절이면 나는 맥주를 마시며 매양 그녀의 노래를 듣곤 했다. 그녀는 그토록 신비한 목소리를 가졌음에도 불구하고 왜 자살하다시피 죽어 버린 것일까. 내가 태어나기도 전에 생멸해 간 흑인 가수의 고적한 목소리를 들으며 나는 세상의 아주 외진 곳에 와있다는 생각이 들어 잠시 진저리쳤다.

그때 낮게 가라앉아 있는 실내의 공기를 뒤흔들며 전화 벨이 울렸다. 나는 흘끗 창가에 몰려와 있는 어둠을 쳐다보며 벨이 다섯 번 울릴 때를 기다려 수화기를 집어 들었다. 이렇게 늦은 밤 내게 전화가 걸려 오는 것은 아주 드문 일이었다.

한데 내가 여보세요, 하고 난 다음에도 상대방은 꽤 긴 사이 아무런 대꾸가 없었다. 잘못 걸려 온 전화인가 싶어 수화기를 내려놓으려 할 때서야 아득한 미지의 저쪽에서 저…… 하는 소리가 가늘게 전해져 왔다. 퍼뜩 심상찮은 예감이 들어 나는 슬그머니 수화기를 도로 귀에 갖다 대고 상대방이 뭐라 말해 오기만을 집요하게 기다렸다. 약 십 초의 시간이 흐른 다음에야 웬 낯선 여자의 마른 목소리가 툭 튀어나왔다.

"빌리 홀리데이를 듣고 계시는군요."

"!……."

뇌수에 바늘 끝이 와 닿는 느낌이 듦과 동시에 나는 조심스럽게 자세를 가다듬었다. 마치 굳게 잠가 놓은 문을 열고 누군가가 슬쩍 방 안에 들어온 것만 같았다. 대꾸하지 않고 나는 조용히 숨을 고르고 있었다. 이런 돌연한 일이 생기는 경우 나는 온몸의 힘을 다 빼고 가만히 정면을 노려보는 습관이 있다. 절대로 먼저 서두르거나 달려들지 않는 것이다. 그러다 불의의 역습을 받고 쓰러진 경험이 벌써 여러 번 있는 터였다.

"심야 전화라 놀라신 모양이네요. 용건을 말씀드리자면

⋯⋯."

정말 건조한 목소리였다.

"저희 은어 낚시 모임에서 보내 드린 우편물은 받아 보셨는지요."

"은어 낚시 모임요?"

이렇게 반문하자 이번에는 그녀가 잠시 주춤하며 이쪽 동정을 살피기라도 하듯 소리가 없었다. 내 나이쯤 됐을까. 결혼한 여자의 목소리는 아니다. 그리고 지금 그녀는 아무도 없는 공간에서 혼자 전화를 걸고 있다. 나도 이쯤은 감지할 수 있는 정도의 나이가 돼 버린 것이다. 나는 아까 깜빡 잊고 뜯어 보지 못한 하늘색 봉투를 집어 들며 그녀에게 물었다.

"전화가 걸려 오지 않았더라면 아마 뜯어 볼 생각을 하지 않았을 겁니다. 그런데 이 안에 뭐가 들어 있죠?"

"저희 은어 낚시 모임에서 선생님께 보내는 초대장입니다."

나는 벽시계를 올려다보며 고개를 갸웃거렸다. 밤 열한 시가 다 된 시간에 낚시회에서 전화를 걸어 오다니. 또 지금은 은어 낚시철이 지나지 않았는가. 게다가 나로 말할 것 같으면 낚시회 따위하고는 아무런 연고가 없을 뿐더러 낚시를 그만둔 지도 벌써 여러 해가 된 것이다.

"지난 여름 선생님께서 신문에 쓰신 은어 낚시 기사 기억 나시죠? 그 기사를 보고 저희는 이번에 간성에 있는 북천과 울진의 왕피천으로 계류 낚시를 다녀왔습니다. 우편물을 보시면 아시겠지만 아무튼 선생님을 저희 모임에 모시고 싶습니다."

"글쎄, 뭐 어쨌든 읽어 보기는 하죠."

"안에 지정된 장소와 시간이 적혀 있으니 아무쪼록 그날 참석해 주시면 감사하겠습니다. 그럼 이만 끊겠습니다. 어머, 벌써 레코드의 에이 면이 다 돌아갔네요."

우체부가 편지를 홱 집어 던지고 바삐 사라지듯, 그녀는 내가 뭐라 하기도 전에 이렇게 호들갑을 떨며 냉큼 전화를 끊어 버렸다. 사실 밤늦게 이런 전화를 받으면 가까스로 지탱하고 있던 감정의 리듬과 균형이 흐트러지기 때문에 달갑지가 않다. 하지만 오늘은 참겠다. 빌리 홀리데이를 알고 있는 정도의 여자라면 그래, 참을 도리밖에.

아무튼 나는 문제의 그 봉투를 뜯어 보지 않을 수가 없었다. 책상 서랍에서 가위를 꺼내 들고 나는 침착하게 봉투의 가장자리를 오려 내고 안에 들어 있는 내용물을 꺼내 보았다.

그것은 사진을 복제 인쇄해서 만든 한 장의 엽서였다. 앞면의 사진을 자세히 보니 뜻밖에도 그것은 커티스*의 「호피 인디언」**이란 작품이었다. 어디서 이런 사진이 인쇄된 엽서를 구했는지는 모르겠으나 아무튼 반갑기도 하고 놀랍기도 했다. 오래 전에 『북아메리카 인디언』이란 그의 사진집 중 한 권을 가지고 있었는데 지금은 어디로 갔는지 없어져 다시는 볼 수 없으리라 생각한 사진이었던 것이다. 나는 휘적휘적 소파로 돌아가 앉으며 나도 모르게 이렇게 중얼거리고 있었다.

무슨 일이 벌어지려 하고 있군……. 그래. 이건 단순한 우편물이 아니란 말이지.

아니나다를까. 엽서 뒷면에 촘촘히 박혀 있는 글자들을 읽어 가는 도중에 나는 서서히 긴장하기 시작했다. 그리고 급기야는 지명 수배라도 당한 듯한 께름칙한 기분에 빠져 버리고 말았다.

은어 낚시 통신 930911

　말하자면, 지난 여름 귀하께서 신문에 게재하신 은어 낚시 기사가 우리들 중 한 사람으로 하여금 귀하를 우리 모임에 참석시키자는 제안을 하도록 했습니다. 귀하께서는 수년 전 한 여자와 만나고 또 헤어진 기억이 있으실 겁니다. 그게 누구라는 것은 이 엽서를 보신 후 당사자인 귀하께서 짐작하실 일이고 또 지금 저희들로선 밝힐 수가 없습니다. 만일에 그 사람을 기억하시게 되고 더불어 만나고 싶으시다면 아래에 적힌 날짜와 시간에 지정된 장소로 나오시기 바랍니다.

　한 가지 덧붙여 말씀드리자면,

　저희는 암호를 교환하는 방식으로 만나고 있는 익명의 지하 집단입니다. 은어(銀魚)는 우리가 사용하고 있는 문장(紋章)입니다. 하지만 귀하가 쓴 훌륭한 낚시 기사를 읽지 않았더라면 지난 여름 우리는 은어 낚시 여행을 다녀오지 못했을 겁니다. 이제 매년 여름 우리는 은어 낚시를 다녀올 계획입니다. 우리의 이러한 계획에 귀하가 동참해 주시면 더없는 기쁨이 되겠습니다. 그렇지 않더라도, 나중에 아시게 되겠지만 귀하와 우리는 진작부터 밀접하게 연결돼 있는 관계라는 점 마지막으로 말씀드리고 싶습니다.

　아래.

　9월 셋째 주 토요일(18일) 18 : 00. 광화문 카페 '텔레폰'

　추신 : 이것은 비밀 통신이므로 소각하여 주시기 바랍니다.

나는 내가 들고 있는 엽서를 이물처럼 내려다보며 거푸 담배를 피워 물었다. 서서히 머리가 욱죄들며 혈관의 피돌기가 빨라지고 관자놀이의 맥박 뛰는 소리가 고막을 툭툭 쳐 댔다. 나는 한 번 더 엽서를 주의 깊게 읽어 본 다음 냉장고에 남아 있던 맥주를 꺼내 마시기 시작했다. 누가 이런 소환장 같은 엽서 따위를 보내 왔단 말인가. 셋째 주 토요일이라면 이번 주를 말함이 아닌가. 또 '텔레폰'은 광화문에 갈 때마다 내가 들르는 카페 이름이지 않은가. 이들은 내가 누구인지를 훤히 알고 엽서를 보낸 게 틀림없었다. 제기랄. 전에 나와 만났다 헤어진 여자란 도대체 누구더란 말인가. 과거에 헤어진 여자의 이름을 일일이 외우고 있는 놈이 세상에 어디 있단 말인가. 나는 소파에 길게 드러누워 커티스의 「호피 인디언」을 다시 뚫어지게 들여다보았다. 턴 테이블에서는 여전히 빌리 홀리데이의 레코드가 방심한 채 빙글빙글 돌아가고 있었다.

그들이 말한 낚시 기사란 내가 지난 봄과 여름에 걸쳐 모 일간 신문에 연재했던 '길 따라 물 따라'란 기사를 두고 하는 말이었다. 그것은 낚시꾼들을 위해 전국 유명 낚시터를 찾아다니며 사진을 찍고 교통편이라든가 숙박 시설 기타 그곳을 찾는 꾼들에게 필요한 정보를 제공하기 위해서 신문사 생활부에서 기획한 난이었다. 주말마다 실리는 그 기사는 제법 독자가 있어서 나는 꼬박 오 개월 동안 전국 유명 낚시터를 훑고 돌아온 터였다. 소위 말하는 예술 사진으로 별 빛을 보지 못한 후 나는 광고 사진을 몇 년 하다가 그것도 지긋지긋한 생각이 들어 우연한 기회에 평소 안면이 있던 신문사 사람을 통해 들어온 그 제의를 선뜻 받아들였던 것이다. 말하자면 객원 리포터 형식을 취한 임시 고용 기자직이었다. 얼마간 떠돌아다니며 내친

김에 풍경 사진에 앵글을 들이대 볼 작정이었다. 사단(寫壇)이
나 광고업계의 생리에 일찍부터 진절머리가 나 있는 터였으나
그럴수록 한편으론 사진다운 사진을 해 보고 싶다는 생각이 간
절하기도 했던 것이다. 어쨌든 마지막 승부를 지금까지 못 해
본 풍경 사진에 걸어 보고 싶었던 것 만큼은 사실이었다. 마침
나도 십여 년의 조력(釣歷)은 있었으니 그닥 부담스런 일만도
아니었다. 아무려나.

　시간이 갈수록 내 머릿속은 난마처럼 헝클어져 자정이 넘어
침대에 누웠으나 좀체 잠을 이룰 수가 없었다. 식탁 위에 던져
놓은 엽서의 사진이 눈에 달라붙어 좀처럼 사라지지를 않았다.

　어느 날 '은어 낚시 모임'을 가장한 익명의 지하 집단으로부
터 난데없이 배달된 「호피 인디언」. 내가 그들과 밀접하게 연
결된 관계라니. 알 수 없다. 하지만 그들 중 누군가는 한때 나
와 잠자리를 같이했었을지도 모른다. 그들이 지금 그렇다고 말
하고 있다.

　새벽 두 시쯤 됐을까. 나는 몽유병 환자처럼 침대에서 부스
스 일어나 거실 식탁 위에서 잠자고 있는 엽서를 떨리는 손으
로 집어 들었다.

　내 마음속 깊은 곳의 나는 기억하고 있었다. 너무 어두워 차
라리 투명해져 버린 시간에 말이다. 오래 전 어느 날엔가 나는
커티스의 사진집을 '그녀'에게 선물한 적이 있었다.

　그녀가, 나를, 불렀다……. 그렇다. 어느 정체 모를 집단에
서, 그녀가, 나를 부른 것이다. 그녀가 아직 이 서울 어딘가에
존재하고 있다니 !

　벌써 삼 년 전 일이다. 인간 관계만 하더라도 나 같은 사람

에겐 무수한 변화가 뒤따랐을 시간이다. 아무튼 그 해 가을에 그녀는 내 앞에서 영화의 마지막 장면처럼 홀연히 사라져 버린 여자였다. 영화의 마지막 장면——이라고 했지만, 사실 그녀의 직업은 배우 겸 광고 모델이었다. 대학 연극 영화과를 졸업하고 몇몇 시시한 영화에 단역으로 출연했지만 그다지 빛을 본 배우는 아니었다. 내가 그녀를 만났을 때 그녀는 모 의류 회사의 시에프 광고에 나가고 있었다. 스물일곱이었으므로 나와는 동갑인 데다 우연하게도 같은 칠월생이었다. 그러나 배우로서 성공하기엔 이미 늦은 나이였다. 그녀 자신도 그것을 알고 있었고 광고 모델을 시작한 건 순전히 생활비 때문이었다. 처음엔 속옷 모델을 하다가 나를 만날 때쯤엔 중소 기업의 상품 광고에 싼값으로 출연하는 이미 한물 간 모델로 전락해 있었다. 그러나 그녀는 우연한 기회에 새로 창업한 대기업 계열사의 수영복 광고에 출연할 기회를 잡았던 터였다. 당시 광고 회사 촬영 팀에서 일하고 있던 나는 수영복 광고를 찍기 위해 제주도 성산포에 갔다가 그녀를 만났다.

김청미. 한자 이름이 청미(靑眉)인지, 청미(靑米)인지, 청미(靑美)인지가 항상 궁금했다. 그러나 나는 묻지 않았다. 그냥 그런 식으로 상상해 보는 게 좋았던 것이다.

아무려나 여름 기획 상품 광고를 만들기 위해 초봄에 일정을 잡고 바다에서 촬영하는 것은 작업 팀은 물론이고 아직 차가운 바닷물 속을 수없이 드나들어야 하는 모델들로서는 견디기 힘든 일이었다. 수정안, 대체안까지 합쳐 네댓 개의 각기 다른 이미지 촬영을 하고 나면 모델들은 그야말로 녹초가 돼 버리고 말았다. 더군다나 시에프란 한 번 제작되면 같은 내용을 일정 기간 반복해서 보여 주는 것이기 때문에 제작자의 마음에 들

때까지 똑같은 시퀀스를 끝없이 찍어 대야 했다.

바다는 차라리 사막같이 건조해 보였다. 뒷전에 유채밭이 노랗게 엎드려 있었으나 그것조차 눈에 들어 올 리가 없었다. 모델들은 추위에 벌벌 떨면서도 싸구려 인형처럼 웃어야만 했고 작업 팀 관계자들은 그녀들을 향해 상스런 말까지 거침없이 내뱉곤 했다. 게다가 광고 회사측에선 제작비를 줄이려는 속셈이 있었는지 근처 민가로 숙박을 정해 잠자리마저 불편했다. 또 일이 끝나면 우우 시내로 몰려 나가 술추렴들을 하는데 그녀들은 울며 겨자 먹기 식으로 그들의 술시중까지 거들어야 했다.

삼박 사일의 마지막 날 밤 나는 일행 뒤에 처져 민박으로 돌아와 누워 있다가 자정쯤 바닷가로 바람을 쐬러 나갔다. 며칠 폭음한 탓인지 몸에서 흙가루가 흘러내리는 듯한 기분이었다. 바람은 몹시 차가웠지만 거대한 보름달이 코발트 빛 바다 위에 비행 접시처럼 조용히 흔들리며 떠 있었다. 그리고 나는 저쪽 일출봉이 바라다보이는 유채밭 앞에서 조그맣게 웅크리고 앉아 있는 그녀를 발견했다. 저녁마다 술자리에 끌려다니며 받은 은근한 수모 때문에 유독 힘들어하던 그녀의 모습이 떠올라 나는 그쪽으로 다가갔다.

"속이 메슥거려 빠져 나왔어요. 받지도 않는 술을 계속 퍼댔더니 죽을 맛이에요. 도대체 느끼해서 참을 수가 있어야죠. 겪어 보니 당신들 모두 그렇고 그런 사람들예요."

"……."

몸살기마저 있는 얼굴이 열에 떠 있었다. 그녀는 담배를 꺼내 물고 연기를 길게 바다 쪽으로 내뿜으며 잔기침을 해 댔다. 체념 어린 표정에 깃들인 우수가 그녀의 지친 마음을 짐작케 했다. 추운지 그녀는 자주 옷섶을 여미며 흠칫흠칫 몸을 떨어됐다. 한동안 입을 굳게 다물고 나는 수평선 쪽으로 날아가고 있는 새 떼를 묵연히 바라보고 있었다.

"저게 뭐죠? 기러긴가요? 아니면 갈매긴가요?"

카메라를 들고 나왔을 것을…… 이라고 내가 생각하고 있는 사이 그녀가 담뱃불로 수평선을 가리키며 말했다. 그 환호하던 목소리의 눈부심.

그러나 너무 먼 데서 새가 날고 있었으므로 그게 무엇인가는 알아볼 수가 없었다. 그러나 기러기는 아닐 터였다.

"기러긴 다들 돌아갔겠죠."

"그렇죠? 돌아갔겠죠?"

나는 대답을 하지 않고 가만히 고개를 주억거렸다. 다시 얼마간 기묘한 침묵이 흐른 뒤에 그녀가 나를 돌아보며 주저주저 물어 왔다.

"기러기도 귀소성 동물인가요? 아니면 그냥 철새인가요?"

뭘 묻기 좋아하는 여자였다. 마음이 하동(河童) 같아야 물음이 생기는 법이다.

"글쎄, 제비와 같은 그냥 철새가 아닐까요. 귀소성 동물이란 비둘기, 꿀벌, 연어, 송어, 은어 따위를 두고 하는 말일 겁니다."

"아, 네 그렇군요."

"그들의 대규모 이동은 태양 컴퍼스라 하여 태양의 위치와 이동을 목표로 행해진다고 하죠 아마."

"언제 그런 걸 다 아셨어요?"

다시 하동의 얼굴로 그녀가 내 눈을 들여다보며 말했다. 하동——여름에 물에서 벌거벗고 노는 아이——가 떠올라 나는 슬몃 웃음을 터뜨렸다. 원래 하동이란, 강 따위의 물 속에 사는 상상의 동물로 모양은 사람과 비슷하고 소리는 어린아이의 울음소리를 닮은 짐승이라고 한다. 이런 엉뚱한 생각을 하고 있는 사이 그녀가 다그쳐 물었다.

"뭐 특별히 알고 있는 게 아니고 어려서부터 은어 낚시를 좀 했거든요. 은어도 귀소성 동물이 아닙니까."

"아, 은어요."

"그래요. 지금쯤 은어들은 바다에서 강으로 거슬러 가고 있는 중일겁니다. 벚꽃이 필 무렵, 남풍이 부는 따뜻한 날에 말입니다. 그리고 가을에 제가 태어난 하구로 돌아가 알을 낳고 죽죠. 말하자면 바닷물고기인 연어와 비슷한 회유성 민물고기이죠."

"아, 몰랐네요."

이런 식으로 데면데면한 대화를 하다 어느덧 나는 은어 낚시 이야기를 하고 있었다. 그녀는 기웃기웃 흔들리며 내 말에 귀를 기울이고 있었다. 등 뒤에선 유채꽃이 뭐라 수군대며 히히덕거리고 있었다.

"나는 다섯 살 때부터 아버지를 따라 은어를 잡으러 다녔죠."

"근사한 얘기네요. 그래 어디로 은어를 잡으러 갔어요?"

"밀양강, 섬진강, 강원도에 있는 남대천, 북천, 마읍천, 주수천, 낙풍천, 왕피천 두루 안 가 본 데가 없죠."

"왕피천요? 왕피천은 울진에 있는 내(川) 아녜요?"

"어떻게 그걸 알죠?"

내가 좀 놀라서 물었다. 그러자 그녀가 내 말투를 흉내내어 대꾸했다.

"뭐 특별히 알고 있는 게 아니고 어려서 그쪽을 많이 지나다

넜거든요."

지나다닌다뇨, 하고 내가 되물었다.

"어려서 한때 경주에서 살았는데 가끔 버스를 타고 동해 삼척까지 갔다가 도로 내려오곤 했어요. 별 볼일도 없이 말예요. 동해 삼척에서 포항까진 바닷길이라서 정말 근사하잖아요. 우리나라에서 가장 아름다운 길이지 싶어요. 하지만 울진 왕피천에 은어가 산다는 얘긴 처음 듣네요. 아무튼 지금 말로 하면 살기 힘들 때마다 그 길을 오르락내리락했던 거예요."

이렇게 말하고 그녀는 어색한지 고개를 숙이며 픽, 하고 웃었다. 하지만 웃을 일이 아니었다. 아버지가 죽은 다음, 혼자 왕피천으로 은어 낚시를 가게 되면, 나 또한 그 바닷길이 좋아 경주까지 내려가곤 하지 않았던가. 물론 경주에 가면 석굴암을 볼 수 있다는 것도 그 이유 중의 하나이긴 했다. 나는 반가운 눈을 하고 그녀를 쳐다보았다.

"⋯⋯ 그렇다면 우리는 언젠가 서로 비껴 지나갔거나 혹은 같은 버스를 타고 있었을지도 모르겠군요."

무슨 말인가 하여 그녀가 뜨악한 눈으로 나를 올려다보았다. 나는 그렇고 그렇다는 얘기를 주섬주섬 늘어놓았다.

"그게 사실이라면 우린 정말 근사한 인연을 갖고 태어난 사람들이네요."

그 말을 듣고 있자니 불현 애달프고 그리운 생각들이 몰려왔다. 나는 바닷길을 함께 회유하고 있는 그녀와 내 모습을 상상하고 있었다. 그녀 또한 그 같은 생각을 하고 있었을 터였다. 눈이 마주치자 그녀는 얼른 눈을 내리깔고 손가락 끝으로 한참이나 모래를 매만지고 있었다. 한동안 나는 은어 생각에 빠져 있었던가.

그리고 나서, 예기치 않게도 폭음을 하고 난 아침처럼 걷잡을 수 없는 마음의 증류 상태가 찾아왔다. 나는 갑작스레 텅 빈 상태가 되어 무릎에 턱을 괸 채 바다 위에서 출렁대고 있는 달빛을 망연히 바라고 있었다. 그렇게 얼마의 시간이 흘러갔던가.

 문득, 그녀의 손이 내 어깨 위로 슬그머니 올라왔다. 마치 뜻밖의 손님이 찾아와 창문을 두드리듯이.

 그녀와 나는 서툴고 기묘한 몸짓으로, 서로를 차단하고 있는 투명한 공간을 서먹하게 거역하면서, 마침내 상대의 차가운 입술에 지친 듯 입술을 갖다 댔다. 그때 나는 때로는 그리움이 정욕을 부른다는 사실을 깨달았고 그녀가 모르게 가만히 진저리를 치고 있었다. 그 기이한 깨달음의 짧은 순간이 지나기가 무섭게 그녀가 필사적으로 내 몸 위로 기어 올라왔다. 돌연한 일이라서 나는 잠시 멍한 상태에서 가만히 몸을 풀고 숨을 가다듬었다. 어떻게 해야 할지 모르겠어서였다. 그러는 사이 그녀가 내 목을 힘주어 끌어안고 그냥, 여기서…… 하면서 몸을 떨기 시작했다.

 유채꽃의 바다에서 그녀와 나는 아무 뉘우침도 약속도 없이 급기야는 하나가 되어 달빛이 끄는 대로 조수처럼 떠내려갔다.

 서울로 돌아오고 나서 일 주일인가 후에 나는 인사동의 한 카페에서 그녀를 다시 만났다. 그날따라 그녀는 속앓이라도 하는지 얼굴이 사뭇 창백했다. 아무 말도 없이 줄담배를 피우며 조용조용 술잔을 들었다 놨다 할 뿐이었다. 위태로워 보였다. 위태로워 보였지만 나로서는 딱히 어떻게 할 수도 없었다. 자정이 가까워지자 그녀는 나 좀 쉬게 해 줘요, 하더니 비틀거리며 자리에서 일어났다. 나는 그녀를 데리고 가까운 여관으로 들어갔다. 꼭 그러라는 법이 없거늘, 멍하니 풀린 눈으로 텔레비전을 바라보고 있다가 나는 그녀의 옷을 벗기고 침대로 올라갔다.

그녀는 눈을 감고 미라처럼 누워 있었다. 그녀가 그걸 원하고 있던 게 아니었음을 안 것은 행위가 시작된 직후였다. 감동 없이, 그야말로 '행위'가 끝났을 때, 그녀가 천천히 눈을 뜨고 넋이 나간 얼굴로 중얼거렸다.

"모든 게 점점 무서워져요. 지금도 역시 그렇고 말예요."

그 후로 몇 달 그녀를 더 만나면서 그녀와 나는 으레 돈까스나 비프스테이크로 저녁을 먹고, 맥주를 마시고, 그리고 요령부득인 상태가 되어 여관에 들어가 메마른 섹스에 열중했다. 그러니까 이런 식이었다. 돈까스, 맥주, 섹스, 비프스테이크, 맥주, 섹스, 돈까스, 맥주, 섹스…… 섹스에 미친 것이 아니라 웬일인지 무인도에 유배된 사람들처럼 다른 할 일을 찾지 못하고 있었던 것이다.

그리고 어느 가을날에 나는 충무로에 있는 한 극장 앞에서 그녀를 기다리고 있었다. 어째서 약속 장소를 극장으로 했는지 따위는 아랑곳없이, 나는 꽤 오랜 시간 그녀를 기다렸던 기억이 난다. 영화가 시작되고 나서도 이십 분이 지나서야 그녀는 자주색 바바리 차림을 하고 등 뒤에서 슬쩍 나타났다. 얼른 그녀임을 알아보지 못하는 잠깐 사이 문득 달겨든 그 모호한 낯설음도 간과한 채 그녀는 다짜고짜로 영화가 상영되고 있는 컴컴한 극장 안으로 나를 데리고 들어갔다. 무슨 말을 할 사이도 없었다. 그리고 영화가 끝나기까지 그녀와 나는 마치 타인처럼 멀거니 스크린만 마주 보고 앉아 있었다. 어색하니 긴 여백의 시간이 지나고 종이 울리고 불이 켜지고 사람들이 몽롱한 눈빛으로 저마다 자리에서 일어나 부산스레 밖으로 빠져 나갈 때 그녀가 불쑥 이런 말을 내뱉었다.

"사막에서 사는 사람."

그 말이 나를 겨냥한 것임을 깨달은 것은 그녀의 얼굴을 히 뜩 올려다본 다음이었다. 언제나와 마찬가지로 그녀의 얼굴은 창백하게 굳어 있었다.

"상처에 중독된 사람."

그녀는 줄곧 희끄무레한 스크린에 시선을 고정시킨 채 그렇 게 뇌까렸다. 나는 싸늘히 식은 채로 그녀의 말을 듣고만 있 었다.

"감정에 나약한 척하면서 사실은 무모하고 비정한 사람, 터 미네이터."

"……."

"무서운 사람."

무서운 사람, 하더니 그녀는 목뼈가 부러진 것처럼 고개를 푹 꺾고 소리 죽여 울기 시작했다. 그녀는 다음 회 관람을 하 기 위해 좌석을 찾아온 남녀에게 자리를 내 줄 때까지 그렇게 숨죽여 울고 있었다.

극장에서 나와 그녀는 말없이 을지로 3가를 지나 백병원을 지나 명동으로 이어지는 육교를 건너 명동 성당 쪽으로 천천히 천천히 걸어 올라갔다. 무심히 그녀 옆을 따라 걷고 있던 나는 어느 결에 그녀와 나 사이의 거리가 조금씩 조금씩 벌어지고 있음을 눈치챘다. 그리고 명동 성당으로 올라가는 언덕바지까 지 왔을 때 나는 도저히 그녀의 뒤를 따라잡을 수가 없다는 것 을 깨달았다. 그것은 그녀가 내게 그렇게 요구하고 있었기 때 문이었다. 그걸 깨달은 순간에야 나는, 수많은 사람들이 밀려

내려오고 있는 거리 한복판에서 걸음을 멈춰 섰다. 그녀는 뒤 한 번 돌아보지 않은 채 사람들 사이에 파묻혀 걸어가더니 마침내 책 속의 글자처럼 작아져 내 시야에서 완전히 사라지고 말았다.

그날 밤 나는 집으로 돌아와, 편광 안경을 끼고 타이츠와 노란색 논슬립화를 신고 허리에 뜰채를 꽂은 은어 낚시 복장을 하고 거울 앞에 우두커니 서서 골똘히 나를 들여다보고 있었다.

이후 텔레비전이나 잡지 광고 같은 데서 가끔 그녀를 볼 기회가 있었으나 그녀를 만난다는 것은 도무지 불가능한 일로 생각됐다. 그녀는 그때 내 앞에서 완전히 사라진 것이라는 생각이 들어서였다. 제주도에서 찍은 수영복 광고도 여름이 지나자 텔레비전에서 사라지고 일 년쯤 지나서는 어디에서도 그녀의 모습을 찾아볼 수가 없었다.

나는 기다리고 있었다. 창문으로 주름져 내리고 있는 토요일 저녁의 가을비를 쳐다보며. '텔레폰' 안에는 초저녁부터 술잔을 기울이는 사람들로 붐비고 있었다. 카페 주인은 맥주 한 병을 시켜 놓고 창가 자리를 차지하고 앉아 있는 나를 아까부터 탐탁찮은 눈으로 흘끗거렸다. 평소에는 알은 체를 하다가도 이런 경우엔 여지없이 눈치를 주는 것이다. 여섯 시 오 분 전. 나는 손목 시계를 쳐다보며 오 분만 버티면 되겠지 하고 담배를 피워 물었다.

아침 나절에 나는 소파에 앉아 그들이 보낸 사진 엽서를 재떨이에다 태우고 있었다. 누가 볼 리도 없건만 책갈피에 감춰 둔 그 사진 엽서는 오늘 아침까지도, 나를 태우다니 ! 라는 말을 내게 끈덕지게 되풀이하고 있었던 것이다. 그리하여 '사라져 가는 종족 「호피 인디언」'은 정말 내 재떨이 속에서 순식간에 재로 변하고 말았다.

그리고 나서 예기치 못했던 일이 벌어졌다. 아침까지만 해도 나는 저녁에 '텔레폰'으로 나갈 것인지 말 것인지를 망설이고 있던 것이었는데, 물끄러미 재로 변한 사진을 보고 있자니 견딜 수 없이 '그녀'가 그리워지기 시작했다. 그것은 서서히 무서운 갈증으로 변해 나를 짓눌러 대더니 마침내는 나를 '텔레폰'으로 나가게 만들고야 말았다.

여섯 시 정각이 되자 나는 초조해지기 시작했다. 맥주를 한 병 더 주문할까 하다가 나는 조금만 더 기다려 보기로 하고 다시 창 밖으로 눈을 돌렸다. 그때 누군가 내 이름을 부르는 소리가 들려 왔다. 전화였다. 나는 카운터로 걸어가 수화기를 집어 들었다. 어쩐지 귀에 익은 여자의 목소리였다.

"거긴 꽤 시끄럽군요. 세종 문화 회관 뒤 주차장으로 오세요. 빨간색 스포츠 카가 있을 거예요. 거기서 기다리고 있을게요."

수요일에 내게 전화를 걸어 온 여자의 목소리였다. 나는 말없이 전화를 끊은 다음 카페에서 나와 길 건너편 주차장으로 건너갔다.

놀랐던가. 빨간색 스포츠 카 안에는 선글라스를 낀 긴 머리의 여자가 혼자 담배를 피우고 앉아 있었다. 나는 차 가까이 다가가다 말고 주춤 멈춰 서서 안에 앉아 있는 여자를 눈여겨 바라보았다. 비가 후득후득 어깨에 듣는 것도 잊은 채. 잠시 후 소리 없이 문이 열리며 타세요, 하고 그녀가 감기 든 소리를 했다. 나는 빨려들 듯 차 안으로 들어갔다.

그녀가 담배를 다 피울 동안 나는 우두커니 앉아 차창에 떨어지고 있는 빗방울을 멀거니 쳐다보고 있었다. 비에 뭉개진 밤풍경 속으로 사람들이 유령처럼 지나가고 있었다. 나는 옆에 앉아 있는 그녀의 몸냄새를 맡고 있었다.

"이 차에 냉동 시체를 태운 건 오늘이 처음이에요."

건조한 목소리로, 그러나 어쩐지 호의가 느껴지는 말투로 그녀가 먼저 말문을 열었다. 호의, 라고 느낀 건 아마도 그녀가 농담을 했기 때문일 터였다. 사실 나는 기도가 막힐 정도로 긴장하고 있었던 것이다.

"…… 저도 빨간색 장의차에 타 본 건 오늘이 처음입니다."

나도 따라 농담을 할밖에 없었다.

"장의차…… 때론 죽음 반대편으로 달아나듯 속력을 낼 때가 있죠. 속도에 취해서."

"…… 빛의 속도로 달리면 시간은 정지하고 죽음도 면하겠죠."

"그럼 공간은 일그러지고."

"빛보다 빠른 속도로 달리면."

"회귀하게 되죠. 지금 가야 할 곳으로."

이렇게 말하고 그녀는 차에 시동을 걸었다. 윈도 브러시가 작동하자 방금 그녀와 나눴던 말들이 금세 꿈속에서의 일처럼 느껴졌다. 그녀는 솜씨 좋게 차를 몰아 코리아나 호텔 앞을 지나 서대문으로 빠지는 길로 성큼 들어섰다. 카 스테레오에선 제인 버킨이 부르는 '예스터데이 예스터데이'가 조용히 흘러나오고 있었다. 영화 '마담 끌로드'의 주제곡였던가. 십 년 이상 이 노래를 들어 보지 못했다……. 어쨌든 회귀하고 있는 중인 것만은 틀림없나 보다.

"원래 그렇게 말이 없어요? 벙어리 띠예요?"

그녀가 정면을 주시한 채 칼칼한 소리로 말문을 열었다.

"용 띠예요. 당신은?"

"그 정도는 벌써 알고 있다구요. 어디 생일까지 한번 맞춰 볼까요?"

"…… 좋으실 대로."

설마 하고 나는 태연한 얼굴로 말했다.

"육십사년 칠월 십이일."

순간 피가 멈추며 오싹 온몸에 소름이 끼쳤다. 잠시 눌러 두고 있던 의혹이 퍼뜩 잠을 깨 눈을 뜨고 일어섰다. 이들의 정체가 도대체 무엇이기에 이렇듯 나를 속속들이 알고 있는 것일까. 뭘 어쩌지도 못하고 우정 사나운 표정을 해 보았으나 그녀의 표정은 조금의 흔들림도 없었다. 그냥 어림잡아 말했는데 맞아요? 하며 피식 웃기까지 했다. 제기랄. 귀밑머리가 턱밑까지 그린 듯 흘러내린 얼굴이 제법 그럴 듯했으나 그때만큼은 요귀처럼 섬뜩해 보였다. 그런데다 저놈의 선글라스가 자꾸 신경에 거슬렸다. 그렇지만 나도 그리 쉽게 말려들고 싶지는 않았다.

"동사무소에 근무하시나 보죠? 하지만 그것말고도 기억하실 일이 꽤 많으실 텐데."

"우린 모두 동갑내기들이죠. 정확히 말하면 육십사년 칠월생들. 이제 아시겠어요?"

이건 또 무슨 소린가. 우리? …… 모두 육십사년 칠월생들이라니! 더 이상 참을 수가 없어 차를 세워요, 하고 내가 버럭 소리를 지르려는데 기적같이 차가 스스르 멈췄다. 동아일보 신사옥 앞 도로에서 길이 막히고 있었던 것이다. 신경이 파랗

게 곤두서며 핏줄이 터져 버리기라도 한 듯 온몸이 후끈하게
달아올랐다.

"고정하세요. 거기다 모두 서울 태생이라는 것까지 아시면
아예 뛰어내리시겠네요."

차 안을 가득 채운 매큼한 담배 연기. 갑자기 머리가 욱죄들
며 견딜 수 없는 피로가 엄습해 들었다.

"멀미가 나서 그러니 차창이라도 내려요, 어서!"

"그러죠. 하지만 이렇듯 회유하다 보면 멀미가 나기도 하는
법이죠."

차 안으로 튀어들어오는 빗방울이 얼굴에 점점이 묻어나자
비로소 숨통이 트이는 느낌이 들었다. 그러나 들쑤셔진 마음은
좀체 가라앉지가 않았다. 마포대로는 이내 뚫릴 기미가 없
었다. 이 더딘 길을 밟아 지금 내가 어디로 가고 있단 말인가.
나는 더듬적거리며 그녀를 돌아보고 말했다.

"이제 그만 가면을 벗죠. 그리고 말해요. 무슨 얘기든 좋으
니까. 솔직히 말해 이렇게 유괴당하는 식은 참을 수가 없어
요."

그녀는 한동안 입을 다물고 아무 소리가 없었다. 점점 빗소
리가 커지고 있었다. 이 비가 그치고 나면 가을은 좀더 붉어
지리라. 차가 십 미터쯤 전진하고 다시 멎었다. 말해요, 하고
다시 나는 나직이 내뱉었다. 그녀는 어디서부터 얘기를 꺼낼까
궁리하고 있는 표정이었다.

"아르누프 라이너***란 화가 이름 혹시 들어 보셨어요?"

까슬까슬한 목소리가 되어 이윽고 그녀가 입을 열었다. 딱히
대답을 바라는 눈치는 아니었다. 모른다고 하려다가 나는 가만
히 있었다.

"그럼 보디 페인팅이란 말 들어 보셨어요?"

그거라면 언젠가 미술 잡지에서 본 기억이 있다. 몸에 물감을 뒤집어쓴 몇몇 남녀가 거리를 활보하거나 공원 같은 데 누워 있는 사진을 본 적이 있는 것이다.

"사회적 금기를 해체하고 삶에 대한 자유 의지와 생명 의식을 표현하고자 하는 일종의 전위 예술이죠. 그럼 제가 퀴즈를 하나 내죠. 그걸 맞추시면 오늘밤 별을 달아 드릴게요."

공덕동 로터리에서 차는 급히 우회전한 다음 서강대 방향으로 슬슬 미끄러져 가고 있었다. 비안개 때문에 뿌옇게 눈 앞이 가려 마치 어두운 물 속을 헤쳐 올라가고 있는 것만 같았다.

"이 차에는 지금 삶에 거역하다 파면된 것들, 상처받아 불구가 된 것들, 혹은 사살된 욕망 따위 들이 실려 있죠. 아시겠어요?"

"어느새 장의차에서 달리는 공동 묘지가 됐군요."

"공동 묘지……. 하지만 신생을 꿈꾸는 공동 묘지."

"…… 계속해 봐요."

"일테면 우리에게도 헌법이 있다는 거예요."

"! …… 계속해 봐요."

"제1조 1항 엘뤼아르의 시 「자유」, 2항 슈바이거의 책 『깨어난 슬픔을 보라』, 3항 짐 자무시의 영화 '천국보다 낯선', 4항 모차르트, 5항 고흐와 뭉크. 제2조 1항 마리화나, 2항 카메라와 프리 섹스, 3항 우주 비행선, 4항 인도와 티베트. 제3조 1항 캔 맥주와 모래 사장, 2항 마리아 칼라스와 마이크 올드필드, 3항 롤랑 바르트와 파이칼 레네……."

메뉴판을 읽듯이 그녀는 무감각한 어조로, 그러나 또박하게 읊조려 댔다.

"그 중엔 고발 품목이 들어 있다는 것도 아시겠죠."

나는 부러 목소리를 낮게 깔아 말했다.

"흥, 증거 없는 현실이란 말도 못 들어 보셨나요. 이봐요. 나만 하더라도 다음에 우리가 언제 어디서 어떻게 만나게 될지 모르고 있단 말예요. 아시겠어요?"

증거 없는 현실……. 나는 속엣말로 이렇게 뇌까리며 문득 호피 인디언을 생각하고 있었다. 이들 또한 마침내는 저 지층의 밑바닥으로 사라져 갈 종족은 아닌가 하고.

"자, 그럼 지금부터 문제를 내죠."

갑자기 그녀가 반색을 하고 액셀러레이터를 밟았다. 차는 극동 방송 쪽으로 신호마저 무시한 채 빠르게 미끄러져 가고 있었다. 인광 물질을 단 갑충처럼 엎드려 있는 차들 사이를 비집고. 나는 이마의 식은땀을 닦아 냈다.

"제가 지금 말한 것들이 이 차 어디에 실려 있는지 알아맞혀 봐요. 그러니까 헌법들 말이에요."

"이 차에 말입니까?"

"그래요. 이 차에."

그녀의 얼굴엔 조금 전까지만 해도 보지 못했던 이상한 긴장감이 감돌고 있었다. 몸의 움직임이 눈에 띄게 적어지고 기묘한 냉기마저 느껴졌다. 나는 대답을 못 하고 그냥 차 안을 휘둘러보는 시늉을 했다. 이런 문제의 답이란 본시 출제자만이 알고 있는 법이다. 나는 처음부터 포기한 채 묵묵히 앞만 노려보고 있었다. 차가 신호등에 걸려 잠시 멈춰 있는 사이 그녀가 건성으로 한판승, 하더니 맥 빠진 표정으로 말했다.

"그것들은…… 모두 차에 그림으로 그려 놨어요. 차체에 말예요. 그리고 나선 그 위에다 온통 빨간색을 덧칠한 거죠. 보디 페인팅을 하듯 말이죠."

나는 맹하게 풀어진 눈으로 그녀의 얼굴을 쳐다보았다.

"아…… 차에다 말입니까?"

"그래요. 이제 더 이상 그것들이 억압받지 않도록, 관리되지 않도록. 더 이상 공격받거나 상처받지 않도록 말이죠. 아무튼 우리 집단이 언더의 형태를 띠고 있는 것은 바로 이와 같은 의미에서겠죠. 우린 이렇게 무경계 상태에서 서서히 회복되고 있어요."

무경계 상태……. 정말 의식의 무경계 상태에서 나는 속수무책인 채로 어딘지 알 수 없는 곳으로 실려 가고 있었다. 그러나 이제 탈출할 방법은 없다. 곧장 나아가 보는 수밖에.

홍익 대학교 쪽으로 올라가는 길이었던가. 그녀가 이제 다 왔어요, 하더니 좌회전 라이트를 켜고 어두운 카페 촌의 좁은 골목으로 급히 빠져 들어갔다. 아주 순식간의 일이어서 나는 파랗게 신경이 곤두섰다.

그녀와 나는 광화문에서 떠나 올 때와 마찬가지로 주차장에 차를 세우고 차 안에 가만히 앉아 있었다. 그녀는 카 스테레오를 끄고 헤드라이트를 끄고 그리고 마침내 시동까지 꺼 버린 다음 하나 남은 담배를 피워 물었다. 담배 연기를 빨아들일 때마다 그녀의 얼굴이 희미하게 켜졌다 꺼졌다 했다. 멋진 드라이브였다고 말해 주고 싶었으나 이제는 농담 따위를 할 계제가 아니었다. 나는 이송 시간이 임박한 포로와도 같은 처지에 놓여 있었던 것이다. 그 전에 나는 그녀에게 마지막으로 물어 볼 말이 있었다. 그러나 좀체 엄두가 나지 않아 꾸무럭거리고 있는 동안에 초조감만 자꾸 더해 갔다. 먼저 입을 연 것은 내가 아니라 그녀였다. 다 피운 담배를 비벼 끄고 그녀가 선글라스를 벗으며 나를 쳐다보았다. 잠시 긴장하여 숨이 멎었던가. 영화 '일식'의 모니카 비티를 닮은 크고 부드러운 눈이었다. 어디선가 물통 같은 게 굴러가는 소리가 아득히 들려 왔다.

"당신은 지금 천구백육십사년 칠월로 돌아온 거예요. 타임머신을 타고 말이죠. 내일 아침까지는 빠져 나갈 수가 없어요. 무슨 일이 일어나도 그냥 그대로 있는 거예요."

"…… 약속하죠. 하지만, 한 가지 알아야만 할 게 있어요. 그게 아니었다면 아마 나는 여기에 오지 않았을 겁니다."

물통 굴러가는 소리가 멎었다. 그 사이를 비집고 거리의 소음이 끼여들었다. 말하라는 뜻으로 그녀가 고개를 끄덕였다.

"그녀가 여기에 정말 존재하고 있는지 말해 봐요. 내게는 아주 중요한 일입니다."

그녀는 존재하고 있다고 분명히 말했다.

"보충해서 말하죠. 우리들 최초의 모임은 이 년 전 봄에 시작됐죠. 당시 무명 배우였던 그녀와 동갑내기 친구인 잡지사 기자, 대학 강사, 화가 이렇게 몇몇 사람들이 신촌의 한 카페에서 모임을 갖게 된 게 동기가 됐죠. 저마다 이유야 다르겠지만 아까도 말했듯 그들은 모두가 삶으로부터 거부된 사람들이었어요. 그들은 자주 만나 공통의 것을 찾으며 좀더 은밀한 방식으로 모임을 키워 나갔죠. 그 후 건축가, 수련의, 언더 그라운드에서 활동하던 가수, 시인들이 더 들어왔고 집단의 동일성을 확보하자는 뜻에서 육십사 년 칠월생들만으로 모임을 제한했어요. 물론 그들은 겉으로는 아무 이상이 없는 사람들처럼 살아요. 하지만 역시 삶에 제대로 뿌리 박지 못하는 사람들이죠. 아무튼 우리는 한두 달에 한 번쯤 은밀히 모였다가 헤어지곤 해요. 어떻게 보면 두 겹의 삶을 살고 있는 사람들이죠. 현실적인 삶을 더 이상 용납할 수 없으니까, 그렇게는 살아지지 않으니까, 말하자면 지하에다 다른 삶의 부락을 하나 더 세운 거예요. 우리가 은어를 문장으로 한 것도 다른 뜻이 아녜요. 말하자면 우린 여기서 거듭나기 연습을 해요. 어떻게든 우리 방식으로 버티고 사는 법을 배운단 말이죠."

나는 흐릿한 차창을 쳐다보며 내가 방금 떠나 온 세상을 떠올려 보았다. 그러나 지금 내가 와 있는 곳이 내가 존재하고 있는 곳인지, 그곳이 내가 존재하고 있는 곳인지 전혀 분간이 되지 않았다. 자 그럼 이제 가죠, 하고 그녀가 내 의식의 잠을 두드리며 안전 벨트를 풀고 먼저 차에서 내렸다.

한동안 계속되던 낯선 콘크리트 길. 사방으로 낮게 잇대어져 있는 지붕의 처마들. 복도와도 같이 좁고 어두웠던 골목길들. 나를 가로막는 자세로 내 앞을 걸어가고 있던 그녀의 고른 발자국 소리. 그러다 갑자기 눈 앞에 나타난, ㄱ자로 구부러진 지하 계단의 희미한 윤곽. 가슴속에선 차가운 피가 소용돌이치고 얼핏 돌아다본 뒷전에 내려앉고 있던 단단한 어둠.

이어 둔중하게 문을 두드리는 소리에 나는 정신을 차리고 내 앞에 버티고 서 있는 지하 창고의 나무문을 바라보았다. 비에 젖은 몸이 간단없이 떨려 왔다. 어둠 한 겹을 사이에 두고 있는 그녀의 뒷모습도 그렇듯 떨리고 있었다.

나는 불현듯 거기 그렇게 밤새 서 있고 싶다는 간절한 생각이 들었다. 이토록 기묘한 흥분을 젖은 옷 속에 감추고 이내 열리지 않는 문 앞에서 나는 다만 입을 다물고 그녀와 함께 언제까지라도 서 있고 싶었다. 그러나 이윽고 문 안쪽 멀리에서 희미하게 신발 끄는 소리가 들려 왔다. 후닥닥이라고 해도 좋을 아주 짧은 순간에 나는 돌연 그녀를 끌어안고 싶은 강렬한 충동에 휩싸여 있었다. 왜였을까. 내가 한순간 그토록 혹독한 욕망에 사로잡혀 있던 까닭이 무엇이었을까.

나는 두려워하고 있었던 것이다. 일찍이 나는 나와 전혀 다른 삶과는 만나 본 적이 없었다. 그리고 그러한 삶을 차마 꿈꿔 본 일조차도 없었다. 그러나 비죽이 그녀 쪽으로 내밀어졌던 내 손이 거기 가 닿기도 전에 나는 그녀가 문을 사이에 두고 안의 누군가와 주고받는 수하(誰何) 소리를 들었다.

그리고 돌쩌귀 소리가 들리면서 문이 열렸다.

비가 오는군, 하고 문을 열어 준 사내가 목쉰 소리로 말했다. 홀연한 어둠이라고 말해야 할 그런 이물스런 어둠에 싸여 있던 남자의 얼굴. 저 어딘지 모르는 안쪽으로부터 사내를 뒤따라왔던 단 한 줄기의 푸른 불빛. 그러나 그가 내민 손을 가까스로 거머쥐었을 때 내 손으로 전해져 온 돌연한 온기로 인해 나는 또다시 당황하지 않을 수가 없었다. 남자는 아무 말도 하지 않았고 마침내 나는 그들을 따라 긴 회랑을 걷기 시작했다. 벽면의 마른 나무 향기와 또 저쪽 어딘가에서 흘러 나온 쾨쾨한 냄새에 취해 순간순간 정신이 흐릿해져 갔다. 식초산 같은 시큼한 냄새였다. 초가 타는 냄새겠거니 싶었지만 분명 그 냄새만도 아니었다. 간신히 몸의 균형을 지탱하며 거기까지 가는 데, 결코 긴 시간이 아니었는데도 나는 걷고 또 걷는 느낌이었다.

마침내 사람들의 두런거림이 내 귀끝에 와 닿았다. 그리고 가닥이 분명해 진 빛줄기가 바닥의 나뭇결을 드러내면서 풀이 타는 냄새와 함께 술내가 코끝에 진하게 묻어 났다. 그리고 뒤미처 내 눈에 들어 온 것은 밤 낚시터의 불빛처럼 실내에 둥글

게 원을 형성하고 떠 있는 수십 개의 촛불들이었다. 거기서 내 의식은 도마뱀의 꼬리처럼 문득 잘려 달아나고 있었다. 그 순간엔 내 존재가 촛불 하나의 의미도 지니지 못한 채 그저 옷을 걸친 또 하나의 공간으로 공중에 떠 있을 뿐이었다. 필시 환기창도 없이 사면이 가로막혀 있을 어둑한 실내에서의 소요가, 그러나 내가 나타남과 동시에 일시에 멎었다. 어둠 속에서 가만가만, 따로이 혹은 두셋씩 부유하고 있던 저들의 시선이 내가 서 있는 공간의 둘레로 몰려들었다. 얼핏 눈가늠으로 보기에 십여 명쯤 돼 보였다. 술잔을 들고 누워 있거나, 혹은 벽면 모서리에 반라가 되어 서로 껴안고 있거나, 아까는 미처 듣지 못했지만 기타를 치고 있거나, 혹은 책상 위에 앉아 커피를 마시고 있거나 아무튼 제각각 풀어져 있는 그들의 모습이 동공 깊숙이 빨려 들어왔다. 비록 길지 않은 순간이었을망정 나는 홀로 구석 자리에 버티고 서서 어떤 태도도 취할 수가 없었다. 잠시 후 그들의 팽팽하던 시선이 그 긴장감을 잃고 다시 뒤엉키기 시작했을 때 나는 그게 나에 대한 그들의 묵인과 동조의 표시임을 깨달았다. 그들은 그저 내가 적이 아님을 확인하고 싶었을 뿐이었던 것이다. 그들 중 누군가가 나를 향해서, 그러나 쳐다보지 않은 채 뜻 모를 소리를 중얼거렸다.

"세계는 이쪽과 저쪽으로 나누어져 있지. 자넨 지금 저쪽으로 와 버린 거야."

나는 엉거주춤 책이 몇 권 꽂혀 있는 장식장 모서리에 자리를 잡고 앉았다. 진정코 나는 '저쪽'에 와 버린 것인가. 그 잠시 내 눈에서 사라졌던 그녀, 그러니까 나를 여기까지 데리고 왔던 여자가 어느새 옷을 갈아입고 초록색 술병을 들고 나타났다. 포도주라고 생각되었지만 제대로 맛을 느꼈을 까닭이 없었다. 나는 따라 주는 대로 두 잔을 거푸 받아 마셨다.

"그냥 그대로 있어요. 누군가 부르러 올 때까지."

이렇게 말하고 그녀는 나를 놔둔 채 부스스 일어나더니 저들 일족 편에 가담해 버렸다.

그때부터는 누구도 더 이상 나를 눈여겨보거나 말을 걸어 오는 사람이 없었다. 그들은 아까처럼 여기저기 널브러져 간간이 술잔을 부딪치며 무슨 애긴가를 쉼없이 주고받았다. 나는 밑동까지 타 들어간 촛불 같은 신세가 되어 다시금 긴박하게 시간을 재기 시작했다. 여기 존재하고 있다고 한 '그녀'의 모습은 어디에도 눈에 띄지 않았다. 도대체 누가 언제 나를 부르러 온다는 것인가.

나는 홀린 듯 다시 호피 인디언을 생각하고 있었다. 저 바람모지에 서서 영원한 망각을 기다리고 있는 슬픈 종족을. 그와 함께 내 눈에는 오래 전에 나와 헤어진 그녀의 모습이 느릿느릿 스치고 지나갔다.

나는 기다리고 또 기다렸다. 참을성이란 말마저 잊은 채. 나에겐 오직 기다리는 일만이 주어져 있었다. 그러나 그들의 끊임없는 수군거림에 귀를 기울이며 술병 하나를 다 비워 갈 때까지 내게는 그 어떤 일도 일어나지 않았다. 고의적이라고 느낄 만큼 그들은 나를 등지고 앉아 그들의 제의(祭儀)에 열중해 있었다. 나는 소외되진 않았으나 그렇게 배제된 채로 앉아 있었다.

어느 사이엔가 그들은 슬몃슬몃 동그랗게 원을 그리고 모여 앉고 있었다. 그때엔 그들의 수군거림도 뚝 끊겨 있었다. 무슨 일이 일어나려나 보다, 하고 나는 눈을 가늘게 뜨고 그들의 모습을 지켜 보았다.

그들은 토하는 자세로 깊숙이 허리를 구부리고 앉아 저마다 피스(peace), 피스라고 뇌까리면서 낮은 웃음소리를 냈다. 한 번도 경험한 바 없었지만, 나는 직감적으로 그들이 하고 있는 일이 무엇인가를 깨달았다. 풀잎 타는 냄새가 내가 있는 곳까지 수평으로 느리게 떠 와서는 코끝에 달라붙었다. 반사적으로 경계하고는 있었지만 나 또한 아득히 온몸의 힘이 빠져 달아나며 피가 아래로 쏠리고 있다는 느낌이 몰려왔다. 누군가가 바닥에서 나를 집요하게 끌어당기고 있는 것만 같았다.

그때 누군가가 내 어깨를 가만히 두드렸다. 너무 놀란 나머지 나는 뒤를 돌아볼 수조차 없었다.

…… 그러나 내 몸은 그 손을 알고 있었다. 그 크기와 생김새와 어깨에 와 닿는 무게와 느낌까지를. 비로소 나는 그 동안 내가 이 낯익은 손을 얼마나 사무치게 그리워했던가를 깨닫고 있었다. 그러나 그러한 몽상에 빠져 있기에는 내가 처한 상황이 너무나 분명한 현실임을 알아야 했다.

그 손은 슬며시 내 손을 잡아끌더니 장식장 뒤에 나 있는 문을 통해 웬 낯선 장소로 나를 데리고 들어갔다.

그때부터 나는 회유하고 있었죠, 하고 그녀는 말했다.

'그때'가 언제의 그때인지를 나는 머릿속으로 더듬고 있었다. 그녀와 내가 앉아 있는 장소는 의자가 세 개뿐인 작은 카페 모양의 음습한 곳이었다. 촛불 하나가 중간 탁자 위에 덩그러니 놓여 흐린 빛을 발하고 있었으나 안은 어둡기 짝이 없었고 기이한 냉기마저 감돌았다. 방금 내가 있던 지하 창고와 맞닿아 있는, 내가 수년 만에 그녀를 만난 장소는 그렇게 폐업한 술집 같은 모양을 하고 있었다.

그녀는 구석 자리 의자에 미동도 없이 앉아 있었다. 핏기라곤 느껴지지 않는 섬뜩한 얼굴이었다. 마치 도화지 위에다 연필로 쓱쓱 스케치를 해 놓은 듯 표정 없는 얼굴. 치마 밑으로 비죽이 나와 있는 마른 맨발만이 그녀가 존재하고 있음을 가까스로 느끼게 했다. 그리하여 그녀와 내가 주고받은 말은 어째 비현실적으로만 생각됐다. 나는 그렇게 실재와 비실재 사이에서 간신히 버티고 있었다.

나는 원래 내가 있던 장소로 돌아온 거예요.

스케치북 안에서 다시 그녀의 삭막한 목소리가 울려 나왔다. 그 목소리의 집요한 힘에 눌려 나는 괴롭다는 느낌에 시달리고 있었다. 그녀의 그 메마른 표정이 그런 생각을 더없이 부채질했다. 나는 고개를 떨구고 바닥의 차디찬 어둠을 내려다보았다.

이제 당신도 돌아오기 시작하는 거예요. 당신은 지금까지 너무 먼 곳에 가 있었던 거예요. 그러다간 돌아오는 길을 영영 잊어버리게 될지도 몰라요.

정말 나는 지금까지 내가 있어야 할 장소가 아닌, 아주 낯선 곳에서 존재하고 있었다는 생각이 차츰 들기 시작했다. 이를테면 삶의 사막에서, 존재의 외곽에서.

지금부터, 돌아가고 싶다고 나는 간신히 그녀에게 말했다.

그러자 촛불 속에서 그녀의 얼굴이 수초처럼 잠깐 흔들렸다. 그 촌음의 순간에 나는 그녀를 처음 만났던 제주 밤바다를 아스라이 떠올리고 있었다. 봄, 유채꽃, 기러기, 은어, 달, 하동 …… 이런 것들을. 이런 것들 속에서 만났던 그녀를. 어쨌거나 나는 거기까지 생각이 가 닿아 있었으므로 용기를 내어 그녀에게 말했다. 허위와 속임수와 껍데기뿐인 욕망과 이 불면의 나이를 벗어 버리리라고.

아녜요. 더 거슬러 와야 해요. 원래 당신이 있던 장소까지 와야만 해요.

그녀가 그렇게 말하면 말할수록 나는 뼈아픈 마음이 되어 갔다.

울진 왕피천까지 와 있다고 나는 말했다. 어쨌든 이런 식으로 말해야 한다는 걸 알고 있었다.

…… 좀, 더, 와야만 해요.

표정 없던 그녀의 얼굴에 격한 감정의 흔들림이 스치고 지나가는 게 보였다. 그러한 와중에 나는 그녀가 나를 만나곤 하던 그때의 순간들에 나에게서 지워지지 않는 상처를 입었음을 확연히 깨달았다.

그녀는 산란 중인 은어처럼 입을 벌리고 무섭게 몸을 떨고 있었다. 그녀는 그런 자세로 물끄러미 나를 바라보고 있다가 마침내 벽에 모로 기대어 천천히 흐느끼기 시작했다.

그러나 그 먼 존재의 시원, 말하자면 내가 원래 있어야만 하는 장소로 돌아가기까지 나는 보다 많은 밤과 낮을 필요로 해야 했다.

긴 흐느낌의 시간이 흐른 뒤, 나는 가까스로 그녀에게 다가가 살아 있는 자의 온기라곤 느껴지지 않는 그녀의 차디찬 손을 완강하게 거머쥐었다.

아침이 오기까지 나는 그녀의 손을 잡고 내 살아 온 서른 해를 가만가만 벗어 던지며, 내가 원래 존재했던 장소로, 지느러미를 끌고 천천히 거슬러 올라가고 있었다.

931122.

서울에 첫눈이 내린 그날 밤에, 나는 그들이 보낸 두 번째 통신을 수신했다.

---

* 에드워드 커티스(1968~1962) : 미국의 사진 작가. 그는 자신의 인류학 적 관점에 입각해서 렌즈를 맞췄으며 특히 인디언 기록 사진에 평생을 바쳤다. 커티스는 인디언을 '사라져 가는 종족'으로 보았기 때문에 그 들이 사라지기 전에 그들의 전통과 풍습, 제도 등을 기록해야 한다고 믿었다. 그의 사진들은 1907년부터 1930년까지 20권짜리 시리즈인 『북아 메리카 인디언』이라는 이름으로 묶여 나왔다.

** 「호피 인디언」 : 커티스의 대표작 중 하나. 폐허가 된 건물의 계단 위에서 호피 인디언들이 외계 동물 같은 복장을 하고 서서 황혼녘의 들판을 내려다보고 있는 뒷모습을 찍은 것이다. 난쟁이처럼 왜소한 체구에 특이한 머리 장식과 복장이 사라져가는 종족의 쓸쓸함을 더해 준다.

*** 아르누프 라이너(1929~) : 오늘날 국제적으로 잘 알려진 오스트리아 예술가로 『현대 미술 편람』의 리스트에 의하면 세계 최고 화가 100인 중 한 사람이다. 그는 이미 50년대에 자신의 그림은 물론 다른 화가의 그림에다, 그리고 나중에는 데드 마스크에다 '덧칠'하는 방식으로 전위 예술계에서 화제가 되었다. 그는 육체 언어를 가지고 영화를 만들기도 했으며, 또한 마약을 가지고 실험 예술을 하기도 했다.

바람의 눈

윤영수

윤영수

본명 윤영숙

1952년 서울 출생.
1990년 단편「생태 관찰」로 현대소설 신인상 수상.
1991년 단편「都墓」현대문학에, 중편「올가미 씌우기」현대소설에 발
표.
1992년 단편「봄의 환상」샘이 깊은 물에, 중편「殘日」현대소설에 발
표.
1993년 단편「여인 입상」민족과 문학에,「모든 벽은 문이다」작가 세
계에,「바람의 눈」세계의 문학에 발표.
1994년 중편「사랑하라, 희망없이」현대문학에 발표.

바람의 눈

56-1번 일반 버스에서 네 사람의 남녀가 내린다. 때 맞춰 켜진 보행자 신호에 둘은 곧바로 횡단 보도로 내려서고, 나머지 둘 중 한 사람은 버스가 가 버린 방향으로, 또 한 사람은 버스가 왔던 방향으로 돌아서서 걷기 시작한다.

버스가 왔던 쪽으로 거슬러 올라가는 서른 살 안팎의 젊은 친구는 감색의 신사복을 갖춰 입었다. 중키에 핏기 없는 얼굴, 어깨는 약간 굽은 편이다. 그는 목을 뽑으며 느슨해진 넥타이를 고쳐 맨다. 저녁 여섯 시가 넘었는데도 해는 아직 질 기미조차 보이지 않으며, 오전부터 많은 일을 숨가쁘게 해냈음에도 불구하고 아직 처리하지 못한 큰 덩어리가 가슴에 걸려 있음을 그는 어쩔 수 없이 인정해야만 한다. 모퉁이의 약국을 지나 이내 일방 통행의 골목으로 접어든다. 그는 그의 부모가 기거하는, 측면 벽에 '만리성'과 '장막 교회' 간판이 붙은 삼층의 회색 시멘트 건물을 쳐다본다.

정확히 말하자면 부모가 기거하는 곳은 그 건물 옥상에 지은 보잘것 없는 가건물이다. 건물을 살 때부터 있던 물 탱크실에 슬레이트 지붕을 두어 장 잇대어 방을 앉히고 알루미늄 새시 문에 경량 칸막이로 벽을 두른, 한두 시간 내에 완전 해체가 가능할 성싶은 허술한 집이다.

이층이나 삼층에 거처를 마련하면 그만큼 집세를 받을 수 없으니 손해라는 것이 그들이 내세운 변이지만, 이점은 그것 말고도 또 있다. 헬리콥터나 뜨면 알까, 거리에서는 아무리 살펴도 그 옥상의 가건물이 보이지 않는다는 점이다. 누구의 눈에도 띄지 않을, 자신들의 몸을 숨기기 위한 장소를 찾는 사람들에게야 그만한 안식처도 또 없을 것이다.

형은, 그들이 꿈에라도 마주치기 두려워하는 그들의 큰아들은 과연 어떻게 되었는가. 죽었을까, 아니면 피폐한 상태로 거리를 헤매고 있을까.

——나도 느이 아버지 안 보고 사는 게 소원이야. 오죽하면 칼을 들겠냐?

형의 목소리가 들리는 듯하다. 형이 정신 병원에서 퇴원하던 때가 작년 사월이니, 벌써 일 년이 넘은 일이다.

그는 이윽고 건물의 넓지 않은 계단에 발을 올려놓는다. 웬 사내가 계단 위쪽에서 불쑥 나타난다. 사내는 이층으로 올라가는 층계참의 화장실에서 막 나왔음이 틀림없다. 건물 입구에 들어서면서 화장실 문을 세게 닫는 소리의 여운을 들은 듯하다. 그는 몸을 벽에 붙이고 게처럼 옆으로 서서, 역시 게처럼 비껴 내려오는 사내에게 길을 터 준다. 사내는 녹색 계통의 티셔츠를 입었다. 맨발에 합성 고무 슬리퍼를 신고 화장실 열쇠 꾸러미를 손에 거머쥐고 있다. 왜소한 어깨 위에 큼직한 머리통이 얹혀, 섣불리 고개를 숙이다가는 계단 밑으로 고꾸라지기라도 할 것 같은 느낌을 준다.

그가 다니는 출판사의 편집부장도 대단한 가분수다. 부장은 그저 자신의 머리통을 들먹거리지 않으면 말을 못 한다. "박승우 씨, 당신 눈에는 이 색깔이 괜찮아 보여? 머리통 작은 사람들은 아무래도 눈세포 수도 작을 테지?" 또는 "별색만 가지고 뭘 해? 색분해 새로 해 봐. 그러니 오스트발트*가 천재라니까. 얼마나 과학적이야? 걔는 분명히 나처럼 남북 짱구대가리였을 게 분명해" 하는 식이다.

그는 다시 발걸음을 옮긴다. 계단의 외벽은 방수에 문제가 있다. 외벽의 꼭대기로부터 내리그어진 물기 자국은 누군가가 높은 허공에서 오줌발이라도 마구 갈긴 듯한 모양새다. 그는 이층과 삼층을 지나 내쳐 옥상으로 통하는 계단을 밟는다. 옥상으로 통하는 출입문은 뻑뻑하기 이를 데 없다. 베니어 판이 결결이 일어난 문은 아래로 심하게 내려앉아 웬만큼 힘을 주어서는 꿈쩍하지 않는다. 구둣발로 문 아래께를 내지른다. 문이 부서지듯 열리고 그는 옥상에 올라선다. 그의 등 뒤에서 문이 쾅음을 내며 혼자 닫힌다. 다 떨어진 문치고 꼭대기에 달린 스프링만은 성능이 지나치게 멀쩡하다.

그는 옥상 한켠에 있는 조잡한 구조물에 다가간다.

"저 왔어요."

그는 구두를 벗고 마루로 올라선다.

"승우 왔네요."

맞은편 주방에서 어머니는 저녁을 차리는 중이다. 한눈에 보아도 그녀의 몸피는 전과 또 다르다. 박스형의 큼직한 반팔 티셔츠도 품이 째어 보인다. 승우를 제대로 보지도 않고 몸을 반쯤 돌리다 마는 그녀는 이제 자신의 몸집을 가누기조차 귀찮은 눈치다.

안방문은 활짝 열려 있다. 방바닥에 누워 있던 아버지가 슬그머니 일어나 앉는다. 승우는 안방을 기웃거리다가 하릴없이 거실 소파에 엉덩이를 붙인다. 그가 앉은 자리는 열린 안방문을 통하여 텔레비전 화면이 정면으로 보이는 곳이다. 방청석에 앉은 십대 소녀들이 무대 위의 가수를 향해 아우성을 치고 있다. 그는 잠깐 눈을 감는다. 몸살 기운이 있는지 머리통 한 구석이 지끈거린다.

바쁜 하루였다. 오전 내내 편집부장과 함께 책 표지와 글자 색깔에 관해 씨름하다가 점심 시간에는 전철로 시청 앞까지 날아가 형의 통장에서 돈을 빼내었다. 출판사가 있는 서초동으로 다시 돌아와 유미를 만나 늦은 점심을 때우고──유미는 같은 편집부에 근무하다가 두 달 전에 출판사를 그만두었다. 본격적으로 시를 써 보겠다나. 어줍잖은 시이기는 하지만 문예지에 당선이 되었으니 그녀는 자신의 말대로 시인인 것은 분명하다──다시 책의 레이아웃에 매달렸다. 그런대로 일을 끝낼 수 있었던 것은 어젯밤에 숙면을 한 덕이 컸다. 잠 역시도 소나기처럼 해치운 날이었다. 어젯밤 여덟 시부터 무려 열한 시간 동안을, 그는 꿈 한 번 꾸지 않고 푹 잤던 것이다. 나흘 동안의 불면 뒤끝이었다.

선글라스를 쓴 가수가 마이크 대를 뉘어 들고 악을 쓰는 중이다. 화면의 그래픽 처리로 그의 얼굴이 갖가지 색깔로 바뀌어 간다. 빨강, 주황, 노랑, 남색, 자주, 보라, 검정, 흰색. 사람마다 피부색이 수십수백 가지로 다양하다면 어떻게 될까. 그리고 그들의 자식들은 또 어떤 희한한 종자로 태어날 것인가.

주방 앞으로 놓인 낯선 포마이카 식탁을 그는 한참 동안 쳐다본다. 마루 공간이 오늘따라 더욱 비좁아 보인 이유는 사인용 식탁과 나무 의자에 있었다.

"식탁을 들이셨어요."

"이층 중국집에서 옥상으로 내놓은 거야. 덕분에 상 차리기가 훨씬 수월하구나. 허리도 덜 아프고"

그녀는 굼뜬 몸짓으로 상추가 담긴 주황색 플라스틱 바가지를 식탁 위에 올려놓는다. 이어 싱크대 옆 구석의 선반에서 유리컵을 조심스레 꺼내기 시작한다. 마루를 놓을 때 남은 무늬목 합판으로 적당히 벽에 매단 이 단 선반에는 크고 작은 냄비, 주전자, 프라이팬에다 주방 세제, 유리컵, 식용유까지 뒤얽혀 자칫하면 한꺼번에 쏟아져 내릴 듯하다. 무질서하게 어질러 놓은 곳은 선반 위뿐만 아니다. 높낮이가 각각인 냉장고, 쌀통, 쌀통 위에 얹힌 개다리소반 위에까지 그릇과 양념병, 온갖 잡동사니들이 덧포개져 복잡하기 짝이 없다.

"웬만하면 이 나무 뿌리 탁자를 없애지 그래요. 비좁아서 어디 살겠어요?"

소파 앞에 놓인 느티나무 뿌리 탁자를 그가 발로 툭툭 찬다. 뿌리가 사방으로 뻗은, 탁자 면 둘레만 해도 두 아름이 실히 넘는 대형이다.

"너두 참, 아버지가 그걸 내놓으실 분이냐."

텔레비전 화면이 가려지는가 싶더니 아버지가 안방에서 나온다. 그의 손에는 텔레비전 리모컨이 들려 있다.

"왔냐."

아들을 똑바로 쳐다보지 않기는 그 역시 마찬가지다. 그는 안방문 옆에 놓인 장식장을 세세히 살피기 시작한다. 유리 여 닫이문이 달린 괴목 장식장 안의 물건들은 모두 기립해 있다. 자주색 비로드 천 위에 높이 괴어 놓은 무공 훈장 두 개, 감사 패, 부대 단체 사진이 박힌 접시, 그리고 자개 액자에 든 그의 예편 기념 사진 등이 세 칸으로 나뉘어 사열을 받듯 똑바로 서 있다.

"전에 살던 아파트에서 또 연락이 왔어요. 이젠 막 화를 내 던데요. 일 년이 넘도록 전출 신고를 안 해 가는 사람들이 어 디 있느냐구요."

아버지는 아무 대답이 없다. 맨 밑칸의 낡은 술병까지 하나 하나 훑어본 그는 승우 옆에 바짝 달라붙어 앉는다. 안방의 텔 레비전을 보기 위해서이다. 화면에서는 온몸에 금칠을 한 사내 가 마구 뛰어다니며 운동화 광고를 하고 있다.

승우는 아버지에게서 슬며시 떨어져 옆의 안락 의자로 옮겨 앉는다. 오랜 군대 생활로 다져진 아버지의 체구는 아직도 빈 틈없이 탄탄해 보인다. 짧은 스포츠 머리에 휘우듬하게 굽은 콧등, 꾹 다문 입은 흡사 웅크리고 앉은 투견을 연상시킨다. 승우는 갑자기 자신이 착살맞다는 생각이 든다. 자신은 도대체 아버지가 어떤 모습으로 살아가기를 기대하는가. 비루먹은 말 처럼 쪼그라든 신체? 잔뜩 겁에 질려 남의 눈치나 살피는 지 질컹이?

매월 말, 매번 다른 지점을 옮겨 다니며 형의 통장에서 돈을 찾은 지도 작년 십이월부터니까 오늘로 여섯 번째다. 자신이 단순하게 돈을 착복하기 위해서가 아니라, 아버지가 마땅히 치 러야 할 의무를 계속 이행시키기 위해 하는 수없이 돈을 빼내는 것이라고 거듭거듭 자신에게 되뇐 지도 벌써 반 년이 흐른 셈이다.

——승우 씨는 좋겠어, 그 나이에도 부모가 용돈을 주고, 덕분에 내가 칼질까지 하지만. 그런데 돈에 뭐 묻었어? 뭘 그렇게 하나하나 들여다봐?

피자집 카운터에서 돈을 치를 때 곁에 서 있던 유미가 옆구리를 찌르며 킥킥거렸다. 형의 돈을 쓸 때마다, 마치 돈갈피에 형의 얼굴이 숨어 있기라도 하듯 한장 한장 뒤적이고 살피는 것은 이제 어쩔 수 없는 버릇이 되어 버렸다.

어머니가 그릇에 밥을 푸고 있다. 승우가 식탁 의자로 다가 간다.

"저녁을 일찍도 차리셨어요, 아직 해가 중천인데요."

"이르기는, 해가 길어져서 그렇지. 너도 얼른 먹고, 가서 쉬는 게 나을 게구…… 삼겹살을 사 왔어요, 오랜만에 승우도 온다고 해서. 고기가 얼마나 톡톡한지."

두툼한 목도리를 두른 듯한 그녀의 삼중턱을 보며 승우는 그녀의 얼굴선이 본래 어디까지였던가 곰곰이 생각한다. 아버지가 식탁 의자에 앉는다. 승우는 유리컵에 물을 따라 입에 조금 머금는다. 컵을 내려놓으면서 그는 단숨에, 결연히 말을 내뱉는다.

"오늘 아침에 돈이 빠졌던데요…… 형 말이에요, 이번엔 시청 지점이에요."

"밥이 어때요, 좀 되지 않아요, 여보?"

"뉴스 할 때 안 됐나? 산불이…… 산불이 어제 저녁부터 계속 탄다는데."

텔레비전에서는 아이스크림 광고가 한창이다. 호들갑을 떨며 깔깔대는 여자 탤런트의 목소리가 인위적이다.

"정육점 여편네 웃기는 거 우습지도 않아요. 안 팔리는 소
허파 한 칼 얹어 주면서 어찌나 생색을 내는지. 그렇다고 이왕
준 거 버릴 수는 없죠. 내일은 쇠고기를 더 사다가 국을 끓이
든지. 당신 육개장 어때요?"

"…… 어떻게 하실 거예요?"

"…… 뭘 어떻게 해. 그놈이 제 맘 내키는 대로 여기저기 다
니며 돈을 찾는 걸 내가 어쩌겠냐."

"다음 번엔, 이 골목 밖의, 방이동 지점에서 찾을지도 모르
죠."

승우는 아버지의 거동을 유심히 살핀다. 다음 순간 승우는
하마터면 잊을 뻔했다는 듯이 서둘러 신사복 윗도리를 벗는다.
짐짓 안주머니가 보이도록 개켜 옆 의자 등받이에 걸쳐 놓
는다. 정면으로 드러난 안주머니에는 아직 빳빳한 은행 현금
봉투가 꽂혀 있다. 형의 통장에서 돈을 찾으면서 그가 창구에
서 따로 요구한 것이다. 봉투에는 은행 이름과 마크가 선명하
게 찍혀 있다.

아버지의 시선이 잠깐 동안 은행 봉투에 머무른다. 아버지가
이내 고개를 숙이고 밥을 헤적이기 시작한다. 승우는 아버지의
얼굴과 은행 봉투를 번갈아 쳐다본다. 할 수만 있다면 아버지
의 시선을 거머잡아 봉투에 묶어 버렸으면 싶다.

음식 접시를 내려놓는 어머니의 손이 덜퍽지다.

"일층에 정육점이 들어와서 다행이에요. 아무러면 주인집인
데 고기를 막 주기야 하겠어요?"

"작년요…… 구월부터 십일월까지 형이 돈을 안 찾아갔잖아
요. 그때…… 형의 신상에 무슨 일이 있었던 것이 분명하다니

까요. 통장이고 도장이고 지갑을 몽땅 잃어버렸다든가. 돈이야, 딴 놈이 가로채는 지도 모른다구요. 가령 형의 주민등록증이 딴 놈 손에 들어갔든가 하면. 통장이야 분실 신고 내면 되는 거죠…… 작년 십이월부터 지금 오월이니 벌써 여섯 번째예요. 수상하잖아요? 왜 매번 다른 지점에서 돈을 찾느냐구요. 화곡동, 성수동, 양재동…….”

“누가 돈을 가로채겠냐. 그놈이 찾는 게 분명하다.”

승우는 자신의 심장 고동이 점점 빨라지는 것을 느낀다. 안주머니 속에 봉투와 함께 든 형 명의의 통장을 꺼내어 아버지 얼굴에 내던지고 싶은 충동을 그는 가까스로 억누른다. 승우는 허겁지겁 물컵을 손에 쥔다.

“은행에 한번 알아보세요, 진짜 형이 찾아가는지. 고객 얼굴이 다 찍힌다잖아요?”

“고기 얇은 맛은 사실 소보다 돼지가 나아요. 돼지 목살을 푹 삶아서 새우젓을 찍어 먹어도 얼마나 맛있게요.”

어머니가 식탁 의자에 무너지듯 주저앉는다. 아버지가 혼잣말처럼 중얼거린다.

“봐라, 그놈이 멀쩡히 잘 살아가지 않니. 돈 대 주니까……그놈이 미친 게 아니라니까. 제 아비한테 칼 휘두른다고 다 미친 놈이냐. 인간 밍종이지. 천하에 둘도 없는 야차 같은 놈.”

“정신과 의사 말대로…….”

승우는 밥을 입에 넣고 마구 씹기 시작한다.

“형이 어디선가 딴 사람을 해치고 있는 건 아닐까요. 의사가 단언을 했잖아요, 그대로 상태가 악화되면 주위의 어떤 사람한테 어떤 피해를 입힐지 책임질 수 없다고.”

“그놈들이 뭐는 책임졌냐? 입원비만 그렇게 받아먹고는 웬만치 나았다고 집에 오면, 그날로 나한테 칼 휘두르는 거 너도 봤지? 갖은 욕설에, 돈 내놓으라는 협박에…… 나는 그놈한테 할 만큼 했다. 병원에 세 번이나 입원시켜 그 뒷바라지 다 하고, 이제 나이 서른이 넘은 놈한테 매달 생활비까지 대 주면 되었지 더 이상 나보고 어쩌라고. 봐라, 돈 주니까 멀쩡하게 잘 살지 않냐."

"형이 잘 살고 있는지 아버지가 보셨어요? 아무래도 수상하다니까요…… 아버지는 형이 그저 얼른 죽어 버리면 좋겠죠?"

"승우, 네놈은 내가 형의 손에 죽어야 속이 편하겠지?"

"아버지를 죽일 만큼 형은 독한 위인도 못 되었어요. 의사도 그랬잖아요? 노리는 부위가 기껏해야 손이나 어깨라고. 독한 사람이 왜 미쳐요?"

아버지가 된장국에다 밥 한 그릇을 한꺼번에 말아 버린다.

"뉴스를 왜 안 하나? 개새끼들."

"좀 먹어 봐라, 승우야. 상추에 싸서. 고기가 톡톡하지 않니. 돼지 삼겹살은 이 맛에 먹는 거란다, 자."

그녀는 고기 접시를 승우 쪽으로 민다.

"안 먹어요. 제가 돼지고기 못 먹는 것 아시잖아요."

"돼지고기를 못 먹어? 왜?…… 참, 내 정신 좀 봐. 넌 정말 돼지고기를 입에도 안 댔었지, 날 닮아서…… 내가 처녀 적에 돼지고기를 먹지도 않았잖아요, 여보. 쇠고기 아니면 입에도 안 댔었지. 그런데 너, 아직도 음식 까탈을 부리는구나. 네 색시 될 사람은 어렵겠다 얘. 식성이 웬만해야……."

어머니는 손바닥에 편 상춧잎에 고기와 된장과 밥을 얹어서 허겁지겁 입에 우겨넣는다. 아버지의 말소리는 어느덧 말끔

하다.

"이번에 산불 난 데가 어디인지 알아, 당신? 포항에 있을 때 말야, 승우, 너 삼 학년 때던가, 거기 학교 잠깐 다니지 않았냐."

"국민 학교 때 다니던 학교들을 일일이 어떻게 다 기억해요?"

"그 뒷산 쪽으로 말야, 아무래도 거기 같애. 언뜻 화면에 비치는 것이."

아버지가 일어나 소파 쪽으로 간다. 소파에 놓였던 리모컨으로 채널을 이리저리 바꾸다가 벌컥 화를 내며 꺼 버린다.

"천천히 먹어. 누가 뺏어 먹을까 봐 그래?"

식탁 의자에 다시 와 앉은 아버지가 혀를 찬다. 그가 유리컵에 가득 물을 따라 그녀에게 내민다. 그녀는 두 손으로 물컵을 쥐고 입에 가득 든 밥을 삼키느라 여념이 없다.

"밥이라도 제대로 먹어야지, 그래야 이 많은 일들을 해내지요. 여자들 집안일이 쉬운 줄 아세요?"

물 한 컵을 들이켜고 난 그녀는 손바닥에 새로 상추를 올려놓는다. 이번에 푼 밥술은 전의 것보다 더 크다. 승우가 짜증을 내며 닫힌 창문을 쳐다본다.

"창문이라도 좀 열고 사세요. 온 집안을 꼭꼭 닫으니까 환기가 안 되잖아요."

"창문을 열 수가 없단다. 쓰레기 냄새가 얼마나 지독한지. 특히 이층 중국집 말이야. 옆 건물하고 벌어진 틈서리에다 얼마나 쓰레기를 버리는지 아니. 어제는 칼날이…… 뭐가 번쩍번쩍해서 내려가 보니까 누가 식칼 날을, 손잡이가 빠진 식칼 날을 버리지 않았겠니. 그 사람들 짓이지. 동네 애들이 가지고 놀기라도 하면 어쩌려구."

"뭔들 못 버리겠어요? 부모가 친자식도 내팽개치는 세상인데?"

아버지가 버럭 소리지르듯 승우의 말을 가로챈다.

"반주 한잔 합시다. 애들이 가져온 산삼주 말요."

"다 드셨잖아요? 아니 참, 요전에 소주를 다시 부었지요."

재빨리 상추쌈을 우겨넣은 그녀가 안방 앞 장식장에 다가간다.

"기특하지 않소? 애들이 산삼 캔 걸 나한테 가져오고. 삼십년 산은 좋이 될걸."

"글쎄 말예요, 당신 참 사병들한테 인기였지요. 그 왜 승우 공부 봐 주던 임 일병도 얼마나 당신 따랐게요? 운전병 그애 이름이······."

"전 상병, 전우경이."

"아뇨, 전우경이 말고 그 이전에, 태 뭐라든가······."

"이인태."

둘은 동시에 똑같이 소리치고 함께 웃기 시작한다. 아버지의 킬킬대는 모습은 형과 닮았다. 체구가 판이한데도, 아버지는 어깨가 떡 벌어지고 거구인 데 비해 형은 마치 어디든 숨어 버리기 위해 태어난 사람처럼 젓가락같이 말랐음에도 불구하고, 고개를 꼬며 웃는 모습이라든가 미련한 턱의 선이 그대로다.

"너도 한잔 따르랴?"

아버지가 소주잔에 술을 따르며 묻는다. 승우는 고개를 내젓는다.

"사슴 잡은 몽둥이 십 년 우려먹는다더니, 인삼 한 뿌리에 소주를 수십 번은 새로 부었지요?"

"인삼이 아니라 산삼이야. 산삼은 끄떡없다! 그러니 산삼이지."

아버지가 눈을 부릅뜬다.

"저도 조금 주세요, 승우 온다고 내내 서서 돌아쳤더니 몸이 찌뿌드드하네요."

어머니가 빈 물컵을 내민다.

"얼마나 믿음직한지, 네가 그렇게 삼겹살하고 밥을 잘 먹는 것을 보니…… 애개, 이게 뭐예요, 인심 사납게. 제대로 붓지…… 많이 먹지 않고는 배겨 낼 수가 없어. 몸이 얼마나 휘지는지. 너희 아버지는 맨날 흉을 보시지만 사실, 먹으려고 사는 것 아니냐. 당신, 술 더 드려요?"

유리컵에 반쯤 찬 술을 단숨에 마신 그녀는 다시 상추에 고기를 얹어 한입 가득히 문다. 아버지가 젓가락을 들어 나물을 끄적인다.

"참, 어머니."

승우가 그녀를 빤히 쳐다본다.

"형의 외투 어쩌셨어요? 여기 갖고 계세요? 형이 마지막으로 병원에서 퇴원할 때 저한테 준 거, 제가 어머니보고 잘 두라고 했었죠?"

그녀의 표정이 일그러진다. 허둥대는 품이 역력하다.

"승화 외투는 갑자기 왜?…… 그 누더기야, 이사 오기 전에 버리지 않았니? 승화가 다시 달라더냐?…… 그것 때문에 그 애가 전화를 하나? 한밤중에 전화를 해서는 아무 말도 않고."

승우는 그대로 눈을 내리깐다.

피자를 먹던 유미가 한숨을 쉬며 말한다.

——팬들 극성도 못 말리겠어. 새벽 서너 시에 전화를 걸어

서는 아무 말도 없이 그저 내 목소리만 듣다가 끊는 거야. 잠을 잘 수가 있어야지? 주간지에 시를 발표하고 난 다음부터 부쩍 더하네.

"출판사는 어떠냐고 물었다."

"피곤하죠, 뭐. 편집부장 성격이 못돼먹어서요……. 계단에서, 우리 회사 편집부장하구 똑같이 닮은 사람을 봤어요. 머리통이 크고 완전 가분수인 친구요. 모르세요?"

"윗사람 노릇 하기가 더 어렵다. 부하들을 다그치지 않으면 되는 일이 있냐……. 그러나 그 중에도, 부하에게 존경을 받는 상사가 있는 법이지. 저 나무 뿌리 탁자만 해도 그렇다, 어디 내가 만들어 달라고 입 뻥긋이나 했나. 우리 애들이 아마 한 달은 좋이 달라붙었을 거다. 저 덩치 큰 걸 산에서 캐 가지고 와, 여남은 명이 달려들어 사포로 문지르고, 칠하고. 여기 이사 올 때만 해도, 이삿짐 녀석들이 좀 이를 갈더냐."

"탁자에, 제발 사람이나 하나 깔려 버리라고 악담을 하고 갔잖아요. 웃돈 안 준다고 두 시간을 버티다가."

"웃돈은 무슨 웃돈, 우리 애들을 불렀으면 그깟 건 일도 아닌데."

어머니는 옆에 놓인 두루마리 화장지를 찢어서 눈 언저리로 가져간다. 그러나 눈물은 나오지 않는다.

"당신 우는 거야? 왜 그래, 내가 뭐라고 했길래."

아버지가 깜짝 놀라 묻는다. 그녀가 한숨을 내리쉰다.

"괜찮아요, 제가 운다고 뭐 해결되는 일 있나요? 승우야, 고기 좀 더 구워 올까?"

"돼지고기 안 먹는다니까요."

그녀는 바가지에서 다시 상추를 집어 식탁에 물기를 턴다.

"……음식 장만한다고 괜히 설치다 보니 점심도 걸렀어요. 아침에 찬밥 조금 남은 것 물에 말아 먹고."

"당신, 아까 낮에도 김치 찌개에다 밥을 두 그릇이나 먹었어. 새로 밥해서."

"그랬던가? 두 그릇이라니요, 하나는 누룽지 긁은 건데. 하여간 그만 먹어야겠어요."

그녀는 한숨을 내쉬고, 밥알이 붙은 밥그릇에 물을 부어 한 숟가락씩 떠 마시기 시작한다.

"내가 밥을 남길라치면 우리 친정 어머니는 내 밥그릇에 물을 확 붓곤 하셨지요. 한 숟갈이라도 더 먹이고 싶으셔서요. 워낙 몸이 약했으니까요."

그녀는 빈 밥그릇을 손에 쥐고 손가락으로 그릇의 때라도 문지르듯 뽀독거린다.

"내 몸 건사하기도 힘이 들더니, 요새 이렇게 살이 찌는구나. 내가 원체 몸이 약해서 사내아이 둘을 키울 엄두도 못 냈잖니. 시어머니까지 모시고 산다는 건 더더군다나. 지금 누가 보면 말짱 거짓말이라고 할 거야. 너희 아버지 뒷바라지만 해도 너무너무 힘에 부쳐서…… 참 여보, 이맘때쯤이면 진달래를 올린 화전도 기막힌데. 당신도 좋아하셨잖아요. 어디던가? 그래, 울진. 요새는 화전 따위, 생각도 못 했구나, 그런데, 승우야, 고기를, 아니 너 밥을 거의 건드리지도 않았구나?"

"점심을 늦게 먹어서요. 워낙 많이도 푸셨구요."

"저런, 이걸 어쩌니, 아까운 밥을 내버릴 수도 없구. 음식을 버리면 죄로 간다."

기다리고 있었다는 듯이 그녀는 자신의 빈 밥그릇을 한켠으로 치우고 승우의 밥그릇을 들어다가 숟가락을 꽂는다. 그녀는 다시 플라스틱 바가지에서 상추를 골라 물을 털기 시작한다.

"여자를 잘 만나야 할 텐데. 요새 처녀들은 모두 제 몸만 알지 남편 뒷바라지는 안중에도 없다잖아요."

비쩍 마른 유미의 몸피를 보면 먹는 것이 다 어디로 가는지 신기할 지경이다.

──이 집 피자가 제격이야. 토핑 없는 것만 봐도. 안 그래, 승우 씨?

그는 피자를 그리 좋아하지 않지만 그녀는 무척 즐기는 편이다. 피자에 덮인 흰 치즈 가루를 보고 하이타이를 뿌린 윤금이의 사체를 연상한 것은 어쩌면 자연스러운 일이었다. 그는 결국 피자 한 조각도 제대로 먹지 못하고 포크를 내려놓았다. 입 안에는 성냥개비, 성기에는 콜라병을. 미합중국 만세.

──참, 승우 씨는 별걸 다 외워 가지구 다녀. 하긴 승우 씨 그 엉뚱한 행동에 시상(詩想)이 떠오르는 건 사실이지만.

밤새워 시를 쓴다고 껍적대는 그녀가 한심스럽다. 윤금이 사건도 모르는 주제에 담배를 피워 물면서 한다는 소리가, 자신은 여느 여자들과는 기본 의식 구조가 다르다나. 말은 암팡지게 하면서도 그녀의 시는 오로지 "나는 처녀예요. 임자가 없다구요. 여류 시인 어때요? 생각 있어요?"뿐이다. "자궁의 한계를 뛰어넘지 못하는 것은 매춘부나 여류 시인이나 똑같다"는 그의 말을 그녀는 제대로 알아듣지도 못하고 끄덕거렸다.

알루미늄 새시 문이 갑자기 바람에 덜컹거린다. 날이 저물면서 봄바람이 어수선하게 불어 대기 시작한다. 아버지가 소주잔에 새로 술을 따르자 어머니는 얼른 자신의 빈 물컵을 들이댄다.

"느이 형 배고 나서 말이다. 당신 전방에 혼자 계실 때죠. 어머니 뫼시고 사는 일 년 동안은, 돌아가신 분 말씀드리기 뭣하지만 먹는 것 가지고도 무척 신경 쓰이게 하셨어요. 쌀 뒤주 열쇠까지 거머쥐시고, 한 끼 쌀을 딱 재서 내놓으시는데, 밥을 하면 그저 살포시 두 그릇이 나올까 말까, 조금 눋기나 하면 그것도 없고. 김치 반 그릇, 나물 한 가지. 울기도 많이 울었지요. 홀 시어머니에 외아들 시집살이, 맵다 해도 그리 매울까. 허리가 하여간 한줌이었다니까요, 애를 가지고도."

"그래도 당신은 젊었을 때가 괜찮았어. 부인회에서도 빠지는 인물은 아니었지."

"내가 이중턱에다 이렇게 몸무게가 많이 나가는 뚱뚱이가 된다고는 생각도 못 했어요. 왜 이렇게 한없이 배가 고픈지 모르겠어요. 위에 구멍이 났는지."

새시 문을 흔들어 대는 바람 소리가 제법 매몰차다. 승우는 문을 노려본다. 바깥은 이미 어둠이 내렸다. 새시 문 위쪽 유리에는 형광등 아래 모여 앉은 가족의 식사 장면이 제법 정겹게 얼비친다. 승우는 자신도 모르게 지껄여 대기 시작한다.

"윤금이 말예요. 마클 그놈, 독종이에요. 살아 있는 여자에다 대고 그 짓거리를 다 했다는 거 아네요."

"윤금이? 성은 뭔데? 사귀는 아가씨냐?"

"양놈들은 하여간 우리보다 한 수 위에요. 입 안에 성냥개비를 가득 물리고 성기에다 콜라병을 꽂구요, 온몸에 하이타이를 뿌렸어요."

"이것들 참, 뉴스를 안 하려면 속보라도 내 줘야 할 거 아닌가 말야. 당신, 제발 좀 적당히 먹어 둬."

아버지는 투덜거리며 아내를 못마땅한 눈초리로 쳐다본다.

"항문에다 우산을 꽂았는데 몇 센티더라, 이십……."

승우가 벌떡 일어나 바짓주머니를 뒤지기 시작한다. 꼬깃꼬깃 접힌 주간지 기사 쪽지를 펴 든다.

"이십…… 맞아, 이십칠 센티. 이게 가능해요? 항문으로 이렇게 깊이 들어갈 수가 있어요?"

아버지가 정색을 하고 그를 쳐다본다. 목소리 끝이 갈라진다.

"그따윗 걸 매번 오려 가지고 오는 이유가 뭐냐. 우리하고 무슨 상관이 있다고."

"케네스 마클. 마클 집안…… 이 사람도 가족이 있겠죠? 도대체 그 부모는 어떤 사람들일까요?"

아버지가 승우를 노려본다. 바람이 문을 마구 흔들어 댄다.

"……옥천 쪽에 있을 때다. 산불 진압에 나섰는데 말이야, 당신 생각나? 그, 봄불이 무섭거든. 낙엽 밑바닥까지 산이 바짝 말라 있으니 완전 불쏘시개라. 하여간 우리 연대를 죄 풀었는데도 하루 종일을 타고 다음날 새벽에서야 불길을 잡았지. 산불이 장관이다, 그, 한번 보기만 하면."

"많이 먹어라, 승우야. 반찬은 잘해 주지? 하숙집에서."

"말씀드렸잖아요, 전철 정거장 앞에 있는 아파트에서 문간방 하나만 빌렸다구요. 식사는 안 되고 잠만 자고 나온다니까요."

"그래 참, 잠만……. 밥이야 사 먹는 게 맘 편하지. 요새야 맛있는 음식이 천지에 널렸잖니. 이 집이 워낙 비좁으니 같이 있자고도 못 하겠고."

"당신 생각나오? 그 점백이 영감. 산불 낸 작자 말야."

입에 다시 상추쌈을 우겨넣은 어머니는 대답을 못 하고 고개만 크게 끄덕거린다.

"귀 있는 데부터 빰 쪽으로 벌건 점이 있었잖아, 그렇지?"

아버지가 젓가락으로 그녀를 가리키며 킬킬대기 시작한다.

"당신 그 산불 났을 때 말야, 가관이었지. 줄줄 울면서 부대로 뛰어오지 않았소? 눈물에 콧물에 엉망진창이 되어서 어린 애처럼."

"글쎄 말이에요. 지금 생각해도 얼마나 가슴이 뛰는지. 당신한테 갔다가 날이 밝아 관사에 돌아와 보니, 저애는 아무렇지두 않게 마루에 쓰러져서 자고 있더라구요. 확실히 사내애라 달라요. 난 정말, 어찌나 무섬을 탔는지. 다들 나보구 나이는 어디로 먹었느냐고 놀려 댔지요. 얼굴도 그때는 얼마나 앳되었어요?"

어머니는 체구에 어울리지도 않는 어리광스런 표정으로 해쭉거린다. 승우가 물컵을 소리나게 내려놓으며 정색을 한다.

"저는 자고 있지 않았어요. 어머니를 밤새도록 찾았지요. 무서워서 바깥에 나가지도 못하구요. 창 밖은 온통 새빨갛고, 여기저기서 뭐가 딱딱 부러지는 소리도 들리구요. 나중에는 목이 잠겨서 울음도 안 나오고…… 우리가 꼭 필요로 할 때 아버지 어머니는 항상 옆에 안 계셨어요."

"……점백이 그놈, 힘은 좋았던 모양이야. 주인 여자한테 씨를 뿌렸다는 거 아냐."

"무슨 말씀이에요, 그렇게 여러 번 말씀드렸는데도. 그 얘기가 아니고."

한입 가득히 문 상추쌈 때문에 그녀는 눈까지 뒤룩거린다.

"그게 아니야?"

"그때도 못 알아들으시더니, 저 양반은 참."

그녀는 된장국을 들어 그릇째 후룩대기 시작한다.

"주인집에 양자로 자기 아들을 주었다는 거 아녜요. 그런데 그 아이가 원래부터 주인집 아이인 걸로, 주인 남자가 산지기 마누라한테 씨를 뿌린 양으루 홀랑 뒤집어씌웠다는 거 아네요."

아버지는 여전히 젓가락으로 반찬을 헤적이고 있다. 된장국에 만 그의 밥은 불을 대로 불어서 국물이 전혀 없다. 문을 흔들어 대는 바람 소리는 꽤 줄기차다.

"차라리 형과 같이 서울에서 있었더라면 의지도 되고 좋았을 거예요. 그렇게 몇 번씩 전학 다닐 필요도 없었을 테고. 할머니가 돌아가셨을 때도 형이 너무 안됐더라구요. 형이 고등 학교 일학년이고 제가 중학교 때였지요. 아침차로 어머니하고 서울에 올라오니까, 형이 혼자서 할머니 임종을 치르고 그 방에서…… 어머니, 그때 형의 눈 보셨어요? 그때부터 형 성격이 난폭해졌다고 그러지만 나는 형을 충분히 이해할 수 있어요. 형은 그럴 만했어요. 형이 무슨 잘못이 있어요? 있다면 아버지 어머니 잘못이지요."

나중에 형이 모든 사실을 알게 되더라도 승우 자신은 당당할 수 있고 말고. 형을 진정으로 이해한 사람은 동생인 자기밖에 더 있었던가. 형 또한 자신을 좋아했다. 말로 표현하지는 않았어도, 이 세상에서 단 한 사람, 형이 믿고 의지한 사람은 승우 자신밖에 없었다.

처음부터 돈을 가로챌 생각으로 일을 꾸민 것이 결코 아니라는 사실을 형만은 알아 줄 것이다. 정신 병원에 들락거리면서 형의 보호자 노릇을 한 사람도 승우 본인이었고, 급기야는 형을 피해 잠적해 버리려는 부모에게 형의 생활비만이라도 책임져야 한다고 주장한 사람도 바로 자신이었다. '형에게 유산으로 남겨 줄 목돈'을 챙겨 은행에 거치하도록 아버지를 설득하는 일도 절대로 쉽지 않았다. '더 이상은 신경 쓸 일이 없다'는 승우의 다짐에 아버지가 겨우 따라 준 것이었다. 사실이 그러했다. 목돈에서 나오는 이자 삼십만 원은 형 명의의 통장 계좌로 자동 입금되고, 형은 그것을 매달 찾아 쓰기만 하면 되는 일이었다. 형을 따로 만나거나 그와 실랑이를 벌이는 따위의 부담은 전혀 없었던 것이다.

형의 통장에서 돈이 빠지지 않는다는 사실을 승우가 알게 된 것은 지난 시월이었다. 형의 주민등록증을 입수하고, 은행측에 조회한 결과였다——형의 주민등록증이 그의 손에 들어오게 된 것은 전에 살던 아파트 주인 여자의 덕이 컸다. 주민등록증이 아파트에 우편으로 배달된 사실을, 그녀가 친절하게도 승우의 전 직장으로 연락해 주었고, 직장 동료 두어 사람의 중개로 그의 손에 어렵사리 들어온 것이다——형의 계좌에서는 구월분부터 돈이 빠지지 않고 있었다. 아무래도 형의 신변에 무슨 변화가 있었음이 틀림없었다.

십이월이 되어 그는 형의 주민등록증을 들고 은행에 가서 통장 분실 신고를 냈다. 그리고 며칠 후 그는 통장에 들어 있던 돈을 형의 명의로 찾았다. 자신의 그 행위로 이제 형은 다시는 돈을 찾으려 해도 찾을 수 없게 된다는 사실을 빤히 알면서도 그는 그렇게 해 버렸다. 석 달, 더 이상 기다려 봐야 형이 다시 돈을 찾을 가망성이 없다고 봤기 때문이었다.

그렇게 할 수밖에 없었다고 승우는 다시금 되씹는다. 드러내고 즐거워하지는 못하지만 홀가분해함이 역력한 아버지를 그대로 해방시켜 줄 수는 없었다. 진실로 사람을 죽일 수 있는 인간은 형이 아니라 아버지였다. 아버지는 이미 자신의 가슴속에서 아들인 형을 죽여 내팽개친 지 오래라는 것을 승우는 잘 알고 있었다. 형의 눈에 띌까 두려워 바깥 출입도 못 하는 겁쟁이 군인. 잘못된 자식에 대한 양심의 가책 따위는 손톱만큼도 느끼지 못하는 수전노 영감. 아버지에게는 형이 영원히 살아 움직여야 했다. '죽여 버리겠다'고 으릉대는 형의 협박이 그렇게 허망하게 끝날 수는 없었다. 형이 아버지에게서 생활비를 타 쓴 것이, 병원에서 퇴원한 사월부터 고작 다섯 번 아니던가.

형이 다시 돈을 찾기 시작했다는 소식을 전해 듣고, 아버지는 상심하는 기색을 감추지 못했다.

—— 찰거머리, 기생충 같은 놈. 평생 내 피를 빨 게다.

돈이라면 벌벌 떠는 아버지에게는 돈으로 보상하게 함이 마땅하다. 설사 그 돈이 승우, 자신의 호주머니로 들어온다 해도 또 그리 잘못된 일이 무엇이란 말인가. 자신도 이 집안의 아들로서 아버지의 돈을 향유할 권리가 있으며, 피해로 따지자면 형만큼, 어쩌면 형보다도 그가 더 큰 피해자일 수 있는 것이다. 미칠 것 같은 상황에서 제정신으로 버티기란 더더욱 어려운 일 아니던가.

어머니가 술을 죽 들이켠다.

"그때 승우야, 넌 어려서 잘 모른다. 느이 아버지가 특수 훈련에 참가한 중이어서 집에 안 계시고…… 연락이야, 물론 승화가, 할머니가 위독하다고 전날 아침부터 몇 번씩 했지만, 난, 여보, 나 혼자, 나 사실 사람 죽는 거 한 번도 못 봤잖아요."

"그래, 장인 돌아갔을 때도 방에 들어가지도 못했다며…… 그런데, 점백이 마누라가 그 말 듣고도 가만 있어?"

"마누라가 도망간 지 오래라고 안 해요? 산판 사람하고 붙어서. 당신은 그렇게 가르쳐 드려도 참."

"어머니는 항상 어린애였지요, 걸음마 떼는 아이처럼."

그녀는 작은 상춧잎 서너 개를 손바닥에 펴기 시작한다.

"내가 워낙 몸이 약해서 말이지, 두 사내아이를 어디 기를 수나 있었는 줄 아니. 너두 알다시피 나는 새댁일 때 허리가 한줌이었다. 나같이 가는 허리가 없다고 다들 혀를 둘렀지. 게다가 할머니도 승화라면 끔찍하셨잖니. 아버지는 항상 지방으로만 돌고, 느이 할머니는 우릴 볼 때마다 한집에서 같이 살자고 울고불고 떼를 쓰셨지만, 아버지 치다꺼리만 해도 얼마나 많았는지 …… 봐라, 이, 이 가냘픈 몸으로 너희들 둘을 밑으로 뽑고 허리가…….

"지금 어머니 허리 같으면 네 쌍둥이도 한 번에 낳으실 수 있을 거예요."

"네 쌍둥이씩이나? 지금 이 나이에? 재는 남세스럽게, 못하는 소리가 없구나."

낯을 붉히는 그녀를 보고 아버지가 놀려 대기 시작한다. 그녀의 덩둘한 손놀림에 상추 바가지가 식탁에서 떨어지고, 그것을 잡으려다 그녀의 손에 쥐었던 상춧잎 서너 개가 식탁에 흩뿌려진다. 바가지를 겨우 잡은 그녀는 재빠르게 행동한 자신이 스스로 생각해도 대견하다는 듯 승우를 보고 환히 웃는다. 승우도 결국 웃음을 터뜨린다. 셋은 모두 커다란 소리로, 오랜만에 마음껏 웃는다. 서로의 웃는 얼굴을 바라보면서, 그들은 자신들이 이제 서로에게 흉허물없이 가슴을 툭 터놓는 사이가 된 것이 아닐까 잠깐 생각한다. 그러나 웃음이 그치기도 전에, 그들은 이미 상대방의 얼굴에 꽂힌 자신들의 시선을 어떻게 거둘 것인가 고심하기 시작한다. 웃음이 그치고 난 후 그들 사이에 더욱 생생하게 끼여들 침묵을 생각하면 같이 웃는 일조차 괜히 했다는 생각이 든다.

웃음소리는 점점 작아지다가 결국 그치고 만다. 그들의 시선은 모두 식탁의 음식 접시에 박혀 있다. 그들은 꼼짝없이 바람 소리를 듣는다. 바람이 새시 문을 마음껏 흔들어 젖힌다.

"바람도 참, 시끄러워 죽겠구먼."

"글쎄 말예요, 오늘따라 꽤나 유난스럽네요."

그들은 한결같이 바람을 탓하기 시작한다. 그들의 평화스런 웃음소리를 그치게 한 장본인이 마치 그 옥상 마당을 휘젓고 다니는 바람 소리였던 것처럼. 그들 사이에 존재하는, 결코 허물어뜨릴 수 없는 높은 벽이 바로 그 미치광이 바람으로부터 자신이 살아남기 위해 어쩔 수 없이 쌓아야 했던 것처럼.

아버지가 미간을 찌푸리며 극히 사무적인 말투로 어머니에게 묻는다.

"그랬었나? 그 참, 누구 말이 맞는지는 알 수 없어. 진짜 주인 남자 씨인지도. 점백이 마누라도 행실이 온전치 않으니 안 그래?"

"그럴지도 모르죠."

어머니는 고개를 주억거린다. 그녀는 술을 따라 허둥지둥 입에 털어 넣는다.

"주인 여자 말야, 행실이 온전했어? 그 여자가 과부라고 하잖았어?"

"그렇죠, 주인 남자가 병으로 죽었으니. 산지기 남자가 주인 여자한테 흑심을 품을 만도 했지요…….내가 기억력이 얼마나 좋다구요, 내가 전화 번호 하나 잊어버리는 것 보셨어요? 승우야, 네 얘기도 좀 해야 우리가 알 것 아니냐. 너 어쩌면 그렇게 말이 없니."

"점백이 영감 이야기가 재미있는데요."

아버지가 킬킬거리며 젓가락으로 거실 바닥을 가리킨다.

"그, 점백이가, 엉겁결에 불을 질러 놓구는, 잡혀 와서 엉엉 우는데 참 가관이었지. 무릎을 꿇고 어깨를 들썩들썩 해 가며. 당신, 이제 그만 먹어."

"밥을 많이 먹어야 잠이 잘 와요."

그녀는 비죽이 웃으며 다시 술을 따른다. 이어 크게 트림을 한다.

"승우야…… 밤에 전화가 자꾸 온다, 승화한테서. 그렇다고 무슨 말을 딱히 하는 것도 아니고. 숨소리만 쌕쌕 내다가는 끊고. 새벽 세 시도 좋고 네 시도 좋고. 잠이 안 와, 그때부터. 너는 몇 시쯤 자니?"

"열한 시 정도에는 곯아떨어지죠. 회사에서 워낙 일에 시달리니까요. 장난 전활 거예요. 형일 리가 있어요?"

"너무 무서워서 너한테 전화를 걸면…… 통화중이야. 그 시간에 네가 어디다 전화 걸 리도 없는데. 내가 네 전화 번호도 잘못 아는 것 같애. 따로 써 놓은 전화 번호도 없고. 에미가 자식 전화 번호도 못 외다니 말이 되니. 나도 이제 그만인가 봐. 머릿속이 뒤죽박죽이야."

그녀의 눈에 눈물이 괸다. 그녀의 얼굴과 두두룩한 목덜미는 온통 취기가 올라 벌겋다. 그녀는 손으로 이마를 짚는다.

"너는 참 믿음직했지. 장교들 부부 모임이 있을 때마다 너 혼자 집을 보곤 했지 않니. 밤새 까딱 않고 앉아서. 모두들 네 칭찬에 침이 말랐지. 누군지, 너랑 결혼할 아이는 참 좋을 거야."

──승우 씨는 성격이 묘해. 돈 많은 집 아들이니 세상 걱정
이라곤 없는 사람 같은데 한편으론 겹겹이 비밀에 싸여 헤어나
지 못하는 것 같기도 하고. 믿음직스런 면은 있는데 또 어떻게
보면 위험 천만한 사람 같고.

아버지가 물컵을 들고 일어나 거실의 소파로 옮겨 앉는다.
그는 안방의 텔레비전을 향해 리모컨을 누른다. 승우도 따라
일어나 안락 의자에 걸터앉는다.

"이제사 뉴스가 시작이로구나. 미친 놈들, 광고는 또 왜 저
리 많은지."

"참, 케이크가 있어. 케이크 먹자구나. 네가 온다고 해서 하
나 사 왔지."

어머니가 네모난 케이크 상자를 가져다가 나무 뿌리 탁자에
올려놓는다. 승우는 안락 의자에서 몸을 흔들어 대기 시작
한다. 그가 몸을 들썩일 때마다 의자의 삐그덕대는 소리가 요
란하다. 아버지가 텔레비전의 볼륨을 신경질적으로 크게 올
린다.

어머니는 비닐 장판 바닥에 퍼드러져 앉아서 탁자 위의 케이
크를 반으로 가르기 시작한다. 텔레비전에서는 예리예리한 얼
굴의 여자 아나운서가 높은 톤으로 검찰과 슬롯 머신의 비호
세력에 대해 떠들고 있다.

"네가 봐도 엄마가 갑자기 늙었지? 왜 그런지 알 수가 없
어. 동네 여자들도 나보고 한마디씩 한단다. 사람이 원래 한꺼
번에 갑자기 늙는 모양이야."

"문민 정부라 역시 틀려. 나도 군인이었지만, 역시 정치는
정치인이 해야 하는 모양이다. 요새는 뉴스가 너무 재미있어서
말이다, 책이고 비디오고 하나 안 나간다더라. 여기 일층 비디

오 집 말이다, 한숨만 땅이 꺼지라고 내쉰다."

어머니가 천연스레 케이크 칼을 허공에 휘저으며 승우를 부른다.

"케이크 좀 먹어 봐. 동네 골목 바깥에 새로 빵집이 생겼는데 맛이 어떤지."

승우는 아버지 옆으로 바짝 다가앉아 텔레비전 뉴스를 보기 시작한다. 그녀가 눈을 가늘게 뜨며 웃는다.

"그래, 가까이 앉아라. 부자가 그렇게 붙어 앉으니 얼마나 보기 좋으냐…… 어머, 맛이 괜찮다. 동네 것치고는. 여보, 케이크 좀 드세요. 단것이 안 좋다고들 하지만 체질에 맞는 사람한테는 인삼보다 낫대요. 당신 식성은 왜 그리 별난지. 사탕하나를 입에 넣지 않으시죠."

그녀는 플라스틱 칼에 묻은 크림을 손가락으로 훑어 할쭉거린다. 텔레비전 화면에는 웬 소년의 뒤통수가 클로즈업되어 있다.

──범인은 키가 백칠십오 센티 정도구요, 마른 편이구요. 삼십 몇 살 정도…… 가위로 혀를 자르라고…… 나보고, 자꾸 자르라고.

"백칠십오면 꼭 형만하네요, 그렇죠, 아버지? 나보다 형이 삼 센티쯤 컸으니까."

"광장동? 광장동이면……."

아버지가 리모컨을 마구 누른다.

"놔두세요, 거기 뉴스!"

화면이 몇 번 연달아 바뀐다. 승우가 아버지의 팔을 낚아챈다. 아버지가 리모컨을 승우의 무릎에 내동댕이친다.

"텔레비전 하나도 마음대로 못 보겠으니."

승우는 얼른 채널을 돌린다.

"산불 얘기는 하지도 않고. 죽일 놈의 새끼들, 도대체 어떻게 되었다고 말을 해야 할 것 아냐!"

화면에 소년의 뒤통수가 다시 잡힌다.

—— 팔목 안쪽에 퍼런 문신이 있었어요. 용 꼬리 같기도 하고. 옷을 입어서 안 보이지만 팔 전체에……

문신은 몸에만 새기는 것이 아니다. 승우, 자신의 머릿속에는 타이프 오자(誤字) 하나 없는 형의 병력 카드가 푸른 잉크로 고스란히 각인되어 있다.

병록 번호 : 91-5-72

이름 : 박승화

생년월일 : 1960. 7. 4.

존속 살해 미수 혐의로 동부 경찰서에서 감정 유치된 환자임.
  (1988. 7. 23)

주요 증상 : 1) 파괴적 공격적 행동

        존속 상해 —— 아버지를 칼로 수차례 찌름. 손, 어깨, 옆구리 자상 확인. 본인은 타살 의도는 없었다고 함.

      2) 기태적 증상

        항상 외투를 안고 있어야 함. 외투가 자신을 보호해 준다는 생각을 하고 있음.

      3) 횡설수설

        돌아가신 조모를 엄마라고 부름. 아버지 어머니를 형, 형수로, 동생을 조카로 부름. 의식적임. 자신의 생부 생모가 누구인지를 환자가 확실히 알고 있음.

병력 : 88. 9-89. 7 국립 정신 병원 입원 치료

90. 8-91. 2 본원 정신과 입원 치료

91. 5-92. 4 본원 정신과 재입원 치료

……

진단적 인상 : 주요 증상 아직 남아 있지만 유보. 자의 퇴원 처리.

어머니가 억지로 손에 쥐어 준 케이크 접시를 아버지는 탁자에 그대로 내려놓는다. 그는 애써 숨을 고른다.

"쓸데없는 데 신경 쓰지 말고 얼른 결혼을 해라. 안정된 생활을 해야 사람 꼴이 제대로 되지."

"참, 딸기도 있어. 딸기 주랴? 농약이 있다고는 하지만 어쩌겠니? 농약 안 뿌린 과일이 요새 있어야지."

그녀는 다시 싱크대로 간다. 그녀의 발걸음이 불안정하다.

"우리 어렸을 때는, 딸기 먹으러 일부러 기차를 타고 수원까지 가곤 했지. 요새는 온통 비닐 하우스 재배라, 세상이 얼마나 좋으냐."

큰 플라스틱 쟁반에 담긴 딸기를 케이크 옆에 놓고 그녀는 피식피식 웃기 시작한다. 술에 취한 그녀의 얼굴은 온통 진분홍색이다.

"이것 좀 다 치워. 누가 먹는다고 이리 늘어놓아?"

"결혼하면 생활비 좀 대 주시겠어요?"

승우는 아버지를 똑바로 쳐다본다. 아버지가 눈을 부릅뜬다.

"생활비라니! 승화한테 들어가는 게 한 달에 삼십이다. 너한테야 집도 해 줬겠다, 직장까지 버젓이 있는 놈이."

"남의 아파트 문간방 얻어 준 게 집이에요?"

"난 너희한테 할 만큼 다했다. 나한테 손톱만큼도 바라지 마라. 사내새끼가 어디 가면 굶어 죽냐? 나는 그렇게 포시랍게 안 컸다. 장가도 제 가기 싫으면 그만두는 거지."

"형이 아예 돈을 안 찾아가면 홀가분하시겠죠? 그 아까운 돈도 안 들고."

"나는 잘못한 것 없다! 나만 보면 죽이겠다고 칼을 휘두르니 내가 피한 거지. 나 때문에 그놈 살인자 만들까 봐. 도대체 내가 그놈한테 잘못한 게 뭐란 말이냐. 왜 나만 보면 죽이려구 덤비냐구? 그놈은 사람이 아니다. 인두겁을 쓴 야차지. 경찰도 돌았지, 보면 모르냐, 그 흉악한 놈을? 정신병은 무슨 얼어죽을 놈의 정신병!"

문을 부수는 듯한 소리는 옥상 출입문을 누가 발로 차는 소리일 터이다. 과연 일이 초의 간격을 두고 문 닫히는 소리가 크게 난다. 다 떨어진 문치고 스프링이 지나치게 멀쩡하다. 새시 문 위쪽 유리에 웬 사내 얼굴이 들어찬다. 새시 문을 여는 아버지의 목소리는 어느새 위엄을 제대로 갖추었다.

"심 병장이 웬일로…… 들어오시오. 이쪽은 우리 아들. 인사드려라. 일층에서 정육점 하는 분이다. 병장으로 제대했지."

승우가 자리에서 엉거주춤 일어난다. 사내가 황감한 표정으로 악수를 청한다.

"그, 그 신문사 정치부 기자로 계시다는 분이구만요. 말씀 많이 들었습니다."

소파에 걸터앉은 그의 체구는 계단에서 처음 마주쳤을 때보다 더욱 작달막하고 그의 머리통은 더더욱 큼지막하다.

"형님은 미국에서 박사 학위를 하시는 중이라면서요. 어쩌면 형제 분이 그렇게 훌륭하십니까. 사장님 내외 분 같은 복 많은 분들이야 세상에 없으십니다. 자식 농사가 최고라지 않아요."

사실이 아니면 당장 하늘에서 떨어지는 천벌이라도 받겠다는 듯이 그는 제법 심각하게 천장을 올려다본다.

"제가 사실 …… 가슴이 다 뭉클합니다. 사장님 내외 분이 이리 험한 데서 기거하시면서, 몇 푼 안 되는 돈에 발발 떠시면서, 어떻게든 돈을 모아 아드님 뒷바라지하는 것을 보면. 그 와중에 작은아드님 아파트까지 한 채 준비하셨다니."

"부모니까 당연히 하는 일이지. 그런데 심 병장은 어디서 복무했다고 했던가."

"삼척이요. 죄송한 말씀 한 마디 올려야겠기에 ……."

사내는 급히 아버지의 말을 막는다.

"다름 아니라 월말이 다가와서 수금을 좀 할 수 있을까 하구요. 제 맘 같아서야 정육을 얼마든지 사장님 댁에 공짜로 대드리고 싶지마는, 이 장사가 현물인데다 원가가 빤해서요 …… 비디오 가게하구야 저희는 입장이 또 다르단 말씀입니다."

"외상이 얼마나 되는데요."

승우의 물음에 그가 새삼 허리를 크게 굽힌다.

"전달에 그냥 넘기신 것하고, 이번 달까지 칠만육천육백 원이죠."

"내가 다음달 초에 주겠다고 자네한테 ……."

"여기 돈 있어요. 얼마라구요?"

식탁 의자에 걸쳐 놓았던 윗옷에서 승우는 은행 봉투를 꺼낸다.

"잔돈 떼고 칠만육천 원만 주시면 됩니다. 하여간, 사장님께서는 천복을 누리십니다. 이렇게 아드님이 효도를 하시니."

"그래, 네가 내렴. 생활비도 워낙 많이 드니 아버지도 힘겨우시지."

케이크 상자를 허겁지겁 추스려 가지고 싱크대로 간 어머니가 선 채로 한마디 거든다. 사내는 아버지의 눈치를 보며 나무뿌리 탁자를 손으로 쓰다듬는다.

"요전에도 말씀드렸지만, 정말 이 탁자는 볼수록 탐이 나는 물건입니다."

"그렇지? 시중 것하구는 틀리다니까. 이 뿌리 하나하나 뻗은 것을 봐. 애들이 하여간 무척 고생했어요. 반 년은 실히 걸렸지."

승우가 돈을 넘겨 주자 사내는 재빠르게 세기 시작한다. 아버지는 신경통으로 고생하는 다리를 눈에 띄게 절룩거리기 시작한다.

"내, 이 다리를 다쳐서 평생 고생이지만 후회는 없어. 사격 훈련 중에 한 아이가 그만 실수로 오발을 해서는…… 목숨을 구한 것만 해도 하늘이 도왔지."

"원래 용감한 분들이야 하늘이 살리신다고 하지 않습니까요. 사장님이야 언제 봐도 현역 군인이십니다. 머리도 항상 그렇게 이부가리로 깎으신데다 군복 바지를 입고 계시니."

"그래, 자네 알아보는구먼, 이 군복 바지. 내 하나 줄까? 가만 있자, 자네 체구가. 보급창에……."

그는 주위를 황급히 휘 둘러본다. 활기로 넘치는 그의 얼굴이 어느새 얼떨떨한 표정으로 바뀌어 간다. 승우와 사내를 번갈아 쳐다본다. 한참 동안 눈을 씀벅이다가 말을 더듬기 시작한다.

"내, 내가 물론 예, 예편을 했지. 그래도 나는 지킬 건 칼같이 지켜. 밤 아홉 시 정각 소등, 새벽 다섯 시 반 기상! 우리 애들이, 참, 자네 이 훈장 봤나? 내가 자랑은 아니지만……."

사내는 천 원짜리 넉 장을 주머니에서 꺼내어 승우에게 내민다.

"이만 내려가 봐야겠습니다. 마누라가 워낙 칼질이 서툴러서요. 나중에 또 뵙겠습니다."

사내는 인사를 하는 둥 마는 둥하며 신을 꿰어 신는다. 아버지는 이미 그를 쳐다보지 않고 있다. 그는 장식장의 유리문을 열고 훈장을 만지작거리고 있다. 옥상문 여닫히는 소리가 이내 들린다.

"승우 너 돈 많이 썼구나, 어떡하니. 하여간 개운타. 정육점 마누라쟁이, 볼 때마다 죽는 소리더니. 여보, 딸기 좀 드세요."

아버지는 새시 문 앞으로 바짝 다가간다. 유리창에 이마를 대고 그는 큰 머리통의 사내가 사라져 버린 어두운 바깥을 무연히 내다보고 있다. 그가 이마를 댄 때문인지, 문을 흔드는 바람 소리가 훨씬 얌전하다.

"회사 공금인데요, 내일 가지고 들어가야 해요."

승우의 손에는 은행 봉투가 그대로 들려 있다. 아버지가 천천히 걸음을 옮겨 안방으로 들어간다. 안방문을 닫고 잠그는 소리가 들린다. 어머니는 딸기를 주워 먹느라 여념이 없다.

"과일이 비싸서…… 하기야 일 년 중에 요즘이 제일 과일 귀할 때지."

안방에서 나온 아버지는 만 원짜리 지폐 넉 장을 내민다.

"월말까지 쓸 돈이 이것뿐이다."

승우는 돈을 받아 봉투에 집어넣는다.

"은행 여자들이 꽤 예뻐요. 아침에 은행에 들러 돈을 찾는데 한참 애들을 쳐다봤어요. 이 동네 같은 변두리야 별 볼일 없지만, 시청 앞 같은 데는 계집애들 인물이 다 탤런트 같아요."

"다 내 잘못이에요. 어떻게든 승화도 내가 데리고 키웠어야 하는데. 저애 보세요, 남 못 들어가 아우성인 대학 버젓이 나와, 얼마나 믿음직해요?"

어머니가 딸기를 먹다가 갑자기 눈시울을 닦는다. 눈물을 흘리는 것 같지는 않다.

퇴원 수속을 밟는 형에게 승우가 가족을 대표하여 찾아간 때는 작년 사월이었다. 형 명의의 통장과 도장을 전해 준 것도 바로 그날이었다. 그 일이 형에 대한 마지막 마무리였다.

——느이 아버지가 나한테 돈을? 매달 삼십만 원씩이나?
이런.

그가 입원 중이었던 이월과 삼월에 걸쳐 일은 계획대로 진행되었던 것이다. 부모들은 이제껏 살던 아파트를 비밀리에 처분했다. 그리고, 그들은 생전 와 보지도 않은 이 방이동 골목 안 건물로 도둑고양이처럼 조용히 스며들었다. 사용하던 전화를 전화국에 반납한 것은 물론이다. 전화를 다시 가설한 것은 그때로부터 만 일 년이 지난, 불과 한두 달 전의 일이었다. 퇴거 신고도 마찬가지였다. 욕을 먹거나 말거나, 살던 아파트에 당분간 그들의 주민등록부를 내팽개쳐 두기로 그들은 아예 작심했다. 병원에서 나올 아들이 그들을 추적할 수 없도록, 다시는 아들의 칼부림을 당하지 않도록 그들은 온갖 머리를 짜내어 자신들의 흔적을 지워 나갔다. 마침 대령에서 예편한 아버지는 더 이상 부대에 나갈 일이 없었고, 승우 역시 이 년 동안 다니던 보험 회사——그는 거기서 광고 팜플렛 제작과 사보 편집을 맡았었다——를 그만두고, 현재 다니는 출판사 편집 차장으로 옮겨 앉았다. 나이트 클럽 경영과 땅 투기로 돈을 번 졸부가 버젓한 직함도 얻을 겸 시작한 사업이라, 출판에 대한 소신 따위는 없었으나 정기적으로 책은 꾸준히 만들어 내는 회사였다.

삼십만 원이 든 통장을 보고 입이 벌어져 연신 키득대는 형을 데리고 승우가 간 곳은 신림동 꼭대기의 허름한 사글셋방이었다. 형의 거처로 마련해 놓은 곳이었다.

──그래, 여기 좋다. 산 밑이라 공기도 좋구. 방세 내고도 돈이 많이 남는데…… 뭣 하러 내가 느이 아버지를 찾냐? 돈이나 꼬박꼬박 부치라고 그래. 나도 느이 아버지 안 보고 사는 게 소원이야. 오죽하면 칼을 들겠냐?

승우는 그 후 단 한 번 그곳에 다시 간 적이 있다. 형의 주민등록증을 손에 쥐고, 멀찌감치로나마 형의 동태를 파악하기 위해서였다. 방에는 이미 낯선 사람이 들어 있었다. 집주인이 도리어 의아해하는 중이었다. 방세를 안 낸다고 한두 번 싫은 소리를 했더니 그만 어디론지 자취를 감춰 버렸다는 것이었다.

"내가 워낙 몸이 약해서. 하지만 느이 할머니는 또 얼마나 대가 세셨는지 모른다. 젊은 것들이 저희끼리만 호의 호식한다고 얼마나 난리를 피웠는지 아니? 외아들 뺏어 간 여우년이라고 손등을 할퀴기까지 하고. 할머니하고 같이 살았더라면 난 벌써 꼬치꼬치 말라 죽었을 거야."

그녀는 왼쪽 손등을 자세히 들여다본다.

"추석이고 설이라고 서울에 다니러 오면, 느이 할머니는 하루 종일 울다가 웃다가 꼭 실성한 양반이고. 승화는 할머니보고 엄마 엄마 하며 철썩 들러붙어서는 우리보곤 한 번도…… 정말 단 한 번도 어머니 아버지라고 부르지를 않는구나."

승우는 의자에서 벌떡 일어나 서성이기 시작한다. 윗도리를 입은 그는 안주머니에서 은행 봉투를 꺼냈다가 다시 넣기를 몇 번이고 반복한다.

"앉으렴, 승우야. 어지럽다."

그녀는 조는 듯이 눈을 감는다. 승우는 어금니를 꽉 깨문다.

"형 말이에요, 아버지, 생활비 좀 올려 주시죠. 하숙비도 올랐구요."

"승화를 만났더냐."

"아뇨, 형을 어떻게 만나요. 어디 있는지도 모르는데."

"그런데 그애가 돈이 더 필요한지는 어떻게 아냐."

"제 하숙비가 올랐으니까요. 물가가 올랐다는 말이에요."

그는 승우를 한참 동안 노려본다. 승우 역시 그의 시선을 피하지 않는다.

"형이 수중에 돈이 모자라면 아버지를 또 찾아 나서지 않겠어요? 가뜩이나 수상한 전화도 온다니 말이지요. 한 이십만 원 더 넣어 주시면."

"이십만 원이라니! 너 정신이 있냐? 그럼 한 달에 오십만 원? 우리 먹고 살기도 빡빡하단 말이다. 삼층 교회도 장사가 안 돼서 이달에 나간다는데."

"어떻게든 부자지간에 칼부림은 피해야 할 것 아니에요? 아버지 말씀대로."

"처음부터 네놈 말을 듣는 게 아니었어. 입원이고 생활비고 다 때려 치우고, 초장에 요절을 내버렸어야 하는 건데. 천하에 아귀 같은 놈."

그가 갑자기 주먹을 쥐고 벽을 치기 시작한다. 경량 칸막이로 조립해 놓은 벽이 우르르우르르 무너지는 소리를 낸다. 벽

뿐만 아니다. 장식장 안의 물건들도, 냉장고와 쌀통 위에 얹힌 살림 나부랭이들도 제각기 우릉우릉 떨기 시작한다.

"평생 나한테 들러붙어 피를 빨려구. 거머리, 기생충 같은 새끼."

"글쎄, 앉아서들 얘기하세요. 내가 머리가 핑핑 돌아서 쓰러질 것 같아요, 여보."

"그러게 왜 그렇게 술을 퍼 마셔? 곰 같은 여편네. 기어이 산삼주 한 병을 해치웠군."

아버지는 한차례 갈겨 버릴 듯한 기세로 그녀에게 다가선다. 그러다가 이내 손을 거둔다. 술에 취한 그녀의 모습을 한심스레 노려본다.

그녀는 나무 뿌리 탁자를 두 팔로 그러안았다. 두 아름이 넘는 나무 둥치가 그녀의 품에 녹녹히 들 리는 없다. 그녀는 단지 탁자에다 머리를 얹고 울퉁불퉁하게 뻗는 뿌리 자락에 양팔을 한껏 벌려 걸쳐 놓았을 뿐이다. 그녀의 왼팔이 이내 탁자 밑으로 떨어진다. 그녀가 번쩍 머리를 쳐들더니 손을 올려 불거진 뿌리 한 자락을 거머잡는다. 몇 초 지나지 않아 이번에는 오른팔이 떨어진다. 흐느적대는 그녀의 허연 팔뚝들은 마치 껍질 벗긴 느티나무 둥치가 되살아나 새로이 뻗어 내린 뿌리 같다.

승우가 안락 의자에 다시 앉아 조급히 몸을 끄덕거린다. 의자의 삐그덕대는 소리가 요란하다.

"언제까지 이대로 사실 거예요? 형이 무서워 외출도 마음대로 못 하시면서."

"내 말이 바로 그 말이다…… 매달 삼십만 원도 기막힌데, 게다가 또 이십만 원? 너도 아다시피 집세 들어오는 게 뻔하지 않니? 내가 돈을 찍어 내냐.”

승우가 신경질적으로 말을 뱉는다.

“집세말고도, 아버지 앞으로 연금도 나오잖아요? 그건 다 어디로 빼돌리세요?”

아버지의 눈에 섬뜩한 빛이 돈다.

“내, 내가 몸이 아파서, 여, 연금이야 내 병원비로 다 들어가는 거고 보다시피 다리 신경통이 심하지 않냐, 이 집에 갇혀서 운동을 제대로 못 하니까. 제발 그놈의 의자 좀 가만 두지 못하겠냐!”

아버지의 호통에 어머니가 소스라치며 머리를 번쩍 든다.

“왜 이렇게 몸이 붓는지 알 수가 없어. 반지가 맞는 게 하나 없어요. 이것 좀 봐라, 승우야. 내 손가락이 이상하다. 가운뎃 손가락에도 헐렁하던 것이 새끼손가락에도 안 들어가니.”

그녀는 양손을 번쩍 올려 헤엄을 치듯 허우적댄다. 그녀의 손끝에 채여 딸기 쟁반의 한 모서리가 나무 뿌리 틈새에 기우뚱하게 걸린다. 쟁반에 괴었던 딸기 물이 그녀의 치마폭으로 주르르 흐르기 시작한다. 그녀는 몸을 비키지도, 물을 닦을 생각도 하지 않는다. 눈을 꿈벅대며 그 모양을 멀뚱히 바라보고만 있다. 쟁반에 남은 딸기가 밑으로 몰렸다. 성한 것은 없다. 문드러졌거나 썩은 것 몇 알뿐이다.

승우가 안락 의자에서 일어나 새시 문으로 다가선다. 넥타이를 풀어 바짓주머니에 구겨 넣는다.

“가야겠어요. 전화하지 마세요. 워낙 바빠서요.”

“너…… 우리하고 연락을 끊겠다는 말이냐? 그럼 느이 형 일은 누가…….”

“직접 처리하시죠. 바람막이 노릇도 이젠 지쳤어요…… 그렇

게 불안하시면 형을 찾아 다시 입원을 시키시든가. 입원비가
더 싸게 먹힐 수도 있죠. 재수 좋으면, 또 알아요? 정신 병원
에 불이라도 나서 침대에 꽁꽁 묶인 채로 타 죽을지."

"얘얘, 그러지 말고……, 십만 원이면 어떻게 안 되겠냐?
삼층 교회가 한두 달 더 있을지도 모르고…… 그 이상은 절대
로 안 된다. 내가 돈이 어디 있냐…… 여기 주민등록증이 떨어
졌구나. 그런데 이 사진이…… 승화 아니냐."

승우는 아버지의 손에서 형의 주민등록증을 낚아챈다. 승우
가 안주머니에서 은행 봉투를 꺼낼 때 같이 묻어 나온 것이 틀
림없다.

"형 것 맞아요."

"그게 왜…… 네 주머니에 있냐."

"전에 살던 아파트 주인이 연락을 했어요. 내 옛날 직장으
로. 그 직장 동료가 나한테 다시 전해 줬지요. 우편으로 왔으
니까 찾아 가라고."

"언제 일이냐?"

"작년 가을요. 돈이 몇 달 안 빠질 때, 그 즈음요. 그러게 제
가 말씀드렸잖아요? 형이 이것저것 다 잃어버린 모양이라고.
소매치기라도 당했거나. 그 와중에 누가 주민등록증만 우체통
에 넣어 준 거죠."

아버지는 꼼짝하지 않고 그 자리에 서 있다. 승우는 내쳐 새
시 문 쪽으로 걸어가 구두를 신는다. 어머니는 나무 뿌리 탁자
에 다시 머리를 얹은 채 팔을 버둥댄다.

"승화야, 무슨 말이라도 좀…… 전화를 걸었으면 말을 해야
지. 나를 꼬치꼬치 말려 죽일 작정이냐……."

봄바람이 제법 옷깃을 들먹인다. 바람에는 벌써 눅눅한 여름

의 냄새가 섞여 있다. 바깥에서 볼 수 있게 설치해 놓은 비디오 가게 화면에는 노랑머리의 남자와 여자가 차 속에서 한창 얼크러져 있는 중이고, 가게 유리창에 바짝 들러붙었던, 이제 갓 중학생이 되었을 성싶은 스포츠 머리의 어린 녀석은 그가 쳐다보자 도리어 눈을 하얗게 흘긴다.

승우는 골목길을 빠져 나온다. 그는 누군가에게 쫓기듯 자꾸 뒤를 돌아본다. 택시를 타야겠다고 생각한다. 어젯밤에 잠을 푹 잤으니 오늘밤은 또 하얗게 지새워야 할 것이다. 오늘밤에는 유미에게 먼저 전화를 걸기로 마음먹는다. 매일 새벽 네 시까지 시를 쓴다나? 웃기는 소리다. 그가 새벽 세 시쯤 전화를 걸면 그녀의 목소리는 영락없이 꿈을 헤매고 있다. 물론 그는 아무 말 하지 않고 전화를 끊는다. 여자라도 …… 말을 해 놓았으면 적어도 세 번에 한 번쯤은 지키는 것이 도리 아니겠는가.

——돈 먹은 것들은 모두 한 줄로 세워 놓고 총살시켜 버려야 해! 조국 통일을 앞두고 뭣들 하는 거야. 문민 정부 만세.

맞은편 길에서 술에 만취한 사람이 고래고래 소리를 지르며 다가오고 있다.

——다 쏴 죽여야 한다구. 따발총으루 드드드득. 할렐루야.

총 쏘는 시늉을 해 대는 그를 쳐다보면서 승우 역시 술취한 사람처럼 거리낌없이 소리치기 시작한다.

"한 달에 삼십만 원이 돈이야? 다 합쳐 봐야 기껏 얼마라고. 퇴직금이라도 받아서 토해 내면 될 거 아냐. 치사한 놈, 갈가위 같은 영감. 떠들기만 해, 널름대는 혀를 잘라 줄 테니."

취한이 그의 얼굴을 쳐다보며 말을 건다.

"형씨, 지금 뭐라고 했소? 나더러 한 소리야?"

"여기 그럼 누가 있냐, 너밖에. 더 입 놀려 봐. 죽여 버려."

그들은 서로 노려본다. 빈 택시가 한 대 굴러 와 멈춘다. 승우는 택시에 올라탄다. 운전 기사는 모범 운전사 셔츠를 걸쳤다.

"잠실."

닫힌 문을 손바닥으로 두드리며 취한이 무어라 지껄인다.

"일행이십니까?"

"아뇨, 웬 미친 놈이. 갑시다."

차가 덜컹대며 움직이기 시작한다. 취한이 차 꽁무니를 향하여 입나팔을 만들어 고래고래 소리지른다.

"봐 주쇼, 형씨. 한 번만. 내 잘못했시다. 용서하셔!"

---

* 오스트발트(Friedlich Ostwalt) 독일의 화학자로 오스트발트 色相環을 제안함. 모든 색을 흰색·검정·순색의 혼합으로 보고, 심리적인 사원색(노랑·청록·푸른 보라·빨강)을 바탕으로 24색상으로 분류. 조화되는 두 가지 색을 찾기 쉽게 되어 있어 디자인 분야에서 많이 사용됨.

별들의 냄새

정 찬

정 찬

본명 정찬동

1953년 부산 출생.
1983년 중편「말의 탑」을 언어의 세계에 발표.
1989년 창작집『기억의 강』현암사에서 출간.
1992년 창작집『완전한 영혼』문학과 지성사에서 출간.
1993년 중편「새」창작과 비평에 발표.
1994년 중편「별들의 냄새」작가세계에 발표.

별들의 냄새

1

작년 가을 어느 날 나는 친구의 권유로 정신 병원에 입원하게 되었다. 그런데 입원의 동기가 지극히 즉흥적이었다. 친구는 신경 정신과 의사였는데 그와의 술자리에서 나는 도무지 살아 있다는 즐거움을 느끼지 못하겠노라고 다분히 한탄조의 푸념을 늘어놓았다.

나의 푸념은 약간의 과정이 있었을지언정 비교적 솔직하고 진지했다. 요즈음의 세태 속에서 남에게 자신의 처지를 털어놓는다는 것이 용이한 일이 아님은 그때나 지금이나 마찬가지다. 더구나 눈에 보이는 구체적인 문제가 아니라 아무리 손으로 쥐려 해도 쥐어지지 않는 정신의 내밀한 문제는 더더욱 힘들다.

나는 정신의 내밀한 문제라는 애매한 말을 썼지만 좀더 단순하게 말하면 삶에 대한 곤혹스러움이라고 표현할 수 있다.

나이가 마흔으로 들어서면 자주 자신의 삶을 반추하게 된다. 머리가 커 가는 아이들은 자신의 세계를 만들어 나가면서 부모한테서 슬금슬금 빠져 나가고, 그 빈 자리가 만드는 헐거움 속에서 젊음이 사라져 버린 아내의 육신을 훔쳐보면 삶은 허망감으로 다가온다. 그것은 한 장의 낡은 봉함 엽서의 모습일 수도 있고, 세월에 바랜 흑백 사진의 모습일 수도 있다. 지금까지 나는 어떤 모습으로 살아 왔는가? 무엇을, 누구를 위해 살았나? 지금 내 사는 모습은 어떠한가? 허망감이 만들어 내는 이러한 물음들은 자신의 무력함만 오롯이 떠올린다.

그 당시 나는 그런 허망감에 짓눌려 있었다. 더욱 어처구니 없는 것은 그 허망감이 육체적으로 전이되어 시든 푸성귀처럼 전신이 무기력해지고 있었다는 것이다. 놀란 아내는 종합 검진을 거의 떠밀다시피 받게 했는데, 다행스럽게도 뚜렷한 이상은 없었다. 그럼에도 불구하고 육체적 무력감은 여전했고, 황량한 들판에 홀로 서 있는 것처럼 마음은 갈 바를 몰라하고 있었다. 쉬면 좋아질까 해서 며칠 휴가를 내어 아내와 동해안 여행을 갔다 왔는데도 별다른 변화가 없었다.

그러던 차에 신경 정신과 의사인 친구와의 술자리에서 나의 정신적 허망감과 육체적 무기력을 털어놓았는데, 친구는 빙그레 웃으며 생활의 모습을 한번 바꾸어 보면 어떻겠느냐고 물었다. 처음 나는 무슨 말인지 몰라 멀뚱히 쳐다보고만 있었는데, 친구는 이렇게 말했다.

"사람의 정신이란 짐을 지고 가는 노새와 다를 바 없네. 노새의 등 위에는 언제나 짐이 있지. 짐이 없다면 노새가 아니니까. 그 짐의 무게가 적당하면 노새의 걸음은 경쾌하네. 그런데 지나치게 무거우면 어떻게 되겠나? 지치게 되지. 설혹 무겁지 않더라도 너무 오래 걸으면 역시 지치게 되지. 지친 노새에게 가장 좋은 약은 무엇이겠나? 등의 짐을 잠시 내리게 하고 쉬는 것일세. 자네는 지금 지친 노새이네."

"내가 지친 노새라구……."

"그래 지친 노새지. 이제 등에 진 짐을 잠시 내리고 쉬게나. 물론 짐을 영원히 내릴 수는 없지. 짐을 지지 않으면 노새가 아니니까 말일세.

"짐을 어떻게 내리지?"

"짐을 내린다는 게 얼핏 생각하면 쉬운 일 같지만 결코 쉬운 일이 아니네. 노새는 스스로 짐을 내릴 수 없으니까 말일세. 그렇다면 누가 짐을 내려놓을 수 있겠나?"

"그거야 노새를 부리는 이겠지."

"옳은 말일세. 그렇다면 자네를 부리는 이, 즉 주인은 누구인가?"

"내 주인?"

나는 중얼거리며 그의 질문에 답하기 위해 곰곰이 생각했다. 내 정신을 부리는 이는 누구인가? 이 생각에 이르자 마치 안개 속으로 들어간 느낌이었다.

"그것 참 대답하기 힘든 질문이군."

내가 머리를 긁으며 멋쩍은 표정을 짓자 그는 싱긋 웃었다.

"대답하기가 힘들지. 노새를 부리는 이는 한 사람이 아니니까 말일세. 자네 자신이기도 하고, 자네를 둘러싸고 있는 사회이기도 하고, 운명이기도 하고, 인간의 무의식이기도 하네."

"무의식? 그건 잘 이해가 안 되는데."

"대부분의 사람들은 의식이 정신의 주체라고 생각하네만, 무의식이 우리들에게 발휘하는 힘을 간과해서는 안 되네. 단순하게 말하면 무의식은 본능이며 감정이네. 이 본능과 감정은 우리들에게 희열을 주기도 하고 고통과 파멸 속으로 밀어 넣기도 하지. 무의식이 요동을 치면 인간의 자아란 폭풍우 속에 갇힌 조각배 꼴이네. 이제 골치 아픈 이야기는 그만하세. 결론적으로 이야기하면 자네는 지친 노새이고, 등에 진 짐을 스스로 내릴 수 없네. 누군가가 내려 주어야지. 그런데 노새의 주인이라는 놈은 도대체 얼굴이 없어. 게다가 언제 노새를 쉬게 할지 몰라. 그러니 다른 방법을 택해야지."

"그건 그렇군."

나는 다소 얼떨떨한 기분이 되어 자신 없는 목소리로 말했다.

"노새가 할 수 있는 유일한 일은 자신이 지쳤다는 것을 주인에게 알리는 것이지. 예를 들면 크게 운다든지, 다리를 절룩거린다든지, 걷지 않는다든지, 아니면 아예 주저앉는다든지 등등 여러 방법이 있겠지. 자네가 회사를 쉬고 동해안 휴가를 간 것도 자네의 주인에게 지쳤다는 것을 알리려는 노력이 아니었을까?"

"글쎄……."

"하지만 그런 노력을 했다고 해서 주인이 짐을 내려놓는다는 보장은 없어. 꾀병을 부린다고 오히려 더 다그칠지도 몰라."

"자네 말을 알아듣기가 참 힘들군."

"허, 그래. 그럼 결론부터 얘기를 하지. 자네 내 병원에 입원을 하게."

"자네 병원에 내가?"

"그래."

"자네 병원은 정신 병원이 아닌가?"

"정신 병원이지."

"그럼 내 정신이 병들었다는 말인가?"

"병이 들었을 수도 있지."

"날 놀리지 말게, 난 다만 조금 지쳤을 뿐이야. 자네도 조금 전에 말했지 않은가. 지친 노새라고."

"허, 무척 겁을 내는군. 이 사람아 정신 병원이 뭐 별것인 줄 아나. 정신이 돈 사람도 물론 있지만 정신이 멀쩡한 사람도 있어. 자네 정신 멀쩡하다는 것은 나도 잘 알아. 내 의도는 휴가니 뭐니 하는 일상적인 요법으로 주인의 마음을 움직이게 하기 힘드니 좀더 다른 방법을 써 보라는 것뿐이야."

"정신 병원에 입원하는 게 자네가 말하는 다른 방법인가?"

"꼭 효과가 난다고 장담할 수 없지만 지친 노새가 한 번쯤은 시도해 볼 만한 방법인 것만은 틀림없어."

"난 도무지 감이 안 잡히는데, 정신 병원에 입원하는 것이 왜 좋은 방법이지?"

"만약 노새가 뒷걸음을 친다면 주인은 어떤 반응을 나타낼까? 화가 나서 채찍을 휘두를 수도 있겠지. 그래도 말을 듣지 않으면 여태껏 멀쩡하던 노새가 왜 이럴까 생각할 거야. 그러다가 아하 이 노새가 앞으로 가기 싫어하는구나, 혹은 쉬고 싶어하는구나 등등의 생각도 할 수 있지 않을까. 이를테면 노새가 거꾸로 가는 것은 주인에게 일종의 파업인 셈이지."

"그러니까 정신 병원에 입원하는 것이 노새가 뒷걸음 치는 행위란 말이군."

"비유를 하자면 그렇지. 말하자면 사는 모습을 달리 해 보는 것이지. 물구나무를 서 보면 세상이 거꾸로 보이네. 그런데 사람은 가끔씩 세상을 거꾸로 볼 필요가 있어. 더 많은 이익을 움켜쥐는 자가 군림하는 자본주의 사회는 사람들을 끊임없이 앞으로 달리게 하지. 달리지 않으면 낙오자가 되고 패배자가 되니까. 사람들은 낙오되는 것이 두려워 이를 악물고 달리고만 있지. 자신이 달리고 있다는 것도 모른 채, 그리고 무엇보다도 인간이 누려야 할 즐거움을 잃어버리고 있다는 것을 모른 채 말일세."

그는 빈 술잔을 나에게 건넸다.

"하지만 영리한 인간이 그것을 전혀 모를 리 있겠나. 시간이 지나면 어렴풋이 느끼게 되지. 빨리 느끼는 이들이 있는가 하면, 늦게 느끼는 이도 있고, 또 아예 죽을 때까지 모르는 이도 있겠지. 자네를 둘러싸고 있는 허망감은 바로 이 느낌의 표현이 아닌가 하네. 존재에 대한 근원적인 허망감 말일세. 더구나 자네는 치열한 경쟁의 시장에서 성공한 대기업의 간부가 아닌가."

"듣고 보니 자네 말에 일리가 있어. 하지만 정신 병원에 입원한다는 것은 아무래도 좀……."

"나는 자네에게 결코 강요하는 것은 아니네. 선택은 어디까지나 자네가 해야지. 하지만 좀더 들어 보고 결정하게나."

"그러세."

나는 멋쩍게 웃으며 술잔을 들었다.

"일단 허망감을 느끼게 되면 사람에 따라 대처하는 방식이 각양 각색이네. 술에 의지하기도 하고, 여자에 탐닉하기도 하고, 오히려 더 빨리 달림으로써 허망감을 떨쳐 버리려고 하는 사람도 있지. 나이가 들어 늦바람이 난 사람이나 혀를 내두를 정도로 무섭게 일에 몰두하는 사람들을 가만히 살펴보면 입을 크게 벌리고 있는 허망감이 눈에 보여. 나는 이런 방법을 자네에게 권하고 싶은 생각은 추호도 없네. 친구에게 술 많이 먹고 바람 피우라고 권하는 건 도리가 아니지, 허허."

그는 소리를 내어 웃었다.

"이런 소극적 방법과 달리 과격한 방법을 쓰는 사람들도 물론 있네. 자신의 등을 짓누르고 있는 짐을 잊어버리려고 하는 것이 아니라 아예 던져 버리는 사람들이지. 사회의 통념에 도전하고, 운명을 스스로 바꾸려 하고, 감정과 본능을 자아와 일치시킴으로써 자신이 스스로 노새의 주인이 되려고 하는 이들이네. 이것 역시 친구로서 자네에게 권할 바가 못 되네. 잘 다니고 있는 직장 때려 치우고, 가장의 굴레를 벗어 버리고 산속으로 들어가라고 한다면 자네 마누라한테 따귀 맞기 십상이지."

"자네가 권한다 해도 나 같은 평범한 사람은 할 수가 없는 일인데 그래."

"그래서 쉬우면서도 부담감 없는 방법을 내가 지금 권하고 있는 게 아닌가. 입원이라는 말이 마음에 걸리는 모양인데, 여태껏 한 번도 해 보지 못한 방법으로 쉬는 것이라 생각하면 되네. 내가 자네를 가두는 것이 아니라 자네 스스로 들어와 세상의 질서와 법칙에 적응하지 못한 사람들의 세계를 그냥 구경하는 것뿐이네. 말하자면 그냥 쉬는 것이 아니라 거꾸로 된 세상 속에서 쉬는 것이지."

그날 밤 나는 친구와 헤어지면서 기분이 떨떠름했다. 그가 정말 나를 생각해서 한 말인가도 의심스러웠고, 무엇보다도 그 내용이 일상의 모습과 너무 동떨어져 있었다.

낯선 것을 두려워하면서도 호기심을 갖는 것이 사람의 마음이다. 두려움과 호기심은 거울 앞의 얼굴이다. 똑같은 얼굴이 서로 마주 보고 있다. 오랫동안 보고 있노라면 거울 속의 얼굴이 진짜 얼굴인지 거울을 보고 있는 것이 진짜 얼굴인지 아리송해진다. 말하자면 두려움이 진짜 얼굴인지 호기심이 진짜 얼굴인지 모르게 된다. 두려움이 거울을 보고 있는가 하면 어느새 호기심이 거울에서 빠져 나와 자신의 다른 얼굴인 두려움을 보고 있다.

친구와 헤어진 지 정확히 보름 후 나는 그에게 전화를 했다. 웬일이냐는 물음에 나는 노새 뒷걸음을 치고 싶다고 말했다. 친구는 허허 웃으며 진심이냐고 물었고, 나는 그렇다고 말했다. 며칠간 입원할 수 있느냐는 물음에 나는 열흘 이상은 안 된다고 하면서 다음 주에 가겠다고 말했다.

전화를 끊은 후 나는 담배를 입에 물었다. 일상의 일탈이라는 것은 허망감에 짓눌린 중년의 삶에 달콤한 유혹이었다. 그 유혹은 두려움을 의외로 쉽게 제압했다. 곰곰이 생각하면 지나치게 두려워할 필요도 없었다. 친구의 말대로 그냥 쉬는 것뿐이며, 나오고 싶으면 언제라도 나오면 그만이었다. 별일 아닌 것을 가지고 지나치게 조심스러워하는 자신이 어처구니없다는 생각도 들었다.

결심을 하니 마음이 홀가분했다. 정말 문제는 아내였다. 정신 병원에 입원하러 간다 하면 아내는 아마 질겁을 할 것이다. 친구의 말을 고스란히 들려 주어도 그녀는 조금도 납득하려 하지 않을 것이다. 부득이 나는 해외 출장을 핑계로 삼을 수밖에 없었다. 여태껏 해외 출장이 잦았던 편이라 아내는 별 의심 없

이 받아들일 것이다. 내 연극이 서툴러 나중에라도 들통날 가
능성도 없지는 않겠지만 설혹 그런 일이 생긴다 할지라도 그건
그때의 일이었다. 내가 바람을 피우지 않았는데, 아내가 무슨
까탈을 부릴 것인가.

2

.지은 지 얼마 되지 않은 친구의 병원은 생각보다 훨씬 좋은
시설을 갖추고 있었다. 5층 건물인 병원은 진료실과 입원실,
그리고 각종 부대 시설로 크게 나누어져 있었다. 나는 병원에
들어서면서부터 잔뜩 긴장했는데, 깔끔한 병원 내부 모습은 적
잖게 이 긴장을 풀어 주었다.

친구는 제일 먼저 내가 기거할 방을 보여 주었다. 어딘지 모
르게 어둡고 칙칙한 일반 병원의 입원실에 익숙해져 있는 나의
눈에 그곳은 입원실이라기보다 검소한 호텔 방처럼 보였다.

결이 보이는 나무 침대는 첫눈에 부드러움과 친근감을 불러
일으켰고, 잘 닦인 유리창과 은은한 색의 커튼은 마음을 푸근
하게 했다. 창가에 서면 병원 마당이 보였다. 그렇게 넓지는
않지만 꽃들이 어우러진 뜰이 있었고, 그 주위에 벤치가 적당
한 간격으로 놓여 있었다.

방을 나와 복도를 조금 걸으면 휴게실이 있었다. 처음 그곳
에 들어갔을 때 무엇보다도 눈을 끈 것은 남향으로 난 커다란
창이었다. 보통 창보다는 훨씬 컸는데, 창에 가득한 햇빛은 눈
이 부실 지경이었다.

이런 저런 책과 탁구대, 마음대로 뒹굴 수 있는 넓은 쿠션과
안락 의자가 있었고, 창과 가까운 곳에 오디오 시설이 눈에 띄

었다. 탁구를 치는 이들과, 책을 뒤적이는 이들, 쿠션과 안락
의자에 몸을 파묻은 이들, 어떤 음악을 들을지 결정하지 못해
음반을 한참 뒤적거리거나, 턱을 괴고 멍하니 창 밖을 내려다
보는 이들의 모습이 그곳의 일상적 풍경이었다.

병원에는 갖가지 사람들이 있었다. 낮에는 방 안에 종일 틀
어박혀 있다가 밤이 되면 부시시한 얼굴로 나와 앞뒤가 전혀
연결되지 않는 말을 쉬지 않고 중얼거리는 이. 누군가가 자신
의 말을 도청하고 있다면서 말을 하다가도 주위를 두리번거리
는 이. 멀쩡한 다리를 일부러 절뚝이면서 걷는 이. 신의 목소
리를 듣기 위해 해가 질 무렵이면 언제나 병원 마당에 내려와
손으로 귀를 모으는 이. 그들은 저마다 자기만의 세계 속에 살
고 있었다. 그 세계는 비현실적이었으나 그들에게는 현실이
었다. 병원은 수많은 사람들이 만들어 내는 다양한 현실들이
상자처럼 쌓여 있는 이상한 공간이었다.

병원에 들어온 지 사흘째부터 마음이 편안해지기 시작했다.
그 편안함은 병원에 있는 이들이 결코 나를 해칠 수 있는 위인
들이 못 된다는 사실에서 비롯되고 있었다. 솔직히 말하면 처
음 나는 그들이 나에게 해코지를 할지 모른다는 두려움을 갖고
있었다. 갑자기 달려들어 흉기로 내 몸을 찌를 수도 있고, 이
빨로 물어뜯을 수도 있다. 왜냐하면 그들은 정신 병자이기 때
문이다.

그들은 세상살이에 실패한 사람들이었다. 실패한 신들의 모
습을 용납할 수 없기에 가공의 현실을 만들어 내어 그 속에서
자신의 존재를 온전한 모습으로 되살려 냄으로써 실패를 잊고
자 하는 이들이었다. 그러나 나는 실패한 사람이 아니었다. 나
는 현실의 대지 위에서 강한 힘으로 내 삶을 구축해 왔다. 누

가 보아도 나는 성공한 사람이었다. 단지 최근에 몸과 마음이 조금 피로해졌을 뿐이다. 그들이 세상살이의 어려움을 이겨 내지 못해 세상의 땅바닥에서 허우적거리는 사람들이라면, 나는 두 다리를 꼿꼿이 세우고 세파를 헤쳐 나온 사람이었다. 그들은 허약한 사람들이었고, 나는 강한 사람이었다. 이 사실을 깨닫게 되자 그들에 대한 두려움이 사라졌다.

비로소 나는 입원을 권유한 친구의 뜻을 알게 되었다. 약한 이들을 보여 줌으로써 내가 강한 정신의 소유자라는 것을 스스로 깨닫게 함이었다. 이 깨달음이야말로 피로한 정신을 일으켜 세우는 효과적인 치료법이었다. 친구의 말대로 거꾸로 된 세상을 가끔 볼 필요가 있었다.

3

병원에 들어온 지 나흘째 되던 날, 나는 병원 마당의 벤치에 앉아 뜰의 꽃을 내려다보고 있었다. 가을의 햇빛은 따뜻했고, 점심을 막 먹고 나온 길이라 더부룩한 뱃속에서 기분 좋은 트림이 나왔다.

"꽃향기는 참 좋지요."

누군가의 목소리에 나는 고개를 들었다. 머리가 텁수룩한 한 남자가 나를 내려다보고 있었다. 휴게실에서 몇 번 본 일이 있는 낯익은 얼굴이었다. 나는 미소를 지으며 고개를 끄덕였다.

"꽃향기를 맡을 수 있는 선생님이 부럽군요."

남자는 슬픈 얼굴로 말했다.

"꽃향기는 누구나 맡을 수 있습니다."

나의 말에 그는 고개를 설레설레 흔들었다.

"하지만 저는 냄새를 잃어버리고 말았습니다."

"냄새를 잃다니요?"

"누군가가 나의 코를 빼앗아 가 버렸습니다."

"코를요?"

"선생님이 보고 계시는 제 코는 겉모습만 코일 뿐 진짜 코가 아닙니다. 냄새를 맡을 수 없는 코는 코가 아니지요."

"그렇군요."

나는 고개를 끄덕이며 그의 말에 동의의 표시를 했다. 정신 병자의 말을 끊게 하는 좋은 방법으로 상대방의 말을 무조건 인정하는 것임을 나는 알고 있었다.

"저는 누구보다도 아름다운 코를 가지고 있었습니다. 선생님 이 도저히 믿을 수 없을 정도로 아름다운 코였습니다."

그러면서 그는 눈을 지그시 감으며 행복한 표정을 지었다. 병원에 들어온 이후 행복한 표정을 짓는 얼굴들을 가끔 보았지 만, 이렇게 행복한 표정은 처음이었다.

"별들의 냄새를 맡아 보신 적이 있으십니까?"

그는 눈을 뜨면서 물었는데, 얼굴이 발그레지고 입가에 미소 가 피어 오르고 있었다.

"그렇게 먼 곳에 있는 것의 냄새를 맡을 수 있습니까?"

"별이 먼 곳에 있다고요? 천만에요. 별은 결코 먼 곳에 있 지 않습니다. 단지 사람들이 그렇게 생각할 뿐이지요."

"그럴 수도 있겠지요."

"선생님은 제 말을 믿지 않으시군요."

그는 슬픈 표정이 되어 나를 쳐다보았다. 나는 난처했다. 믿 는다고 할 수도 없고, 그렇다고 아니라고 말하기엔 그의 표정 은 너무 진지했다.

"별이 정말 먼 곳에 있다면 제가 어떻게 냄새를 맡을 수 있었겠습니까?"

"그 냄새가 어땠습니까?"

나는 조금 짓궂은 표정으로 물었다.

"그것은 향기였습니다. 뭐라고 할까요. 수천 수만의 꽃송이들이 한꺼번에 피워 올리는 향기라고나 할까요. 세상에서 가장 감미로운 향기였습니다."

조금 전의 슬픈 얼굴이 어느덧 황홀한 표정으로 바뀌어 있었다.

"그런데 지금은 꽃향기조차 맡지 못하신단 말이죠."

그는 침통한 표정이 되어 고개를 끄덕였다. 사람의 얼굴이 말의 내용에 따라 이렇게 순식간에 바뀌어질 수 있다는 것이 신기할 지경이었다.

"누가 선생의 그 기막힌 코를 빼앗아 갔습니까?"

나의 물음에 그는 갑자기 안색이 창백해지면서 주위를 두리번거리기 시작했다. 뜻밖의 행동에 나는 어리둥절했는데, 그는 의례적인 인사도 없이 허둥지둥 병원 건물로 들어가 버렸다. 나는 당황했다. 내 말이 그에게 어떤 충격을 주었는지 도무지 알 수 없었다.

나는 아무런 생각 없이, 지극히 즉흥적인 기분으로 물었다. 혹시 내 말 속에 약간의 빈정거림이 있었을까? 그럴 수도 있었을 것이다. 하지만 나는 결코 빈정거리기 위해 그 질문을 했던 것이 아니었다. 곰곰이 생각해 보면 그에 대한 호기심의 발로가 아니었던가 싶다. 그가 코를 빼앗겼다고 했으니, 코를 빼앗아 간 이가 누구인지 궁금한 것은 지극히 당연했다.

아무튼 나는 그가 그런 식으로 가 버린 것이 서운하면서도

쩝쩝했다. 무심코 한 말이 그에게 어떤 충격을 주지 않았을까
하는 걱정도 들었다.

그날 밤 나는 잠을 자기 위해 침대에 누웠는데, 그 남자가
머릿속에서 여전히 떠나지 않았다는 것을 알았다. 그 동안 환
자들로부터 이상한 이야기들을 여러 차례 들었지만 쉽게 잊어
버렸다. 온전한 정신을 갖고 있지 못한 이들의 이야기란 어차
피 온전치 못한 것이었다. 그런데 묘하게도 그 남자의 경우는
달랐다. 별들의 냄새라는 지극히 환상적인 이야기에 내 정신이
쏠린 탓인지도 몰랐다. 하지만 무엇보다도 머릿속에 깊이 각인
된 것은 별들의 향기를 이야기하면서 지었던 그의 표정이었다.

나는 사람의 얼굴에서 그렇게 황홀한 표정을 본 기억이 없
었다. 그는 지난날을 회상하고 있었고, 더구나 그것은 별들의
냄새란 터무니없는 회상이었다. 그런 터무니없는 일을 회상하
면서 어떻게 그 같은 황홀한 표정이 나올 수 있을까 이해가 되
지 않았다.

다음날 나는 혹시 그를 만나지 않을까 해서 휴게실을 가기도
하고, 병원 마당을 어슬렁거리기도 했으나 그는 보이지 않
았다. 저녁을 먹고 난 후에도 일부러 휴게실에 들렀으나 역시
그를 볼 수 없었다. 나는 한참 생각 끝에 친구의 방을 찾았다.
"웬일인가?"
나의 방문에 그는 반색하며 물었다.
"그냥 심심해서. 궁금한 것도 있고…….."
"궁금한 것이라니?"
그는 정신과 의사답게 나의 마음을 보고 있었다.
"환자 중에 코를 빼앗겼다고 말하는 이가 있던데…….."

"아, 강문규 씨 말이군. 그런데 그 사람이 왜?"

"으응, 하는 말이 이상해서……."

"이 사람아 그래서 정신 병원이 아닌가. 그런데 그가 무슨 말을 했길래 자네가 여기까지 찾아올 정도가 되었을까?"

"그 사람 말로는 코를 빼앗겨 냄새를 전혀 못 맡는다고 하던데, 정말 냄새를 못 맡는가?"

"강문규 씨의 코는 멀쩡하네. 하지만 그는 자네에게 결코 거짓말을 하지 않았네. 그 자신은 후각 기능을 잃어버렸다고 믿고 있기 때문일세."

"이해할 수 없는걸. 후각 기능이 멀쩡하다면 맡기 싫어도 냄새가 코로 스며들 텐데 왜 그런 생각을 하는 건가?"

"그러니까 정신에 병이 든 사람이지."

"그건 그렇군. 냄새를 못 맡는다? 그것 꼭 나쁜 것만은 아닌 것 같은데. 이를테면 고약한 냄새를 피할 수 있지 않은가?"

"허, 정말 무식한 소리를 하는군."

친구가 기가 찬다는 듯 피식 웃는다.

"내 말이 그렇게 무식한 소린가?"

나는 적이 불만스러운 표정을 지었다.

"그래, 이 사람아. 물론 우리가 바깥 세계를 인지하는 데 있어서 의존하는 첫번째 감각 기관은 눈, 즉 시각이지. 우선 보여야 하니까 말일세. 또 귀가 있지. 들을 수 없다면 어떻겠나? 끔찍한 일이지. 다음으로 따뜻하다든가 차갑다든가 부드럽다든가를 느낄 수 있는 피부가 있네. 그리고 맛을 느낄 수 있는 혀가 있고, 마지막으로 냄새를 맡는 코가 있어. 이 중 인간이 생존하는 데 가장 필요한 감각 능력이 눈과 귀와 피부지.

맛을 몰라도, 냄새를 맡지 않아도 생존 자체는 지장이 없어. 그런데 생각을 해 봐. 만약 맛을 모르고 음식을 먹는다면 어떻겠나?"

"그것도 끔찍한 일이겠군."

"끔찍한 일이지. 이런 사람들에게 누가 눈을 빼앗는 조건으로 혀를 되돌려 주겠다고 한다면 모르긴 해도 기뻐하며 그에게 매달릴 이들이 상당히 많을걸. 자 이제 우리 대화의 주제로 돌아오세. 만약 자네가 후각 기능을 잃는다고 가정해 보세. 어떤 불행이 닥치겠나?"

"냄새를 맡을 수 없다고 해서 맛을 잃어버린 것이 아니니까 적어도 혀를 잃은 사람들이 느끼는 불행은 없겠군. 다만 음식 내음을 맡을 수 없으니 멀쩡한 사람들보다 식욕의 발동이 늦겠군. 굳이 비유를 하자면 전희가 없는 성교라 할 수 있겠는데."

"꽤 그럴 듯한 비유군. 그런데 냄새는 꼭 음식에서만 나는 것이 아니지 않은가?"

"세상의 모든 더러운 냄새가 사라지겠지. 썩어 가는 냄새도, 서울 거리의 혼탁한 공기 냄새도 깡그리 사라져 버리겠군. 이것도 썩 괜찮은 기분이겠는걸. 하지만 그 대가로 감미로운 향기 역시 사라지겠지. 꽃향기라든가, 나무 내음이라든가, 젊은 여자의 살냄새가 깡그리 사라져 버린다면…… 이것도 생각보다 큰 손실이군."

나느 강문규라는 남자를 까마득히 잊고 친구와의 대화 그 자체를 즐기고 있었다.

"큰 손실이지. 우리가 사물을 인식하는 데 꼭 한 가지 감각에만 의존하는 일은 거의 드물다고 할 수 있네. 가령 어떤 사람을 생각할 때 그 삶과 친밀하면 친밀할수록 시각 외의 다른 감각의 의존도가 높아지게 마련일세. 가령 우리에게 정말 중요한 사랑이란 감정을 생각해 보세. 사랑의 감정 속에는 반드시 다섯 가지 감각의 요소가 있게 마련이네. 우선 상대방의 얼굴이 있겠지. 얼굴도 모르고 사랑할 수도 있겠지만 그건 극히 예외적인 일이지. 그리고 목소리가 있고, 피부의 촉감이 있고, 맛과 냄새가 있지."

"맛과 냄새라……."

"사람에게도 맛과 냄새가 있네. 자네는 여자의 얼굴만으로 사랑할 수 있다고 생각하지는 않겠지. 사랑이란 상대방의 존재 자체를 정신 속으로 끌어안는 인간의 깊은 감정일세. 그러므로 진실한 사랑일수록 그 속에는 상대방만이 갖고 있는 체취가 고여 있게 마련일세. 체취가 없는 사랑은 거죽 사랑이라고 나는 생각하네."

"나도 동의하네."

나는 고개를 끄덕였다.

"그럼 이제 사랑의 대상을 사람에게서 벗어나 범위를 넓혀 보세. 사물과 자연에 대한 사랑, 세계에 대한 사랑이 있을 걸세. 이런 사랑 역시 여자를 향한 사랑과 조금도 다를 바 없다고 나는 생각하네. 말하자면 사물과 자연과, 세계의 살이 풍기고 있는 냄새를 맡지 못한다면 진실한 사랑이 불가능하다는 거지."

"자네의 말이 어려워지는데."

"어렵게 생각할 것 없어. 우리는 책 냄새도 맡고, 나무 냄새도 맡고, 봄내음도 맡네. 이 냄새야말로 사물과 세계를 구체적으로 드러내는 사랑의 체취이네. 우리는 이 체취를 통해 나무의 존재를 근원적으로 느끼고, 봄의 살결을 더듬을 수 있는 것일세. 가령 자네가 산 속의 아름다운 오솔길을 걷고 있는데, 풀들의 내음이나 나무의 향기, 흙내음을 전혀 맡지 못한다고 생각해 보게. 자네는 오솔길이 자네를 향해 열고 있는 마음의 길 속으로 결코 들어갈 수가 없을 걸세. 이제 알겠나? 우리들에게 후각이 얼마나 중요하다는 것을 말일세."

"자네의 논리 정연한 말에 무슨 트집을 잡을 수 있겠나."

나는 심드렁하게 말했다.

"자네의 이해를 돕기 위해 내 이야기 하나 하겠네. 언젠가 사십대 초반의 한 남자가 내 병원을 찾아왔네. 그의 말에 의하면 그는 일여 년 전 교통 사고로 후각 신경계를 크게 다쳤네. 후각 신경계는 전와(前窩) 부분이 옆으로 길게 뻗어 있기 때문에 손상되기가 쉽지. 결국 그는 후각 기능을 완전히 상실해 버렸네. 그런데 몇 개월 후 어느 날 아침에 향긋한 커피 냄새를 맡았다네. 그는 깜짝 놀랐지. 후각 기능이 되살아난 줄 알고 다른 냄새를 맡아 보았는데, 전혀 냄새를 맡을 수 없었어. 그런데 커피 냄새는 분명 나는 거야. 그래서 전에 치료를 받았던 의사를 부리나케 찾아갔지. 검사 결과 전과 다름없는 무후각증이었어. 그런데 그는 여전히 커피 냄새를 맡을 수 있단 말이야. 물론 다른 냄새는 맡을 수 없었지만."

"그거 이상하군."

"이상한 일이지. 고민을 한 그는 혹시 정신적인 문제가 발생된 게 아닌가 해서 나를 찾아왔던 거야. 그의 진료 기록을 면밀히 검토한 후 그와 면담을 했는데, 그가 사고를 당하기 전 커피를 무척 좋아했다는 말을 듣고 진상을 파악했지. 그가 손상당한 부위는 후각 신경계뿐이었네. 즉 대뇌 피질은 멀쩡했던 거지."

"대뇌 피질이 뭔가?"

"무식하기는……."

"나 같은 사람이 있으니까 자네가 먹고 사는 게 아닌가."

"허허, 그런가. 대뇌 피질이란 뇌의 최상부에 있는 중추로서 쉽게 얘기하면 신경계의 참모 본부지. 그것은 신체의 반응을 수집, 통합하고 해석하고, 저장할 뿐 아니라 생각, 근심, 장래의 계획, 문제의 해결 등 우리의 모든 의식적 지적 기능에 관계하고 있네."

"이 사람아 그럼 뇌가 아닌가. 뇌가 안 다쳤다고 하면 되지 대뇌 피질이라는 어려운 용어를 써서 복잡하게 만드나?"

"허허 갈수록 더 무식한 말만 하는군. 사람의 뇌에는 대뇌 피질뿐 아니라 대뇌도 있고, 소뇌도 있고, 시상, 연수도 있네."

"대뇌, 소뇌는 알겠는데 시상은 뭐고 연수는 또 뭔가?"

"아이고, 갈수록 태산일세. 자네 말대로 복잡한 소리는 이제 그만 하고 쉽게 얘기하세. 하여튼 그 사람은 후각 기능을 잃었지만 냄새에 대한 기억을 잃지 않았던 걸세. 그래서 그는 잃어버린 냄새 중 특히 커피 향기를 절실히 그리워했지. 그 그리움이 너무나 강렬했기 때문에 진짜 향기를 느낄 수 있게 된 것이야."

"그러니까 일종의 환상이군."

"환상이지. 그렇지만 그 환상은 커피 향기를 피워 올리고 있네. 말하자면 절실한 그리움이 커피 향기를 되살린 거지. 이처럼 인간의 정신이란 실재를 초월하는 불가사의한 힘을 갖고 있다네. 자, 이제 제자리로 돌아가세."

"제자리라니?"

나는 눈을 동그랗게 뜨고 물었다.

"자네가 나에게 온 목적을 그새 잊어버렸나?"

"아, 그렇지. 코를 빼앗겼다는…… 그리고 보니 방금 자네가 이야기한 사람은 강문규라는 남자와는 정반대의 경우군. 강문규는 후각 기능이 멀쩡한데도 냄새를 못 맡는다고 했으니 말일세."

"그럼 그 멀쩡한 사람이 왜 냄새를 못 맡는다고 하는지도 알겠군."

"자네 말을 미루어 생각하면 정신의 힘이 냄새를 못 맡도록 하는 모양인데."

"제법이군."

그는 싱긋 웃으며 말했다.

"왜 그런 엉뚱한 짓을 하지?"

"어, 벌써 시간이 이렇게 됐군. 나 지금 약속이 있어 나가 보아야 하네. 정 궁금하면 다시 찾아오게. 하지만 싱겁게 나를 통해 아는 것보다 당사자에게 직접 알아보는 것이 더 재미있을 걸."

그러면서 친구는 서둘러 옷을 갈아입기 시작했다.

4

다음날 나는 작업 요법실에서 그림을 그리고 있는 강문규를 보았다. 흰 도화지가 푸른빛이 감도는 검은색으로 온통 칠해져 있었고, 하얀 점 같은 것이 드문드문 보였다. 그는 손에 붓을 든 채 꽤 오랫동안 도화지를 응시하고 있었는데, 그림이 완성된 것인지 아니면 그리는 중인지 알 수 없었다.

"무슨 그림인지 궁금한데요."

나는 되도록 밝은 목소리로 말했다. 고개를 돌린 그는 나를 보자 겸연쩍은 미소를 지었는데, 그 표정이 퍽 천진스러웠다.

"이 하얀 점이 무엇인지 아십니까?"

그는 붓 끝으로 조심스럽게 가리키며 물었다.

"글쎄요. 하얀 것이 무슨 빛처럼 보이는데……."

"선생님은 제 그림을 보실 줄 아시는군요."

뜻밖에도 그는 환하게 웃으며 말했다. 나는 약간 어리둥절했다. 검은색 바탕 위에 찍혀 있는 하얀 점이 빛으로 연상되어 무심코 말했을 뿐이었는데, 그림을 볼 줄 안다니. 더구나 그는 내가 민망할 정도로 좋아하고 있었다.

"이 하얀 빛은 별입니다. 검은 우주 속에서 탄생과 성장과 죽음을 되풀이하는 순결한 생명이지요."

"별도 생명입니까?"

"생명이지요. 인간과 똑같은 생명입니다."

그는 단호하게 말했다. 하도 단호해 왜 생명이냐고 묻는 것이 바보처럼 느껴질 지경이었다.

"이 생명의 냄새를 저는 맡았습니다."

그는 마치 비밀스러운 이야기를 하는 것처럼 목소리를 낮추며 속삭이듯 말했다.

"어떻게 별의 냄새를 맡을 수 있는지 궁금하군요."

나의 말에 그는 곤혹스러운 표정을 지었다. 눈을 내리깔고 미간을 좁힌 채 잠시 생각하더니 고개를 들었다.

"선생님은 제 이야기를 들을 자격이 있는 분입니다. 이 병원에서 제 그림을 제대로 본 유일한 분이니까요. 하지만 여기서는 안 됩니다. 혹시 다른 사람이 엿들을지도 모르니까요. 지금은 병원 마당에 사람이 별로 없을 것입니다. 그리로 가시죠."

그는 나의 소매를 잡아끌었다.

강문규의 말대로 병원 마당은 몇 사람만 서성거릴 뿐 한적했다. 그는 제일 구석진 곳의 의자로 가 나에게 앉기를 권했다.

"선생님은 변신을 해 보신 적이 있습니까?"

"변신이라면…….."

말의 내용이 얼른 이해가 안 될 뿐 아니라 질문의 의도도 알 수 없어 나는 애매한 표정을 지었다.

"인간이 다른 생명으로 변하는 것 말입니다."

"그런 변신은 불가능하지요."

나는 고개를 흔들었다.

"먼 옛날의 인간은 그런 변신을 했습니다."

"무슨 말씀인지 모르겠군요."

"인간들이 짐승을 사냥할 때 여러 가지 방법을 동원하는데, 그 중의 하나가 변신입니다. 대부분의 짐승들이 인간보다 빠르기 때문이지요. 인간이 어떤 짐승을 사냥하려 할 때 그 짐승의 가죽을 몸에 뒤집어씁니다. 똑같은 모습으로 변신을 하는 것이지요. 이 변신이 능하면 능할수록 성공할 확률이 높아집니다. 변신한 인간은 주문을 외우면서 짐승을 향해 다가갑니다. 나는 너와 똑같은 생명이다. 나는 너다. 내가 너에게 가까이 가도 해치지 않는다. 이 주문은 참으로 절실합니다. 왜냐하면 사냥을 하지 못하면 굶으니까요. 이를테면 그것은 생존 그 자체입니다. 그러니 주문이 절실할 수밖에요."

그의 이야기는 엉뚱한 방향으로 가고 있었으나 묘하게 나의 흥미를 끌었다. 아마도 일상 생활에서는 듣기 힘든 낯선 이야기 때문일 것이라고 나름대로 생각했다.

"인간의 간절한 염원은 주문을 부드러운 바람으로 만듭니다. 그 바람은 짐승에게로 다가가 살을 부드럽게 애무합니다. 바람의 부드러운 손을 느끼는 짐승은 자신에게로 다가오는 생명에게 친근감을 갖게 되지요. 그런데 선생님은 제 말을 믿지 않으시군요."

그는 슬픈 표정을 지으며 말했다. 나는 뭐라고 대꾸해야 좋을지 난감했다. 실제로 나는 그의 말을 믿지 않았다. 그는 정신 병원의 환자이고, 더구나 동화나 신화 속에서나 나올 법한 이야기를 하고 있었다.

"제 말은 진실입니다. 다만 사람들이 잊고 있을 뿐이지요. 선생님이 제 말을 못 믿으시는 이유는 귀로만 듣고 있기 때문입니다. 오늘날의 사람들은 말을 단지 귀로만 듣지만 옛 사람들은 온몸으로 들었습니다."

"온몸으로 듣는다구요?"

"그렇습니다."

"온몸으로 듣는다는 게 무슨 뜻이죠?"

"뭐라고 할까요. 지금의 사람들은 귀로 말을 듣고, 머리로 그 말의 내용을 생각합니다. 그뿐이지요. 하지만 옛 사람들은 상대방의 말을 자신의 몸 안으로 밀어 넣습니다. 그리고 기다리지요. 그러면 말은 살아 있는 생명이 되어 몸 속에서 움직이기 시작합니다. 그 움직임을 몸으로 느끼는 것. 이것이 바로 말을 듣는 옛 사람의 모습입니다."

"하지만 저는 옛 사람이 아닙니다."

나는 그의 기분이 상하지 않도록 되도록 부드러운 어조로 말했다.

"선생님은 옛 사람이 될 소질이 있는 분입니다. 왜냐하면 제 그림을 제대로 보셨으니까요."

그의 말에 나는 하마터면 웃을 뻔했다. 그의 그림이 대단한 수수께끼를 품고 있는 것처럼 심각하게 말하는 그의 표정도 그렇거니와, 내가 특별히 그의 그림을 제대로 본 것은 기실 없었다. 검은색 바탕 위에 찍힌 하얀 점이 빛처럼 느껴진 것은 누구에게나 있을 수 있는 지극히 자연스러운 연상이었을 뿐이다. 더구나 그것이 별이라고 생각한 적은 한 순간도 없었다.

"선생님은 제가 어떻게 별의 냄새를 맡았는지 궁금해하셨습니다. 이제 제가 선생님의 궁금점을 풀어 드리겠습니다."

그는 목소리를 다시 낮추며 주위를 살폈다. 그의 이야기가 들릴 정도로 가까이 있는 이들은 아무도 없었다.

"어느 날 밤 저는 꿈을 꾸었습니다. 별빛 한 점 없는 캄캄한 밤이었는데 검은 땅 위에 제가 홀로 누워 있었습니다. 그런데 왜 땅 위에 누워 있었는지 아무리 생각해도 알 수 없었습니다. 어쨌든 저는 땅 위에 누워 무엇인가를 기다리고 있었는데, 기다리는 것이 무엇인지 역시 모르고 있었습니다. 사위는 고요했고, 저의 가슴은 몹시 설레었습니다. 조금 후 광야의 바람 소리가 들려 왔습니다. 그렇습니다. 그것은 광야에서만 들을 수 있는 바람 소리였습니다. 광야를 아시지요? 땅의 생명이 고스란히 살아 있어 만물이 약동하는……."

그의 목소리는 약간 떨리고 있었는데, 흥분한 탓인 듯했다.

"선생님께서도 잘 아시겠지만 오늘날 광야는 사라지고 없습니다. 인간은 땅의 생명을 무참히 짓밟았고, 그 위로 콘크리트 집을 쌓았습니다. 이것은, 이것은 상상할 수 없는 비극입니다. 선생님께서도 잘 아시겠지만…… 인간의 문명이란 헤아릴 수 없는 수많은 생명들을 학살한 장본인이지요."

그는 두 번이나 거푸 내가 잘 아는 사실을 말하는 것이라고 덧붙였다. 그럴 때마다 그는 조심스러운 눈길로 내 표정을 살폈는데, 그것은 자신의 말이 혹시 나에게 거부되고 있지 않는가 하는 불안의 모습이었다. 그러나 다행스럽게도 그의 말을 거부해야 할 이유가 없었다. 적어도 그는 오늘날 문명이 갖고 있는 진실의 한 모습을 이야기하고 있었다. 그래서 나는 그 표시로 고개를 끄덕였는데, 비록 짧은 순간이긴 했지만 그의 얼굴이 환해지고 있었다.

"제가 누워 있는 땅이 지금은 사라져 버린 광야라는 것을 깨닫는 순간 깜깜한 하늘에서 무엇이 내려오고 있었습니다. 어둠 속이었습니다만 나는 그것이 손이라는 것을 알았습니다. 그 손은 내 몸의 살을 벗겨 내었습니다. 믿기지 않는 일입니다마는 저는 제 몸의 살이 벗겨지는 소리를 똑똑히 듣고 있었습니다."

이야기가 이상하게 전개되고 있었다. 나는 뭐라고 말하고 싶었으나 가만히 듣고 있는 게 최상일 듯 싶어 입을 다물었다. 어차피 그는 정신이 온전치 못한 환자였다.

"마침내 손은 동작을 멈추었는데, 돌연 깜깜한 하늘에서 빛이 보였습니다. 어떻게 말해야 그 빛의 황홀함을 선생님에게 전할 수 있을지⋯⋯."

그는 숨을 길게 몰아쉬었다.

"빛이 물처럼 부드럽고 투명했습니다. 빛이 물처럼 보인다는 것이 이상하게 들릴지 모르겠지만 정말 그랬습니다. 푸른 빛이 물처럼 흘러내린다고나 할까요. 마침내 빛은 제 몸에 닿았습니다. 그런데 어떤 일이 일어난지 아십니까?"

그의 얼굴은 발갛게 상기되고 있었다.

"제 몸에서 새로운 살이 일어나고 있었습니다. 마치 새싹이 돋아나듯 새로운 피부가 새록새록 일어났습니다. 저는 새로운 생명으로 태어난 것입니다. 정말 놀라운 일이지요."

"이해가 안 되는데요."

나는 고개를 흔들며 조심스럽게 의문을 제기했다.

"옛 사람들은 짐승으로 변신하기 위해 그 짐승의 가죽을 뒤집어썼지만, 저의 경우는 제 몸에 새로운 살이 돋아났으니까 완전한 변신이지요."

"그건 그렇군요."

나는 다소 얼떨떨한 기분이 되어 고개를 끄덕였다. 말의 내용은 황당하기 그지없지만 그 나름대로의 논리는 제법 정연했다.

"그 새로운 생명에게 최초로 다가온 것이 무엇인지 아십니까?"

그는 눈을 반짝이며 물었다.

"글쎄요……."

"별들의 냄새였습니다. 그런데 그 냄새가 어떠했는지 아십니까? 온갖 생명이 어우러져 있는 땅의 향긋한 냄새였습니다. 광야의 냄새였지요. 그때 저는 비로소 알았습니다. 인간들이 잃어버린 것들이 사라지지 않고 별들에게로 올라간다는 것을 말입니다."

그의 입가에 미소가 피어 오르고 있었다.

5

그날 저녁 나는 다시 친구의 방을 찾았다.

"강문규 씨가 자네에게 그런 말까지 했다구! 자네 환자 다루는 솜씨가 보통이 아닌걸."

낮에 있었던 일을 소상히 이야기하자 친구는 정말 놀랍다는 듯한 표정을 지으며 말했다.

"내가 수완 부린 일은 아무것도 없어. 그저 그림 속의 하얀 점을 빛 같다고 말한 것뿐이네. 아무튼 그의 환상은 대단하더군. 그가 말했던 광야는 어떤 의미에서 탁월한 메타포야. 그런데 그 이야기가 무엇을 뜻하는가? 그러니까 하늘에서 손이 내려와 강문규의 살을 벗겼다든지, 빛이 닿자 새로운 살이 돋아났다는 이야기 말일세."

"자네는 지금 질문의 순서를 거꾸로 하고 있네. 그걸 알기 전에 먼저 강문규 씨가 왜 정신 병원에 왔는지를 먼저 알아야 하지 않을까?"

그제서야 나는 강문규에 대해 아무것도 모르고 있다는 사실을 깨달았다. 내가 알고 있는 것은 그의 이름과 얼굴 모습, 그리고 정신이 온전치 못한 사람이라는 것뿐이었다.

"그가 병원에 오기 전에는 무슨 일을 했나?"

"은행원이었네."

"은행원?"

나는 눈을 크게 뜨며 반문했다.

"왜 놀란 토끼눈을 하고 있나?"

"응, 너무 뜻밖이라…… 그가 은행원이었다는 건 쉽게 상상되지 않는 일인데."

"그는 유능한 은행원이었지. 예금 유치 실력이 탁월해 입사 동기들 중 가장 승진이 빨랐으니까."

"정말 뜻밖이군."

"그는 유능한 은행원이었을 뿐 아니라 성실한 가장이기도 했지. 일곱 살 난 아들과 다섯 살 난 딸을 두고 있었는데, 금실도 무척 좋았던 모양이야. 그 단란한 가정에 불행은 소리 없이 찾아왔어."

"불행이라니?"

"비오는 날 차를 몰고 퇴근하다가 교통 사고가 났지. 빗길에 미끄러져 교각을 들이받았는데 그 순간 강문규 씨는 정신을 잃었어. 깨어 보니 병원이었지. 뼈가 몇 개 부러지고 머리가 약간 다쳤는데, 다행히도 검진 결과 뇌 손상은 없었던 모양이야. 한 달 만에 퇴원한 후 집에서 조금 쉬다가 다시 출근했지. 그러니까 사고 후 두 달 만에 정상 생활로 돌아온 거지."

"뭐 기가 막힌 불행도 없잖아. 공교롭게도 사고 차에 가족들이 타고 있다가 죽었다든가, 아니면 본인이 병신이 되었다든가 하는 것도 아니고……. 고생은 했겠지만 본인의 몸도 멀쩡하니."

"이 사람아, 이야기 다 들어 보고 그런 말 하게나."

친구는 혀를 끌끌 차며 핀잔조로 말했다.

"어느 날 아침 일어나 보니 세계가 달라져 있었다네."

"세계가 달라져 있다니, 그게 무슨 소린가?"

"그는 여태껏 맡을 수 없었던 냄새를 맡기 시작한 것일세."

그날은 일요일이었다. 휴일에는 늘어지게 잠을 자는 것이 강문규의 오랜 버릇이었다. 그는 일요일이면 오히려 더 일찍 일어나 등산이나 운동을 하러 다니는 이들을 이해할 수 없었다. 늘상 쫓기는 게 월급쟁이의 일상사인데 건강을 위한답시고 쉬는 날마저 그렇게 쫓기듯 해야 할 필요가 있을까 싶었다. 출근을 해야 하는 평일날 아침에 가장 아쉬운 것이 잠이었다.

그날도 잠에서 깨어나 시계를 보니 열 시가 다 되어 가고 있었다. 그는 늘어지게 기지개를 켜며 거실로 나왔는데, 뭐라고 표현할 수 없는 강렬한 냄새가 났다. 여태껏 한 번도 맡아 보지 못했던 감미로운 냄새였다. 강문규는 주위를 두리번거렸다. 그러나 냄새를 피울 만한 것이 눈에 띄지 않았다. 부엌에서 아내가 아침밥 준비하는 소리가 들려 왔지만 그가 맡고 있는 냄새와 아무런 상관이 없다는 것을 직감적으로 알았다.

그는 냄새의 진원을 찾기 위해 코를 킁킁거렸다. 냄새는 거실 바깥 베란다에서 나고 있었다. 베란다에는 아내가 오래 전에 사 놓은 화분이 있었다. 그는 비로소 그 냄새가 꽃향기라는 것을 알았다. 약간 열린 거실 유리창 사이로 꽃향기는 농밀하게 새어 나오고 있었다.

그는 베란다로 나가 꽃 앞에 웅크리고 앉았다. 향기는 단순히 코로 스며드는 것이 아니었다. 온몸이 그 향기에 감응하고 있었다. 그는 떨리는 손으로 꽃잎을 만졌다. 부드러운 감촉이 손끝에 느껴졌다. 그런데 그것은 단순한 꽃잎의 감촉이 아니라 친근하고 소중한 어떤 생명의 살을 만지는 것 같았다.

그는 자신에게서 뭔가 이상한 것을 느꼈다. 이 꽃은 오래 전부터 여기에 있었다. 물론 어제도 있었다. 그런데 여태껏 한 번도 향기를 맡았던 적이 없었다. 향기는커녕 꽃이 여기 있다는 사실조차 잊고 있었다. 그런데 어째서 오늘은 세상에서 처음 맡아 보는 것 같은 감미로운 향기가 나는 것일까.

그는 고개를 갸웃했다. 무언가 자신이 달라졌다는 느낌을 받았으나, 무엇이 어떻게 달라졌는지 알 수 없었다.

"자네는 알 수 있겠나?"

친구는 빙긋 웃으며 말했다.

"이 사람아 본인도 모르는데 내가 어떻게 알겠나?"

"단순하게 생각하면 의외로 쉽게 답이 나와. 그가 달라진 점은 그전에는 맡지 못했던 꽃향기를 맡았다는 것이야. 말하자면 그의 후각이 예민해진 거지."

"후각이 예민해졌다니? 냄새 맡는 능력이 갑자기 달라졌다는 말인가?"

"빠른 감이 있네만 결론을 먼저 이야기하면 강문규 씨의 후각이 실제로 예민해졌네."

"어떻게 그런 일이 있을 수 있는가?"

"충분히 있을 수 있는 일이네. 어떤 충격으로 인해 뇌의 후각 신경계를 건드리게 되면 후각 신경을 잃을 수도 있지만 반대로 예민해질 수도 있다네."

"거참 갈수록 이상하군."

"자네에게는 이상할지 모르겠지만 나에게는 하나의 과학적 사실에 불과할 뿐이네. 인간의 몸 속에는 무성한 신경의 숲이 있네. 이 중 한 올의 신경이라도 이상이 생기면 신체의 기능이 갑자기 달라져 버리네. 강문규 씨의 경우 어떤 충격이 그렇게 만들었는지는 정확히 할 수 없지만 아마 교통 사고의 후유증이 아닐까 추측돼네."

강문규가 자신의 후각이 예민해졌다는 것을 뚜렷이 알게 된 것은 아내를 통해서였다. 그는 아내의 몸에서 전에는 몰랐던 독특한 냄새를 맡았다. 풀내음 같기도 한 그것은 아내만이 갖고 있는 체취라는 것을 곧 알게 되었다. 그뿐이 아니었다. 회사 동료들도 각자 독특한 냄새를 갖고 있었다. 냄새가 같은 사람은 없었다. 사람마다 그 냄새가 개성적이며 깊이가 달랐다. 얼마 지나지 않아 강문규는 상대방의 얼굴을 보지 않고 냄새만으로도 누군가를 알 수 있었는데, 더 나아가 냄새를 통해 얼굴 표정보다도 더 생생하게 상대방의 내면 감정을 파악할 수 있게 되었다.

"아니 그럴 수도 있나?"

나는 고개를 갸웃거리며 친구에게 의혹의 눈길을 보냈다.

"충분히 그럴 수 있네. 짐승이든 인간이든 내면 감정이 구체적인 모습으로 드러나는 데가 바로 얼굴 표정이네. 그러므로 감정이 풍부할수록 얼굴 표정 역시 풍부해지게 마련일세. 본래 인간의 얼굴 표정은 어떤 동물보다도 풍부했지. 감정이 가장 풍부했으니까. 그런데 오늘날은 결코 그렇지 않은 것 같네."

그는 미간을 찡그리며 손으로 콧등을 만지작거렸다.

"문명은 인간이 가지고 있는 수많은 감정을 박탈해 왔네. 물론 그 중에는 인간에게 결코 유익하지 못한 감정들도 있을 것이네만, 오늘날 인간들이 상상할 수 없는 깊고 풍부하고 아름다운 감정들도 있지. 이 상실에 대한 탄식은 어느 시대건 끊임없이 계속되어 왔지만, 그 소리가 아무리 비통한들 무력한 소리에 불과하지. 인간이 문명을 만들어 나간 것이 아니라 문명이 인간을 만들어 나갔기 때문일세."

"문명이 인간을 만들어 나갔다구?"

"나는 그렇게 생각하네. 문명은 인간에 의해 태어났지만, 언젠가부터 창조주인 인간을 지배하기 시작했지. 오늘날 인간의 모습이란 문명이란 거대한 쇠사슬에 묶인 무력한 생명이라 한다면 지나친 과장인가?"

"허, 대단히 비극적인 인식을 하고 있구먼."

나는 약간 익살스러운 표정을 지으며 말했다.

"자네의 말은 진실일세. 하지만 문명의 성격을 어떻게 보느냐에 따라 자네의 생각과 다른 진실도 나오는 법일세. 어쨌든 나는 그것을 인간의 숙명이라고 봐. 만약 인간이 지금 당장 문명에 의해 상실된 감정을 되찾는다고 가정해 보세. 세상은 혼란해지고, 인간들의 비명 소리가 도처에서 터져 나올 걸세."

"그렇겠지. 어쨌든 인간은 수많은 감정의 상실로 풍요로웠던 얼굴 표정이 축소되고 단순화되어 왔네. 그런데 이 빈약한 얼굴 표정마저 억압당하고 있는 게 오늘날의 현실이네. 능률 지상주의인 조직 사회 속에서 인간의 감정이란 거추장스럽고 불필요한 요소가 되어 버렸거든. 웃고 싶을 때 슬픈 표정을 지어야 하고, 분노하고 소리지르고 싶을 때 상냥한 웃음을 지어야 한다면 그건 인간 본래의 얼굴이 아니지. 말하자면 오늘날의 인간은 누구나 가면을 갖고 있네. 진짜 얼굴을 숨기는 가면 말일세. 아마 상당수의 사람들이 이 가면을 자신의 본래 얼굴이라고 생각하면서 살아가고 있을 것이네. 이게 바로 문명이 발휘하는 힘이지."

"그런 점에서 보면 강문규 씨가 가면으로 가려진 얼굴을 보는 것보다 냄새로 상대방의 내면 감정을 더 잘 파악했다는 것도 이해가 가능하겠군. 하지만 냄새로 속마음을 안다는 건 좀 ……."

나는 여전히 미심쩍은 얼굴로 친구를 보았는데, 그는 고개를 끄덕였다.

"강문규 씨가 신통력이 있는 사람도 아닌데 냄새만으로 상대방의 속마음을 알 턱이 없지."

"아니, 자네가 조금 전에 그렇게 말해 놓고선 또 무슨 소린가?"

"말을 좀 입체적으로 받아들이게나. 일요일 아침, 후각이 예민해진 강문규 씨가 한 일을 잘 살펴보게. 예민해진 후각은 베란다에 꽃이 있는지조차도 모를 정도로 무심한 사람을 꽃 앞으로 끌고 왔을 뿐 아니라 손으로 꽃을 만지게까지 했네. 게다가 꽃의 감촉이 친근하고 소중한 생명의 살을 만지는 것 같았어. 생각해 보게. 얼마나 놀라운 변화인가. 천지가 개벽할 일이 따로 있는 게 아니야."

"그건 그렇다치고, 그것이 냄새로 속마음을 안다는 것과 무슨 관계가 있는가?"

"베란다의 꽃을 사람으로 대치해서 생각해 봐. 강문규 씨가 향기를 피우는 꽃으로 다가가 그것을 살피고 만지듯, 특별한 냄새가 나는 사람에게 다가가 그를 관찰하고, 그 사람의 정신을 만진다면 속마음을 누구보다 깊이 알 수 있지 않을까."

"냄새에 끌려 상대방의 정신을 만진다? 꽃을 만지듯 부드럽게…… 머리로 그려 보니 썩 괜찮은 광경인데, 마치 영화 속의 장면 같은걸."

"사람을 보다 깊이 이해하고 사랑할 수 있는 방식이지. 마치 연인들처럼 말이야. 하지만 오늘날의 사람들에게는 낯선 방식이네. 더구나 직장 동료들에게 그렇게 했다고 생각을 해 봐. 불쾌해하거나, 이상한 사람 보듯 하지 않았을까."

"그럴 가능성이 충분한데."

"실제로 그랬네. 강문규 씨의 그런 내밀한 접근 방식이 다른 이에게는 이상하게 보였지. 가만히 앉아 있다가도 배시시 웃는가 하면, 일에 몰두하고 있는 직원에게 슬며시 다가가 개처럼 코를 쿵쿵거리며 상대방을 당황하게 했지. 게다가 은행의 단골 고객에게까지 그렇게 했으니 강문규 씨의 입장이 어떻게 되었겠나? 더구나 그는 예금 실적이 뛰어난 은행원이었단 말이야."

"매우 어려워졌겠군."

"어려운 정도가 아니었지. 단골 고객들은 한 사람 한 사람 떨어져 나가고, 직장 사람들은 그를 사고로 인해 머리가 이상해지지 않았나 생각했지. 말하자면 미친 사람 취급을 당한 거야. 그럼에도 불구하고 냄새로 가득한 세계에 둘러싸인 강문규 씨는 행복감을 느끼고 있었지."

일상 생활에서 흔히 보는 사물에도 그전에는 전혀 몰랐던 향기가 있었다. 식당의 투박한 나무 탁자에서 식물의 잔향이 피어 오르는가 하면, 서점에서 책을 뒤적일 때 종이 내음이 향긋했다. 그는 특히 식물의 향기에 예민했다. 길을 걷다가도 꽃향기가 코에 닿으면, 그 향기를 따라 발걸음을 돌리기 예사였다. 그러다 보니 약속 시간 못 지키는 일이 빈번해졌고, 심지어 함께 가던 사람이 갑자기 그가 없어지는 바람에 한참 찾다가 꽃집 앞을 기웃거리고 있는 그를 보고 어이없어 하는 일이 심심 찮게 있었다.

어느 날 그는 점심 시간에 홀로 나와 산책을 하다가 시장기를 느껴 주위를 살폈는데, 골목 어귀에 가정식 백반이라는 간판을 보았다. 음식점은 골목 안 주택가에 있었다. 간판만 걸지 않았다면 영락없는 가정집이었는데, 안으로 들어가니 작은 마당이 나왔고, 현관 앞 섬돌 위에는 신발이 한 켤레 가지런히 놓여 있었다.

수수한 옷을 입은 중년 여인이 그를 맞았다. 신발을 벗기 위해 섬돌 위로 올라섰는데, 과일 향기가 콧속으로 스며들었다. 그는 신발을 벗다 말고 주위를 두리번거렸다. 그것은 마루의 그릇장 위에 놓여 있는 과일주 냄새였다. 각종 과일주가 저마다 색깔을 달리하며 향기를 피우고 있었다.

──과일주 향기가 좋군요.

그는 미소를 지으며 말했는데, 주인 여자는 그의 말을 알아듣지 못해 어색한 웃음을 흘렸다.

──저 과일주 향기 말입니다.

그러자 주인 여자는 눈을 동그랗게 떴다.

──뚜껑을 닫아 두어 냄새가 안 날 텐데요.

──저는 좋은 냄새는 기가 막히게 잘 맡지요.

그는 미소를 지으며 말했다.

──상에 한잔 올리겠습니다.

그러면서 주인 여자는 그를 방으로 안내했는데, 점심 시간임에도 불구하고 손님이 거의 없어 잘못 들어온 기분이 들었다.

──왜 이렇게 손님이 없어요?

그는 주인 여자가 권하는 방석 위에 앉으며 물었다.

──손님들이 여기까지 오시기가 귀찮은가 봐요.

그녀는 대수롭지 않은 투로 말했는데, 그는 여기가 도심에서 제법 떨어져 있는 곳이라는 사실을 비로소 알았다. 어슬렁어슬렁 걷다 보니 꽤 멀리 온 모양이었다. 언젠가부터 점심 시간이면 그는 늘 혼자 다녔다. 회사 사람들이 노골적으로 그와 동행하는 것을 기피하는데다, 그 역시 혼자 다니는 것이 좋았다.

가정식 백반을 주문하고 신문을 뒤적이고 있는데, 실낱 같은 바람이 얼굴에 닿았다. 그것은 솜털처럼 부드러웠다.

후각이 예민해지면서부터 다른 감각들도 예민해지고 있음을 그는 느끼고 있었다. 그 중 유독 두드러진 것이 촉각이었다. 만진다는 것이 얼마나 큰 즐거움인가를 그전에는 까맣게 모르고 있었다. 그것은 단순히 감각이 주는 즐거움을 넘어서서 어떤 근원적인 즐거움을 제공하고 있었다.

좋은 냄새가 날 때 만져 보고 싶은 욕망이 반드시 일었다. 향기와 함께 그것을 만졌을 때, 그것만이 갖고 있는 구체적인 생명이 생생히 느껴졌다. 그 느낌은 모든 사물 하나하나가 자신의 생명과 연결되어 있다는 생각을 불러일으켰다.

촉각뿐 아니라 색채 감각도 명료해졌다. 그전에는 비슷하던 색들이 확연히 구분되었으며, 단순한 하나의 색으로 보였던 것이 실은 수많은 색으로 이루어져 있다는 것을 알게 되었다. 그는 흑백의 세계에서 갑자기 색깔로 이루어진 세계로 들어선 듯한 기분이었다. 이 느낌은 하도 강렬해 전에는 색맹이 아니었나 생각될 정도였다.

그는 솜털처럼 부드러운 바람이 어디서 불어 오나 확인하기 위해 고개를 들었는데, 바람이 아니라는 것을 느낌으로 알았다. 그것은 바람이 아니라 향기였다. 향기가 바람처럼 부드럽게, 그리고 형체가 있는 것처럼 피부에 닿는다는 것은 놀라운 일이었다. 그것은 뭐라고 표현할 수 없는 향기였다. 시간이 쌓이고 또 쌓여, 열매가 익으면 절로 벌어지듯 시간이 절로 벌어져 그 속에서 나오는 향기 같은 것이었다.

그는 꼼짝도 않고 몸에 닿는 향기를 흡입했다. 물내음 같은가 하면, 흙내음 같기도 하고, 강가의 풀내음 같기도 하면서, 이 모든 것이 어우러진 향기 같기도 했다.

향기의 진원은 작은 소반 위에 놓인 돌이었다. 그것은 얼핏 보기에 다갈색의 돌이었으나 그 속에는 수많은 색들이 있었다. 뭐라고 할까. 냄새가 깊듯이 색 역시 깊다고 할까.

——무엇을 그렇게 열심히 보세요?

수저와 반찬을 들고 들어온 주인 여자가 그를 보고 물었다.

―― 이 돌에서 좋은 냄새가 나서요.

―― 돌에서 냄새가 난다고요? 돌에서 무슨 냄새가 나요?

―― 아주머니는 한 번도 냄새를 맡지 못했습니까?

―― 선생님은 이상한 코를 가지신 모양이네요.

주인 여자는 웃으며 말했다.

―― 이 돌 어디서 가져오셨습니까?

―― 남편이 강원도 강가에서 주운 돌인데, 사람들이 그걸 수석이라고 그러는 모양이데요.

그는 고개를 끄덕이며 돌을 가만히 만졌다. 그의 귓속에는 바람 소리와 물 흐르는 소리, 바람에 쓸리는 풀들의 소리로 가득했다.

"그참 코가 별일을 다 하는군. 그런데 강문규 씨의 코는 맨날 좋은 냄새만 가려 맡는가?"

나는 감탄도 아니고, 그렇다고 부러움도 아닌 어정쩡한 투로 물었다.

"물론 불쾌한 냄새도 맡았지. 하지만 냄새란 그에게 단순히 좋다거나 불쾌하다거나 하는 문제가 아니었네. 세계를 바라보는 눈이 달라졌다고나 할까. 오늘날의 사람들, 더구나 복잡한 도시에서 사는 사람들의 판단 기준과 감정의 바탕은 논리와 사고 그리고 추상이네. 그들 앞에 놓여진 세계를 사고하고 추상하고 분류함으로써 얻어진 결론에 따라 살아가는 것일세. 이른바 합리적이고 기능적이고 단편적인 생활이지. 이 사람들의 감각 앞에서 세계란 생기가 없고, 색이 바래고, 구체성이 결여된 회색빛 모습일세. 나도 자네도 이 회색빛 세계 속에서 꼬물거리고 있는걸세."

"꼬물거리고 있다니, 듣기가 거북한데."

"어떤 의미에선 정확한 표현일 수도 있네. 가장 진화된 동물이라고 자부하는 인간이 실상은 가장 단세포적인 생활을 하고 있다면 말일세. 어쨌든 강문규 씨는 우리와는 다른 세계 속에 살고 있었네. 생생하고 구체적이고 순수한 지각의 세계였지. 그곳은 생명과 사물 사이에 경계가 없는 세계였네. 서로가 서로에게 스며드는 세계라고 할까. 문명 세계는 이 사이에 수많은 벽을 만들어 스며듦을 완강하게 차단시키고 있지. 강문규 씨의 비극은 바로 여기에서 비롯되었네."

"비극이라니?"

"후각이 예민해지고부터 일 년이 채 못 되어 강문규 씨는 직장에서 쫓겨났네."

"사고를 저질렀나?"

"특별한 사고는 없었지만 우선 주위 사람들로부터 머리가 돈 사람으로 취급받았지. 그리고 예금 실적이 눈에 띌 정도로 떨어졌네. 게다가 근무 시간 중에 자주 없어져. 있어야 할 시간에 자리에 없다면 좋아할 회사가 아무도 없지. 강문규 씨는 그것을 잘 알고 있음에도 불구하고 어쩔 수 없었어. 사무실에 앉아 있는 것 자체가 그에게 견디기 힘든 고통이었거든."

사방이 콘크리트 벽으로 막혀 있는 사무실 안의 공기는 창문과 환기통이 있음에도 불구하고 탁하고 답답했다. 그런데 언젠가부터 사무실 안에서 부패하는 냄새가 나기 시작했다. 무엇이 부패하는 것인지 모르겠지만 날이 갈수록 그 냄새는 심해져 갔고, 강문규는 견디기가 무척 힘들었다. 그러다가 숨이 막힐 듯 가슴이 답답해지는데, 도저히 참을 수 없는 지경에 이르면 슬그머니 사무실을 빠져 나와 근처 꽃집을 달려갔다. 은행 뒤의 골목 한 귀퉁이에 있는 조그만 꽃집이었는데, 비록 작은 공간이었지만 가득한 꽃향기는 답답한 그의 가슴을 환하게 만들었다.

"납득이 가는 일이군."

나는 고개를 끄덕였다.

"어느 날 그는 감원 대상자에 자신이 포함되어 있다는 사실을 알았네. 유능한 은행원이 예민해진 후각 때문에 결국 실업자가 된 것일세. 문제는 그가 직장에서 쫓겨난 것이 아니라 어느 직장을 가든 적응할 수 없는 존재가 된 점이네. 한번은 그의 형이 손을 써서 들어간 직장에서 두 달이 채 못 되어 나와 버렸고, 그 후 그의 부인이 애써 얻어 낸 직장에서마저 반 년도 못 버티고 나와야 했네. 그는 이 사회에서 철저히 무능한 인간이 되어 버렸지. 게다가 그를 가장 잘 이해할 수 있고, 어떤 의미에서 세상의 누구보다도 가까운 사이라 할 수 있는 그의 부인마저 그를 무능하고 이상한 인간으로 취급해 버렸어. 그런 과정에서 강문규 씨가 받은 정신적 상처는 어떠했겠나?"

"말할 수 없이 컸겠군."

"그를 이해하지 못하고 그에게 적대적이 되어 버린 주위 사람들에게 그가 처음에 보인 반응은 호소와 설득이었네. 말하자면 자신이 발을 딛고 있는 세계가 얼마나 아름다운가를 아내에게, 혹은 직장 사람들에게 적극적으로 설명하기 시작한 것일세. 그는 식물이 피워 올리는 감미로운 향기, 몸 속으로 부드럽게 스며드는 물의 내음, 돌의 내음, 계절의 내음, 그리고 사랑을 불러일으키는 사람의 내음. 그는 이 모든 향기의 세계를 그들이 알아들을 수 있도록 온갖 말을 다 동원했지. 그러나 그의 말은 통하지 않는 언어에 불과했어. 아무리 애를 써도 그들의 눈에는 아름다운 푸른 정원이 보이지 않았네. 그래서 강문규 씨는 다른 방법을 동원했지."

"다른 방법이라니?"

"이른바 문명인들이 살고 있는 세계가 얼마나 힘들고 황량한 곳인가를 자신의 몸을 도구로 삼아 직접 보여 줌으로써 그가 딛고 있는 다른 세계의 아름다움을 보여 주려고 했다고나 할까. 그런데 여기에서 정신의 이탈 현상이 일어나기 시작했어. 말하자면 세계와 정신과의 균형이 허물어졌다고나 할까."

어느 날 강문규는 근무 시간 중 갑자기 숨쉬기가 힘들어 졌다. 가슴이 뛰고 손발이 저리면서 사지가 뻣뻣해지기 시작 했다. 옆에 앉은 동료 직원은 전혀 몰랐는데, 짧은 비명 소리에 고개를 드니 강문규는 이미 격심한 발작 증세를 보이고 있었다. 당황한 직원들은 그를 급히 병원으로 옮겼는데, 의사는 커다란 비닐 봉지로 입과 코를 덮었다. 얼마 후 발작은 가라앉고 그는 실신 상태에서 깨어났다.

"강문규 씨가 겪은 것은 과호흡증이라고 하는데, 심신의 스트레스에 의해 유발되는 일종의 발작 증세이지. 과호흡증의 원인은 공기에 굶주린 듯한 느낌 때문이네."

"공기에 굶주린 듯한 느낌?"

"그렇다네. 그가 왜 근무 시간 중에 바깥으로 나갈 수밖에 없는가를 회사 사람들이 납득해 주었으면 하는 강렬한 바람이 공기에 굶주린 듯한 느낌으로 나타난 걸세. 말하자면 사무실 공기가 참을 수 없을 정도로 숨을 막히게 한다는 것을 그의 몸을 통해 구체적으로 보여 준 것이네. 정신의 바람이 육체적으로 전환(轉換)된 것이지. 그러나 직장 사람들이 그런 내면의 심정을 알 턱이 없지."

"비극이군."

"큰 비극이지. 강문규 씨가 아무리 다른 사람이 갖지 못한 후각을 가졌다 해도, 그래서 남이 느끼지 못하는 행복을 맛본다 해도 그는 한 가정의 가장이고, 또한 문명의 세계를 떠나서는 살 수 없는 이른바 사회적 동물이네. 그런데 그는 사람과 사회로부터 격리되고 있었어. 가족으로부터 신뢰를 잃고, 사회로부터 추방당했던 거야. 그것은 무서운 고통이었지. 인간의 정신이란 견딜 수 없는 고통이 오면 그 고통을 회피하기 위해 자신과 자신을 둘러싸고 있는 세계를 왜곡해 버리네. 가령 사랑하는 이가 죽었는데, 그것을 인정한다는 것이 너무나 고통스러워 죽었다는 사실 자체를 거부하는 사람들이 있어. 그래서 죽은 이가 살아 있는 것처럼 행동하는 거야. 사람들은 이런 이를 정신 병자라고 하지. 강문규 씨가 내 병원에 왔을 때 이런 상태에 있었네. 그가 나에게 처음 한 말은 자신의 코를 잃어버렸다는 거야."

"나에게도 그런 소리를 했지. 코를 잃어버려 꽃향기를 맡을 수 없다고 말이야."

"자신을 가족과 사회로부터 추방시킨 것이 바로 예민한 그의 코였고, 그 코가 없다면 다시 가족과 사회 속으로 돌아갈 수 있다고 판단한 거지. 그에게는 참으로 절실하고 고통스러운 바람이었을 것이네."

"그런데 이해가 안 가는 점이 있는데 …… 내가 뜰의 꽃을 내려다보고 있었을 때 그는 꽃향기를 맡을 수 있는 내가 참 부럽다고 했단 말이야. 그리고 자기는 코를 잃어버렸기 때문에 냄새를 맡을 수 없다고 하면서, 잃어버린 코를 회상할 때 그는 행복한 표정을 지었거든."

"그러니까 나의 말과 모순된단 말이지."

"모순이 아니라 정반대의 상황인걸. 예민해진 코 때문에 불행해졌다고 생각하는 사람이 잃어버린 코를 회상하면서 어떻게 그런 행복한 표정을 지을 수 있겠나?"

"자네의 의문은 지극히 당연하네만 대답하기 전에 한 가지 알아 두어야 할 것이 있어. 강문규 씨의 코는 이제 보통 사람의 코와 같다네."

"아니, 어느 날 갑자기 예민해진 코가 또 어느 날 갑자기 보통 코로 돌아왔다는 말인가?"

"그런 셈이지. 하지만 우리로서는 그 이유를 정확히 알 수가 없네. 특별한 코로 바뀐 이유를 알 수 없듯이."

"그것 참 희한한 일이군."

"그다지 희한한 일은 아니네. 지극히 정상적인 현상이지. 어떤 충격으로 후각 기능이 예민해졌다가 시간이 지남에 따라 그 충격의 효과가 떨어져 본래대로 돌아온 것이니까. 다만 언제 정상으로 돌아왔는지는 알 수가 없지."

"강문규 씨는 후각 능력이 정상으로 돌아왔다는 것을 알고는 있나?"

"글쎄…… 만약 알고 있었다면 그 차이를 어떻게 받아들였는가도 무척 궁금한 일이지."

"아니, 그럼 자네는 그것도 모른단 말인가?"

"솔직히 말하면 모른다는 것이 정확한 표현이네."

"그걸 모르고 어떻게 치료를 하나?"

"허, 이 사람 꽤 신랄하게 추궁하는군. 정신과 의사는 무슨 신통력 같은 것을 갖고 있다고 생각하나?"

"문외한의 입장에서 특별한 기술은 신통력과 다를 바 없네.

자네는 사람의 정신을 다루는 데 특별한 기술을 가진 전문가니까 신통력을 갖고 있어야지."

"신통력이란 맹신과 무지의 산물이네. 과학에는 신통력이라는 것은 없다네. 그건 그렇고, 자네는 어떻게 생각하나?"

"상식적으로 생각하면 알고 있는 게 당연한 일이지. 우선 당장 냄새가 덜 날 테니까 말이야. 그런데 그의 정신이 정상이 아니니까 모를 수도 있겠지."

"옳은 말일세. 그를 분석하는 데 있어서 두 가지 가능성을 다 살펴야 하네. 우선 그가 알고 있다고 생각해 보세. 자신의 후각 기능이 정상으로 돌아왔음에도 불구하고 그는 그 사실을 인정하지 않고 있네. 그것도 아주 완강하게. 그의 정신이 너무나 강력히 그것을 부인하는 바람에 아예 냄새조차 맡지 못한다고 생각할 정도이니……."

"정말 그는 냄새를 전혀 못 맡고 있나?"

"못 맡는다고 하기보다도 못 느끼고 있다고 해야겠지. 그는 스스로에게 냄새를 못 맡는다고 끊임없이 최면을 걸고 있으니까. 그런데 이 최면의 바탕은 다름아닌 그의 예민한 코일세."

"무슨 말을 하는가. 방금 자네는 그가 후각 기능이 정상으로 돌아왔다는 것을 안다는 전제에서 출발하지 않았나?"

"그러니까 강문규 씨는 자신의 코가 정상으로 돌아왔다는 사실을 인정하고 싶지 않은 거야. 그는 여전히 예민한 후각 능력을 갖고 있다고 믿고 싶어한단 말이야. 정신병의 특징은 세계와 현실을 자신이 원하는 모습으로 만드는 것이네. 강문규 씨는 코가 정상으로 돌아왔음에도 불구하고 자신이 원하는 예민한 코를 갖고 있다고 생각하는 거야. 그런데 그 코는 자신을 가정과 직장에서 추방시킨 장본인이거든. 그 장본인을 제거하

기 위해 자신의 코에서 후각 능력을 아예 박탈시켜 버린 것이
지."

"그참 복잡하군."

"인간의 정신 속을 논리적인 시선으로 보면 모순 투성이지.
그는 그의 아름다운 코가 보여 준 생생한 감각의 세계를 잊지
못하고 있네. 그러면서도 그 세계와 결코 공존할 수 없는 현실
의 세계로 돌아가고자 하는 모순된 열망을 가지고 있지. 전자
가 무의식과 본능에 가까운 열망이라면 후자는 이성적 열망이
라고 할 수 있을 걸세."

"그럼, 그가 코가 정상으로 돌아왔다는 사실을 모르고 있다
면 어떻게 되는 건가?"

"그는 여전히 예민한 후각 능력을 갖고 있다고 생각하겠지.
그럼에도 불구하고, 냄새를 전혀 못 맡는다고 생각하는 것은
전적으로 현실 세계로 돌아가고 싶은 욕망의 소산일세. 그런데
여기에서 제기되는 문제는 왜 그가 잃어버렸다는 코를 그리워
하는가라는 것일세. 앞의 경우와 마찬가지로 그는 역시 예민한
후각의 세계를 그리워하고 있네. 다만 앞의 경우는 예민한 코
를 잃어버렸다는 상실감이 더욱 강렬한 그리움을 불러일으키고
있다고 추리하면 되겠지. 인간이란 자신이 갖고 있는 것보다
잃어버린 것을 더 갈망하는 변덕스런 동물이니까. 어쨌든 두
가지 경우 다 강도의 차이가 있을 뿐 강문규 씨는 예민한 후각
의 세계가 보여 준 생생한 감각의 세계를 잊지 못하고 있네.
똑같은 대상을 향해 동시에 정반대의 감정을 가지는 것이 인간
의 정신이네. 그의 특별한 후각 능력이 가족과 사회로부터 격
리시켰지만 향기 가득한 세계 자체는 그에게 감미롭고 행복한
감정을 여전히 주고 있는 걸세. 자, 이제 자네의 첫 질문으로

다시 돌아가세."

"나의 첫 질문이라니?"

"자네가 다소 흥분하여 묻지 않았나? 별들의 냄새니 광야니
하는 강문규 씨의 환상 말일세. 광야라는 말은 탁월한 메타포
라고 감탄까지 해 놓고선⋯⋯."

"아, 그렇지."

누가 들을까 주위를 살피며 별들의 냄새와 광야를 이야기하
던 강문규의 상기된 얼굴이 머릿속에서 생생히 떠올랐다.

"어떻게 별들의 냄새를 맡을 수 있는가라는 자네의 물음에
대한 강문규 씨의 답변은 정신과 의사의 입장에서는 대단히 흥
미롭네. 그는 꿈을 꾸었다고 했지. 별빛 한점 없는 캄캄한 밤
의 차가운 땅 위에 누워 두근거리는 가슴으로 무엇을 기다리고
있었는데, 하늘에서 손이 내려와 그의 살을 벗겼고, 물처럼 투
명한 빛이 몸에 닿자 새로운 살이 돋아났다고 했네. 이 내용은
샤먼이 되기 위한 통과 의례를 연상시키네."

"샤먼⋯⋯. 통과 의례? 갑자기 무슨 엉뚱한 소리를 하나?"

"엉뚱한 소리일 수도 있지. 하지만 참고 들어 보게나. 무속
신앙에는 육신 해체니 육신 절단 등으로 알려진 입무(入巫) 절
차식이 있네. 말하자면 샤먼이 되기 위해서 견뎌야 하는 상징
적 통과 의례라고 할 수 있지. 기록에 의하면 샤먼이 되고자
하는 이가 단식과 불면, 혹은 환각제의 복용을 통해 트라우마
적 상태에 빠지게 되면 신의 부름이나 목소리를 들을 수 있다
고 하네. 이때 그의 영혼은 육신에서 벗어나게 되면서 자신의
집이라 할 수 있는 육신을 볼 수 있게 되네. 신은 그의 육신에
서 살을 벗겨 내며, 뼈를 씻고, 더 나아가 뼈를 깎기까지 하지.
그 뼈 위에 새 살이 돋아나 육신이 그전의 모습을 찾으면 그는

샤먼으로 재생한다는 것이네. 어때, 강문규 씨의 꿈 이야기와 비슷한 점이 있지 않은가?"

"글쎄, 비슷한 점이 있기는 한데 아무래도…… 자네가 말하지 않았는가, 과학에는 신통력이 없다고."

"샤먼 하니까 대뜸 신통력이 떠올랐나 보군. 하지만 샤먼에 대한 연구도 엄연한 학문일세."

"그렇기는 하네만……."

"얼굴 표정을 보니까 영 못마땅한가 보군. 내가 하는 이야기는 어디까지나 정신과 의사로서 할 수 있는 상상의 일부일 뿐일세. 그러니까 가벼운 마음으로 듣게나."

"의사에게도 상상이 필요한가?"

"정신을 대상으로 하는 의사는 그 누구보다도 풍부한 상상을 필요로 하네. 자, 이제 상상의 길 속으로 들어가 보세. 우선 강문규 씨가 자네에게 한 꿈 이야기는 그가 당한 교통 사고를 상징하고 있다고 가정해 보면 어떨까? 비록 뼈만 몇 개 부러지고 머리 부분이 약간 다친 비교적 가벼운 사고였지만 그것이 그의 후각 신경에 어떤 변화를 주었거든."

"자네의 의도를 이제야 알겠네. 그러니까 후각의 발달로 우리들이 볼 수 없는 감각의 세계 속으로 들어간 강문규 씨를 샤먼으로 비유하고 있군. 그러니까 교통 사고가 샤먼이 되기 위한 통과 의례가 된 것이고……."

"그렇다네. 샤먼과 강문규 씨 사이에 내가 상상의 다리를 걸어 놓은 것일세. 이 다리를 떼어 버리면 둘 사이에는 아무런 연관이 없네. 까마득한 허공뿐이지."

"왜 하필이면 샤먼으로 비유를 했나?"

"샤먼이란 신성한 존재와 접촉 교류할 수 있는 선택받은 인간이네. 즉 신성한 존재가 있었기 때문에 샤먼이 비로소 존재할 수 있었던 거지. 그러나 오늘날의 현대 문명은 신성한 존재를 인정하지 않네."

"신성한 존재의 의미가 분명히 떠오르지 않는데 …… 단순히 신이라면 오늘날도 수많은 사람들이 신을 믿고 있지 않나?"

"옳은 지적일세. 하지만 오늘날의 신은 이미 신성한 존재가 아니라고 할 수 있네. 교회와 절은 누구나 들어갈 수 있으며, 헌금을 통해 신을 훌륭히 예배할 수 있는 게 작금의 모습이네. 신을 믿는 자세가 너무 일상적으로 변해 버렸다고나 할까. 극단적으로 말하면 오늘날의 신은 죽은 모습을 하고 있네. 하지만 문명이 부재했던 시대에서의 신이란 살아 있는 존재였네. 오늘날처럼 정형화되고 고정화된 존재가 아닌, 끊임없이 살아 움직이면서 인간의 삶 속으로 파고드는 생명적 존재였지. 이런 시대에서는 흐르는 시간 속에서 끊임없이 변하는 자연 자체가 신성한 존재였네. 푸른 잎이 붉어지고, 찬바람과 함께 땅에 떨어지고, 봄이 오면 소생하는 삼라 만상이 말일세. 한 잎의 낙엽, 하나의 사물 속에서 그들은 신성을 보았네. 그러나 문명은 자연을 인간을 위한 도구로 전락시키면서 신성을 살해해 버렸네."

"자네 너무 심각하게 말하는 것 아닌가?"

"이 대목에서는 나는 더 심각해지고 싶은데, 왜 듣기 지루한가?"

"아닐세. 계속하게나, 허허."

나는 웃으면서 손을 내저었다.

"문명을 이루는 핵심적 특성은 전문성과 생산이네. 즉 전문성을 통해 보다 많은 생산을 추구하는 사회가 바로 문명 사회

이네. 강문규 씨는 이 문명 사회에서 능력을 인정받은 사람이
었지. 은행이란 전문성의 집단에서 예금 유치라는 생산 활동을
남보다 뛰어나게 하였던 것일세. 그런데 사고로 인해 그의 후
각 능력이 예민해지면서 그전에는 볼 수 없었던 풍부한 감각의
세계가 펼쳐졌네. 여태껏 무심히 보았던 사물 하나하나가 살아
나고, 죽은 것처럼 보였던 생명들이 놀랍게도 향기와 함께 그
의 삶 속으로 살며시 파고들어 왔어. 그는 황홀했지. 왜 황홀
했을까? 다른 생명을 느낀다는 것은 곧 자신의 생명을 느끼는
것일세. 다른 생명을 깊이 느끼면 느낄수록 자신의 생명을 깊
이 느낄 수 있지. 생명을 깊이 느끼는 감정이 황홀이라고 나는
생각하네. 그런데 문명 세계는 이 황홀을 용납하지 않아. 문명
은 전문성과 생산을 저해하는 모든 요인을 경멸하고 파괴시키
네. 그런데 생명이라는 신비하고 유장한 세계는 닫힌 세계를
거부하네. 전문성이란 닫힌 세계지. 그러니 강문규 씨에게 황
홀을 부여한 샤먼의 제전(祭典)은 문명의 땅에서는 사라져 버
린 광야에서 이루어질 수밖에 없지 않겠는가?"
　"자네의 말을 듣고 보니 강문규 씨가 처했던 상황이 일목 요
연하게 떠오르네. 그런데 한 가지 의문이 있네. 의사는 환자를
치료하는 게 목적이 아닌가. 자네의 목적은 강문규 씨를 치료
하여 문명 사회로 돌려 보내는 것이라 생각되는데, 지금 자네
는 오히려 문명 사회에서는 용납되지 않은 감각의 세계를 찬양
하고 있으니 ……."
　나는 그의 표정을 살피며 조심스럽게 말했다.
　"환자의 정신 병리를 추적하는 데 있어서 가장 근원적 요소
는 환자가 갖고 있는 환상일세. 그런데 그들의 환상 중에는 본
래 인간이 갖고 있었던 특성일 경우가 많네. 말하자면 문명에

의해 상실해 버린 인간의 모습들이지. 여기에서 정신과 의사는 묘한 갈등을 느끼게 되네. 환상 속의 그들은 행복한 얼굴이지만 현실로 돌아오면 순식간에 비참한 존재로 전락되어 버리거든. 이 사람들을 어떻게 치료해야 하는가 하는 물음 앞에 늘 난감해지네."

"문명의 폐해가 심각하다는 것은 그 차이는 있을망정 누구나 인정하고 있네. 그럼에도 불구하고 인류가 발전해 왔다고 말할 수 있는 것은 그 폐해보다 문명이 가져온 이로움이 더 많기 때문이 아닌가."

"글쎄, 나는 그것을 자신 있게 부인할 근거는 없네만 반드시 그렇다고 생각하지는 않네. 원시 사회의 인간들은 동물을 사냥해서 생존해 왔지만 오늘날의 인간은 인간의 살을 뜯어 먹으면서 살고 있다고 한다면 어떤 사회가 더 나은 사회라고 자신 있게 말할 수 있을까?"

"인간의 살을 뜯어 먹으면서 산다는 게 무슨 뜻인가?"

"자본주의 사회란 냉혹한 경쟁 사회지. 얼핏 생각하면 노력한 만큼 대가를 얻고 사는 세상 같지만 조금만 자세히 들여다 보면 서로 뜯어 먹는 모습이 보이네. 서로의 살을 뜯어 먹으면서 숨가쁘게 살고 있네. 더 많이 뜯어 먹기 위해, 그리고 자신의 살이 안 뜯기도록 끊임없이 주위를 두리번거리며 정신의 안테나를 팽팽히 세우지."

"나는 한번도 남의 살을 뜯어 먹지 않았네."

"그건 오만이고 맹목이네. 자네가 살아 왔던 모습을 조금만 냉정한 눈으로 본다면 틀린 말이라는 것을 금방 알게 될 걸세. 만약 자네가 남의 살을 뜯어 먹지 않았다면 지금 자네가 누리고 있는 물질적 풍요와, 그 풍요를 보장하는 사회적 위치에 앉아 있지도 못했을 것일세."

"너무 지나친 말이 아닌가."

"지나친 말이지. 하지만 나의 눈에는 이기심이라는 천박한 욕망을 최대의 미덕으로 인정하는 자본주의라는 사회가 그렇게 보이네. 지금 도처에 강물이 썩고, 바다가 오염되고, 하늘이 시커멓게 변해 가는 이유가 뭔가? 인간의 욕망이지. 그 동안 우리들은 눈 앞의 풍요를 위해 산과 강을 마구 파괴시켰네. 자연이란 인간의 어머니이네. 자연 속에서 태어나, 자연이 만들어 내는 공기 속에서 숨을 쉬고, 어머니의 맑은 피와 같은 물을 마시며, 달디단 과실과 곡식으로 배를 채우지. 인간이란 한없이 넓은 어머니의 품에 안긴 조그만 어린아이에 불과할 뿐이네. 그런데 그 어머니를 인간이 어떻게 해 왔나. 흡혈귀처럼 피를 빨고, 살을 파먹고, 순결한 몸 속으로 온갖 더러운 병균을 주입시켜 왔네. 어머니를 강간하는 더러운 자식의 모습이지. 어머니가 죽으면 자신도 죽는다는 것을 까마득히 모른 채 말이야. 인간의 욕망이란 이렇게 천박하네. 그런데 유감스럽게도 이 천박함을 사회의 미덕으로 삼고 있는 사회에 우리는 살고 있네."

"자네의 말을 들으면 이 세상의 모든 인간이 천박이라는 굴레에서 벗어날 수 없겠네."

나는 퉁명스럽게 말했다.

"지금 인간에게는 변신이 절실히 필요할 때라고 생각하네. 인류사를 살펴보면 인간은 수많은 변신을 해 왔네. 그 중에서 가장 혁신적인 변신이 짐승의 모습에서 인간의 모습으로 변한 것이네. 네 발로 기어다니던 짐승이 두 발로 걸어다닌다고 생각을 해 봐. 이것은 단순한 자세의 변화가 아니라 존재 자체의 근원적 변신이네. 그 후 시간은 강물처럼 흘렀고, 직립 보행을 하는 인간은 오늘날의 문명 세계를 이룩했네. 그런데 언젠가부터 수많은 부작용이 생겨났고, 지금은 생존 자체를 위협하고 있지. 이제 우리는 네 발로 기어다녔던 짐승의 기억을 필요로 하네. 우리가 까마득히 잊어버렸던 기억 말일세."

어느덧 해는 창 너머 서녘 하늘로 뉘엿뉘엿 지고 있었다.

6

그날 이후 내가 병원을 나올 때까지 서운하게도 강문규와 더 이상 이야기를 나누지 못했다. 그와 몇 번 마주치기는 했으나 나에게 자연스럽게 말을 걸던 그전과는 달리 그의 얼굴은 딱딱하게 굳어 있었다. 나는 그가 왜 그러나 궁금해 친구를 다시 찾았는데, 면회를 오기로 한 그의 부인이 무슨 사정인지 오지 않아 그가 몹시 상심하고 있다는 말을 들었다. 사흘 후 나는 내가 누릴 수 있는 휴가 기간이 끝나는 바람에 병원을 나와 다시 일상 생활로 복귀했다.

그 병원에 있었던 열흘이라는 시간은 생각하기에 따라 긴 시간일 수도 있고, 지극히 짧은 시간일 수도 있다. 그리고 친구의 의도대로 지친 노새의 등에서 무거운 짐이 잠시나마 내려졌는지 알 수가 없다. 게다가 병원을 나오면서 가슴 밑바닥 깊숙한 곳에서 우러나오는 슬픔의 이유를 지금도 정확히 알지 못한다. 내가 확실히 깨달은 유일한 것은 나라는 사람이 병원에 있는 그들보다 더 강한 인간이 결코 아니라는 사실이다.

그리고…… 또 있다. 내가 하늘에 떠 있는 별을 그 전처럼 무심히 보지 않는다는 것과, 길을 가다가도, 혹은 다른 사람과 이야기를 하다가도 가끔 나도 모르게 주위를 두리번거리는 버릇을 가진 것은 강문규가 나에게 남긴 흔적이다. 처음에 왜 내가 주위를 두리번거리는가를 몰랐는데, 되풀이됨에 따라 향기를 찾고 있다는 것을 알게 되었다. 우리가 걷는 거리에, 우리가 마주하고 있는 사람들 속에 어떤 향기가 있을까?

저문 날의 挿話 5

박완서

저문 날의 挿話 5

그들은 서울의 매연(媒煙)을 벗어난 그린벨트 안에 살고 있었다. 교통이 불편하고 신축이나 증축의 허가가 나지 않아 땅값이 싸고 공기가 좋았다. 시간 맞춰 출퇴근할 필요가 없는 은퇴한 영감님과 흙 주무르는 게 취미인 마나님 양주가 살기엔 더할 나위 없이 좋은 동네였다. 그들은 아주 가끔씩 따로따로 시내에 볼일이 생겼고, 시내에 나갔다 들어올 적마다 파김치가 되곤 했다. 몇 번씩 갈아타야 하는 불편한 교통 탓도 있으련만 그들은 언제나 시내의 고약한 공기 탓으로 돌리고 시내에서 떨어져 살게 된 걸 새삼스럽게 행복해하곤 했다. 그리고 유난히 자주 심호흡을 하면서 앞산과 탁 트인 하늘을 쳐다보곤 했다. 하루만 그러고 나면 폐부 속의 그을음이 깨끗이 닦인 것처럼 다시 정정해지곤 하는 것이었다.

영감님은 내년이 환갑이고 마나님은 그보다 이 년 손아래였다. 두 양주가 다 그 나이라면 누구나 한두 가지씩은 지녔음직한 지병(持病) 없이 건강했고 염색하는 대신 서로 가끔 흰머리를 뽑아 주는 걸로 족할 만큼 칠칠하고도 검은 머리칼을 가지고 있었다. 험하고 고된 농삿일 아니면 막노동을 생업으로 삼아 일찍이 겉늙은 그 동네 토박이들은 그들의 실제 나이를 알면 한결같이 놀라움을 금치 못했고 도회지와 도회지 생활에 대한 동경과 질투를 적나라하게 드러내기도 했다. 그러나 그들의 생각은 그와는 정반대였다. 은퇴 후의 전원 생활이 그들에게 회춘의 생기를 불어넣어 주고 있다고 여기고 있었다.

그들은 지병뿐 아니라 아무런 걱정도 없었다. 공직 생활을 정년이 될 때까지 채운 영감님은 일하지 않고도 죽는 날까지 연금을 받을 수가 있었고, 그 연금은 영감님이 먼저 죽더라도 마나님에게 죽는 날까지 계속 지불될 터였다. 그 액수 또한 검약이 몸에 밴 그들에겐 구태여 돈에 연연해하지 않아도 될 만큼 충분했다. 아들 둘 딸 둘이면 자식 울타리도 남부럽지 않게 근검하다 할 만하다.

이렇게 충족됐던 적은 일찍이 없었다. 고위직도 못 되는 주제에 관운이 평탄치 못하기는 고위직보다 더하면 더해 굴욕을 무릅쓰고 붙어 있어야 했던 기간도 결코 짧지 않았다. 하필 그 시기에 대학생이 둘씩 겹치고, 또 결혼과 대학이 겹치기도 해 이태가 멀다 하고 집을 줄여 먹어야만 자식들 뒷바라지를 할 수가 있었다. 막내딸 결혼시키면서 마지막으로 줄여 먹을 때 기어코 특별시를 쫓겨나고 말았다. 그러나 더는 줄여 먹을 일 또한 없어졌다는 안도감 때문에 더는 줄여 먹을 여지도 없는 시골집 한 채가 그렇게 대견하고 편안할 수가 없었다. 그때는 이미 퇴임할 날짜까지 받아 놓고 있을 때라 불편한 교통은 조금도 문제가 되지 않았고, 오히려 그 고생 안 해도 될 날을 손꼽아 기다리는 즐거움을 더해주었다. 그 집은 여러 모로 그들에겐 복가(福家)였다. 그 집 때문에 영감님은 은퇴 후 갑자기 많아진 시간을 두려워하거나 우두망찰하지 않아도 되었다. 워낙 지은 지 오래된 시골집이라 낡았을 뿐 아니라 불편하기가 이루 말할 수가 없었다. 은퇴 후 대부분의 시간을 영감님은 집을 손보는 데 보냈다. 두꺼비집 퓨즈 하나 못 갈던 솜씨가 느리긴 해도 진국스러운 목수 미장이 흉내를 낼 수 있게 되었다. 어떡하면 마나님을 편하게, 같은 일이라도 즐거워하며 할 수 있게 할 수 있을까에 그는 솜씨와 정성을 다했다. 처음부터 그럴 작정은 아니었다. 너무 허술한 안전과 너무 초라한 미관을 좀 어떻게 해 볼 수 있기를 요행처럼 바라고 시작한 일이었다. 지붕을 비가 안 샐 때까지 고치고, 방고래를 없애고, 온수가 도는 파이프를 깔고, 벽마다 단열재를 집어 넣고, 다시 한 겹을 더 쌓는 일 등은 가끔 품을 사야 할 만큼 힘든 일이었지만 어렵지는 않았다. 그에게 난관이 되었던 것은 재래식 가옥의 기본 구조였다. 그 기본 구조까지 어째 볼 생각은 손톱만큼도 없이 시작한 일이었는데 그 기본 구조에 손을 대지 않고는 집을 고쳤달 수 없을 것 같은 생각이 들기 시작한 것은 목수일 미장일에 어느 정도 문리가 트고부터였다. 우리의 재래식 가옥이 여자에게 더 불편하게 돼 있다는 건 대물림의 한옥에서 처음으로 개량 주택으로 이사 갔을 때 아내가 얼마나 좋아했던지, 그때부터 충분히 알고 있었다. 그러나 이름난 반가(班家)는 물론 시정의 여염집, 시골구석의 초가 삼간에 이르기까지 일관되게 악착같이 고수해 온 기본적인 틀이 여자에게 단지 불편한 정도가 아니라 악랄하고도 교묘하게 설계된 형(刑)틀이라고까지 생각하게 된 것은 손수 집을 고쳐 보고 나서였다. 그는 오늘날까지, 아내를 사랑하는 방법에 그랬듯이 은근히 생색내지 않고 아내의 마음을 헤아리며 아내와 입장을 바꿔 보며 형틀의 고의적인 불편을 고쳐 나갔다. 서두르지 않고 천천히 그 일을 해내는 동안 그는 집에 대한 애착과 아내에 대한 애착을 거의 구별할 수 없는 지경까지 이르고 말았다. 아내가 임종을 지켜 주리라 생각하면 죽음이 그닥 두렵지 않은 것처럼 그 집이 이승의 마지막 집이라고 생각하면 그렇게 편안할 수가 없었다. 비애(悲哀)에 가까운 편안감이었다. 그는 특정한 종교를 가진 적은 없지만 죽은 후 영혼이 있다면 연옥(煉獄)쯤에 가고 싶었다. 천당은 너무 과람하고 지옥은 무서울 뿐 아니라 억울했다. 사람들과 부대끼며 살 때 그는 자기보다 잘나고 남에게 이로운 사람도 수없이 봐 왔지만 자기만 못하고 남에게 해악을 끼치는 사람도 수없이 봐 왔기에 연옥쯤이 가장 분수에 맞는다고 생각했다. 성당에 나가는 아내의 기도문 중에 연옥 영혼을 위해 비는 대목이 있는 것도 연옥에 가고 싶은 이유 중의 하나였다. 요컨대 죽은 후까지도 아내의 근심 걱정과 관심을 끌고 싶었고 아내의 정성스러운 기도에 의지해 구원의 희망을 가질 수 있는 곳에 있고 싶었다.

그의 소망처럼 그의 집 또한 그에게 과람하지도 아쉽지도 않았다. 겉모양이 유별나게 달라진 건 없었지만 써 볼수록 영감님의 자상한 마음과 공교스러운 솜씨가 안 미친 데가 없는 집이었다.

구미구미 소일 삼던 집 고치기가 끝났다고 해서 영감님이 무료해진 건 아니었다. 식수도 할 겸 운동 삼아 약수터까지 등산을 하는 것도 그의 중요한 일과였다. 도봉산이나 북한산 관악산처럼 이름난 산은 아니지만 옛 성터가 남아 있는 아차산의 한 가닥이 흘러내리면서 이룬 아늑한 골짜기 속에 그 동네는 있었다. 계곡을 따라 올라가는 길이 아기자기하고 꼭대기엔 간단한 운동틀이 마련돼 있었지만 주봉(主峯)은 아니어서 1킬로도 안 되는 길이었다. 영감님보다 훨씬 나이 많은 노인들도 거뜬히 오르내릴 만한 만만한 산이었다. 그러나 주말에 서울서 가족 단위로 나오는 소풍객도 적지 않아서 봄이나 가을의 날씨 좋은 주말에는 골짜기에서 온종일 고기 굽는 냄새와 풍악 소리가 피어오르기도 했다. 그런 다음날이면 영감님은 으레 커다란 비닐 망태를 어깨에 메고 길다란 집게를 들고 계곡길뿐 아니라 숲속과 바위틈까지 더듬으며 행락의 쓰레기를 주워 담았다. 행락의 절정기 때는 한 행보로는 어림도 없었다. 그러나 그는 서둘거나 화내지 않고 며칠씩 걸려 쉬엄쉬엄 했다. 일거리가 없는 동네 노인들이 따라나서서 거들어 줄 적도 더러 있었지만 그가 그걸 바란 적은 없었다. 될 수 있으면 혼자 하고 싶었다. 그게 좋은 일이라서 독차지하고 싶은 욕심이 있었던 건 물론 아니고 쉬엄쉬엄 즐기면서 하고 싶은 그는 남들과 일의 장단을 맞춰야 한다는 게 부담스러웠고 깡통 하나 비닐 봉지 하나 주워담을 때마다 망할 자식들 여기가 즈네집 쓰레기통인 줄 아나, 처먹을 아가리만 가져오고 손모가지는 얻다 모셔 놓고 왔남, 하는 그들의 걸쭉한 욕지거리에 장단을 맞추기엔 입심이 모자라는 것도 부담스러웠다. 그는 가끔 그러게나 말입니다, 하는 정도의 재미없는 대꾸밖에 못 했다. 그런 애매한 동조는 그의 공무원 시절의 버릇이기도 했다. 그러게나 말입니다, 그러게나 말일세, 윗사람에게도 아랫사람에게도 정면으로 맞서기를 피하는 데 참으로 편리한 말이었다. 그의 밥줄을 부지해 온 그런 어법을 은퇴 후까지 써먹고 싶지 않았다. 그래서 그는 동행이 있는 걸 별로 좋아하지 않았다. 은퇴 후의 동반자는 아내한 사람이면 족했다. 아내는 옆에 있어도 그의 자유를 방해하지 않는 유일한 사람이었다. 그는 부엌에서 아내를 도와 콩나물이나 파를 다듬는 일을 좋아했고, 아내와 겨끔내기로 설거지를 하는 것 또한 좋아했다. 더 좋은 건 사랑방에 앉아서 미닫이문에 달린 손바닥만한 유리를 통해 채마밭이나 꽃밭을 돌보는 아내를 내다보는 일이었다. 산에서 약수물을 길어나르고 행락 쓰레기를 치우는 일이 그만의 일이듯이 마당의 흙을 주무르는 건 아내의 일이었다. 그들은 서로의 일을 넘보거나 간섭하지 않는 대신 저만치서 바라보면서 은근히 아꼈다.

ㄷ자집의 안뜰은 볕드는 데다 장독을 보기 좋게 자리잡아 주고 나니 응달밖에 남는 게 없었다. 마당이라 부를 만한 땅은 도시의 집과는 달리 대문 밖에 딸려 있었다. 텃밭에 해당되는 땅인데 문서에 등기된 토지가 칠십팔 평이니 집과 안마당이 들어앉은 대지를 빼면 아마 사십 평에도 못 미칠 터였다. 그러나 집이 마을의 가장자리에 있었기 때문에 딴 집이 앞을 가로막지 않아 실제보다 훨씬 넓어 보였다. 덩굴장미 뻗으라고 엉성하게 엮어 놓은 울타리 밖은 산으로 올라가는 길이었고 그 길과 나란히 개울물이 흐르고 있었고 개울 건너로는 하천 부지라 불리는 공터가 있고는 곧 숲이었다. 정남향의 그의 집 마당에 서면 갈대 무성한 공터와 숲이 그의 마당과 잇대 있는 것처럼 보였다. 공터와 숲의 사계의 변화는 절묘했다. 달라는 값을 다주고 그 집을 산 것도 전망에 반해서였다. 그때의 그 고장 땅값으로는 터무니없이 비싼 값이라고들 했지만 그 나름으로는

숲과 공터를 덤으로 얹어 받았다는 속셈이어서 횡재였다. 숲이
란 바라보고 즐기고 수시로 드나들며 좋은 공기 마시면 그게
임자지 문서 가진 임자가 무슨 소용인가. 손님이 와도 집 자랑
보다는 경치 자랑을 먼저 했다. 숲은 산자락이 치마폭 끌리듯
이 평지에 밋밋하게 퍼진 형태여서 곧 조급한 경사를 취하게
돼 있지만 그의 집 앞을 훨씬 지나서부터였다. 따라서 약수가
있는 산봉우리는 그의 집에서 서쪽이 되기 때문에 해가 약간
일찍 진다는 것 외에는 전혀 그의 집을 답답하게 하지 않았다.
봄의 숲속에는 산나물이 지천이었다. 산나물에 대해선 마을 사
람들이 더 많이 알고 있어서 그들에게 배워가며 조금씩 캐다
먹는 정도였지만 봄이 끝나갈 무렵 계곡을 감미롭고 환상적인
향기로 가득 채우는 은방울꽃에 대해선 그만이 알고 있었다.
밋밋하게 웅덩이가 진 골짜기는 은방울꽃의 군생지였다. 넓고
건강해 보이는 잎 사이에 숨다시피 고개를 숙이고 피는 자다란
흰꽃 어디에 그런 요요하고 강렬한 향기의 꿀샘이 있는지, 그
골짜기는 눈감고도 찾을 수가 있었고 그 한가운데 들면 생전
못 빠져나가기 싶은 공포와 절망에 가까운 황홀경에 빠지곤
했다. 그러나 그 골짜기의 이상한 꽃에 대해 동네 사람한테 묻
는다는 건 부질없는 일이었다. 아무도 그런 풀꽃의 군생에 대
해 알지 못했고 안다고 해도 시들했다. 약초도 산나물도 아닌
것은 이름 없는 풀에 불과했다. 그가 은방울꽃이란 이름을 알
아낸 것은 식물 도감을 뒤져서였다.

  여름이 되면 숲의 푸르름엔 독이 올랐고 한낮의 햇볕이 무수
한 잎의 독기와 예리한 스파크를 일으키며 작열할 때 낭자한
매미 소리를 듣는다는 건 허무의 극치였다. 그가 여태껏 의지
해 온 사물의 의미, 삶의 가치가 자자한 조소 소리를 남기고

증발해 버리는 것 같은 시간이었다. 활엽(闊葉)이 비를 맞는 소리에 어느 날 갑자기 청승이 섞이면 걷잡을 수 없이 가을이 었다. 잎의 허영도 날로 고조돼 온갖 색깔로 자신의 쇠락을 위장하려 들었다. 숲이 일 년 중 가장 현란할 때였고 잠시도 가만히 있지 못하고 변덕을 부릴 때였다. 그러나 한밤중 작은 바람에도 견디지 못하고 우수수 잎 떨구는 소리는 숲의 정직한 탄식이었다. 그 소리에 잠을 설치면 그는 어쩔 수 없이 밤오줌을 지린 소년처럼 막막하고 헐벗은 마음으로 안방으로 스며들어 아내의 시들고 따뜻한 가슴에 얼굴을 묻고 오래도록 그 온기를 탐했다. 관능보다 진한 슬픔 때문에 발기하지 않는 노처(老妻)의 젖꼭지에 이빨 자국을 내기도 했다.

지금은 겨울의 문턱이었다. 성급하게 벌써 눈보라가 한 차례 지나가긴 했지만 숲의 마지막 잎을 떨구고, 집집의 창문을 흔들며 김장 재촉을 했을 뿐 첫눈의 흔적은 어디에도 남아 있지 않았다. 나무에 따라 엉성하기도 하고 혹은 조밀하기도 하고, 하늘 향해 쭉쭉 뻗기도 하고 혹은 자유롭게 휘기도 한 벌거벗은 가장귀들이 망사처럼 숲속의 밋밋한 등성이와 골짜기의 땅모습을 훤히 드러냈다. 한때 다채로웠던 잎의 허영도 지금은 고담(枯淡)한 갈색으로 퇴색하여 대지를 향해 조용히 침잠하고 있었다. 어찌 저리 보기 좋게 헐벗을 수 있을까. 그는 겨울나무들의 아름다움에 감탄하며 한편 두터운 낙엽 밑에 잠들었을 은방울꽃의 뿌리를 생각했다. 사랑에서 누웠다 앉았다 책을 읽다 말다 한가하게 보낼 수 있는 시간이 많아서 그런지 겨울 숲이 제일 마음에 스몄다. 하긴 올 일 년은 봄 여름 가을이 다 한가했었다. 이사온 후 처음으로 연장통으로부터 놓여날 수 있었던 한 해였으니까.

별안간 산그림자가 숲과 하천 부지의 양지에 빗금을 그으며 침범해 내려오기 시작했다. 아내가 외출하면서 한 전화 벨 소리 잘 들으라는 부탁 때문에 좀전에 명료하게 들은 시계 소리는 세 번밖에 안 쳤는데 벌써 해가 지려 하다니. 그러잖아도 햇볕이 감질나는 계절이었다. 그는 그의 시야의 햇볕을 한 시간도 넘게 단축시킨 산봉우리에 느닷없이 신경질이 끓어오르는 걸 느꼈다. 산그림자는 불길한 예감처럼 신속하게 퍼졌다. 그는 어쩌면 네 시 치는 소리를 놓친 게 아닌가 싶어 안채에다 귀를 기울이고 다음 시계 소리를 기다렸다. 안채가 멀지 않은 까닭도 있었지만 사랑방은 무엇보다도 속기(俗氣)를 멀리해야 한다는 그의 이상한 고집 때문에 전화나 시계 라디오 따위를 두지 않고 있었다. 온종일 전화 한 통 없었다면 아내는 믿지 않을지도 모른다. 안 왔길래 못 들었으련만 괜히 떳떳지가 못했다. 숙제 안 한 아이가 핑계를 꾸미듯이 아내의 부재중 오로지 전화 벨 소리에만 신경을 곤두세우고 있었노라고 억지로라도 생각하려 들었다.

별안간 숲속에서 한떼의 새가 곧장 하늘로 날아올랐다. 참새일까. 가랑잎 빛깔의 새였다. 살얼음판같이 차고 반투명한 허공 어디에 그런 중력이 있었을까. 새들은 그가 보기에 날개짓도 없이 마치 끈 끊어진 추가 곧장 낙하하듯 걷잡을 수 없는 속도로 허공으로 빨려들었다가 미끄럼타듯이 유연히 흩어졌다. 그가 샅샅이 알고 있다고 생각하는 숲속이건만 새둥지를 본 기억은 없었다. 새들을 만난 기억도 없었다. 먹이가 있을까 해서 찾아온 타관의 새일까. 아니면 여름엔 초록빛으로 가을엔 가랑잎 빛깔로 겨울엔 백설처럼 흰 빛으로 변신해 깜쪽같이 숨어 사는 걸까. 어디로 간 것일까. 살얼음빛 하늘에 새들의 흔적은 남아 있지 않았다. 그러나 날아오르는 새떼를 보고 느낀 섬뜩한 불안감은 깜쪽같이 떨쳐질 것 같지 않았다. 그가 모처럼 획득한 평화 속에도 불길한 운명들이 요변하는 새들처럼 깜쪽같이 모습을 감추고 숨어 있다가 어느 날 갑자기 떨치고 일어나 날아오를지도 모른다는 사고의 비약엔 스스로도 아연해지고 말았다.

안채에서 시계 치는 소리가 들렸다. 네 시였다. 열두 시 결혼식에 간 아내가 돌아올 시간이었다.

"점심 얻어먹고 시장 들렀다 와도 저녁 지을 시간 넉넉할 테니 제발 뭐 해 놓으려고 부엌 드나들지 마슈. 남 볼상사나워요."

"남이 누가 본다고……."

혼인집에 가는 아내와 주고받은 말이었다. 아내는 자기가 부엌 일을 할 때는 영감님한테 요것조것 잔심부름을 잘도 시키면서도 영감님 혼자서 부엌에서 꿈쩍대는 건 질색이었다. 남 보기에 궁상스럽고 처량해 뵌다는 것이었다. 단둘이만 사는 집에서 남이 누가 본다는 건지. 남이 누가 본다고? 소리는 영감님만이 하는 건 아니었다. 아내도 곧잘 그 소리를 써먹었다. 외출했다 돌아와서 쉬지도 못하고 부랴부랴 저녁을 지어 먹고 나면 아내는 으레 설거지는 영감님한테 맡기고 자기는 안경 끼고 다리 꼬고 앉아 석간 신문을 보면서 여보 나 커피 한잔, 하고 호기 있게 외쳤다. 그는 오후엔 커피를 안 마셨지만 아내는 저녁 식사 후의 커피를 가장 즐겼다. 그는 설거지를 하다 말고라도 얼른 커피를 타다가 아내 앞에 대령하고는 특별히 맛있게 탔다고 생색을 낸 적도 있었지만 남이 보면 당신이 나를 벌어 멕이는 줄 알겠소, 하고 슬쩍 핀잔을 주기도 했다. 그럴 때 아내의 대답도 역시 남이 누가 본다고? 였다.

　네 시 치는 소리를 듣고 나서부터 아내를 기다리는 마음이 갑자기 다급해졌다. 아내는 그 나이에도 굽 높은 구두를 즐겨 신었고 젊은 사람처럼 또박또박 스타카토로 걸었다. 사랑방이 면한 바깥 마당은 반은 채마밭이고 반은 꽃밭이었다. 지금은 서리도 이긴다는 노란 토종 국화가 한 귀퉁이에 약간 남아 있을 뿐 양쪽 밭이 다 텅 빈 공터였지만 그 한가운데 통로 겸 경계선 겸 해서 간 돌 때문에 그냥 빈 밭하곤 다른 운치가 있어 보였다. 보일러를 시공하면서 필요 없게 된 구들장 중에서 반듯한 걸 골라 잇대서 깐 건 참 잘한 일이었다. 보기에 좋을 뿐 아니라 아내의 발짝 소리의 특징이 가장 잘 나타났다. 그는 아내의 구두굽 소리가 경쾌하게 또박또박 스타카토로 돌길을 밟으며 가까워 오는 소리를 듣는 걸 좋아했다. 아내의 걸음걸이는 이십대 적과 조금도 변함이 없었다. 신혼 시절 아내는 국민학교에서 교편을 잡고 있는 당당한 직업 여성이었건만도 동부인해 나갈 때는 구식 여성처럼 몇 발짝 뒤에 처져 걸었다. 그러나 일정한 간격을 두고 따라오는 발짝 소리는 순종적이라기보다는 맹랑하도록 당차고 자주적이었다. 그때부터도 아내는 또박또박 스타카토로 걸었다. 비록 몇 발짝 처져서 따라올망정 아내의 발짝 소리를 들을 때처럼 아내를 대등하게 느낄 적도 없었다. 그는 그 대등한 느낌을 좋아했다. 잎에 떠는 빗소리를 즐기려고 초당 앞에 한 그루 오동나무를 심은 옛 선비가 들으면 시러배아들놈이라 비웃을 일이나 그는 생전 늙지 않는 아내의 구두 발짝 소리를 들으려고 그의 앞마당에 돌길을 깔았나 보다. 창호지문에 달린 유리를 통해 돌길을 걸어오는 아내의 상반신을 엿보는 것도 아내를 반기는 낙 중의 하나였다. 아내는 마치 보이지 않는 줄이 위에서 양쪽 귀를 수직으로 끌어당기는 것처럼 고개를 거만하게 곧추세우고 걸었다. 그러면서도 고갯짓이 부자연스럽거나 경직되지 않고 유연해서 자신 있는 모델처럼 보였다. 옷이나 장신구에 구애되지 않는 타고난 듯 몸에 밴 아내의 떳떳함과 당당함을 바라본다는 것은 기분 좋은 일이었다. 여태껏 호강은 못 시켰어도 남한테 비굴하거나 아쉰 소리 한 마디 안 하고 살 수 있도록 세파로부터 아내를 지켰다는 자부심을 불러 일으켰기 때문이다. 그러나 그런 자부심이란 단지 그가 책임져야 할 몫에 대해서일 뿐 그게 아내의 전부가 아니란 걸 안 것은 최근의 일이었다. 실상 아내에게 그가 책임질 수 없는 다른 얼굴이 있다는 건 그에게 적지 않은 사건이요 충격이었다.

새들은 돌아오지 않았다. 새들의 비상은 자의였을까. 새보다 힘세고 흉포한 짐승이 새들을 위협했을지도 모른다. 그럴 리는 없었다. 그는 숲속 사정을 손바닥처럼 빤히 안다고 여기고 있었고 여태껏 토끼 한 마리 만난 적이 없었다. 그러나 저 사는 일에 대해서도 한 치 앞을 못 내다보는 주제에 어찌 새들의 삶 속의 복병(伏兵)에 대해 안다고 할 수 있으랴.

그의 집엔 방이 넷이다. 원래는 안방 건넌방 아랫방 셋이었는데 아랫방 옆에 붙은 광을 터서 크게 넓히고 바깥 마당 쪽으로 마루를 깔아 사랑채의 규모를 갖추자 아내가 별안간 샘을 내면서 자기도 따로 방이 하나 있어야겠다고 했다. 사랑이 남편의 방이라면 안방은 아내의 방이 되련만 아내의 생각은 그렇지 않았다. 뉘집이건 안방은 개인의 방이 아니라 식구들의 방이라는 것이었다. 식구가 단둘밖에 안 된다고 해도 예외일 수 없다는 아내의 말도 일리가 있었다. 그는 사랑 아랫목에 맏며

느리가 시집올 때 예단으로 해 온 보료를 깔아 놓고 거기서 뭉기적대다가 그대로 아침까지 자 버리는 적도 있었지만 대개는 안방에 들어가 잤고 또 그래야만 다음날 개운했다. 물론 옷도 안방에서 갈아입었고 밥도 안방에서 먹었다. 부엌은 입식으로 만들었지만 양주가 다 걸상에서 밥 먹는 건 질색이어서 상을 봐다가 안방에서 겸상하고 편안히 앉아서 먹었다. 아내가 사랑에 볼일이 있어 나갈 땐 그 볼일이 물렁물렁한 연시를 들이밀어 준다든가 인삼차나 유자차를 한 잔 타 내갈 때라도 꼭 밖에서 인기척을 내고 미닫이문을 열었지만 그는 그런 절차 없이 수시로 안방에 드나들었다. 그러니까 안방이 아내 개인의 영역이란 생각이 없었고 그 생각은 앞으로도 고쳐질 가망이 없었다. 아내는 아주 작아도 좋으니 아무도, 영감님일지라도 노크 없이는 못 들어올 그녀만의 방이 갖고 싶다고 했다. 건넌방이 남아 있었지만 손님방으로 비워 놓고 있었다. 묵어가는 손님이 자주 있는 건 아니었지만 사 남매나 되는 아들 딸이 결혼해서 가정을 이루고 살고 있으니 그들이야말로 늘 예비하고 있어야 하는 상객(上客)이었다. 건넌방을 분통같이 꾸며 놓고 정결한 비단 이부자리와 자식들이 처녀 총각 땐 아끼다가 결혼하면서 헌신짝처럼 버리고 떠난 책이나 수집품 취미 생활의 흔적 같은 것들을 정리해 갖춰 놓고 쓸고 닦는 일까지 하루도 거르지 않는 것은 아내의 최소한의 자존심이었다. 결국 아내의 소원을 들어 주기 위해선 방을 하나 새로 들이지 않으면 안 되었다. 다행히 부엌이 필요 이상 넓었다. 인근 산에서 나무를 해다 뗄 때 지은 집이라 부엌이 나무광을 겸하고 있었다. 부엌을 입식으로 고치면서 나무광을 떼어 내어 방을 만들고 아내의 소원대로 노크를 할 수 있게 도어를 달고 나니 방이 어두워 뒤란 쪽으로 창을 크게 냈다. 한 평이나 겨우 될까 말까 한 골방이었다. 그러나 그가 노크를 해야 할 일은 좀처럼 일어나지 않았다. 그가 아내를 찾을 때 아내가 그 안에 있었던 적이 없었기 때문이다. 자기만의 방을 갖고 싶다는 건 공연한 심술이었을 뿐 정말 필요해서 그런 건 아닌 듯했다. 언젠가 아내가 집을 비운 사이에 무심히 그 골방 도어를 밀어 본 적이 있었다. 안을 엿볼 생각이 있었던 건 아니고 잠겼을지도 모른다는 생각에서였다. 아내가 노크할 수 있는 문을 특별히 강조할 때 그는 한술 더 떠서 안에서도 밖에서도 손쉽게 잠글 수 있는 손잡이를 달아 주었던 것이다. 그러나 도어는 슬며시 열렸다. 방안은 지나치게 검소하고 쓸쓸했다. 문과 반대쪽에 난 창은 커튼도 없이 노출돼 있어 좁은 뒤란에 괸 어둠과 옆집과의 사잇담의 균열을 음습한 추상화 액자처럼 가득 담고 있었다. 벽 쪽으로 놓인 다락에서 꺼낸 듯한 투박한 반닫이 하나가 그 방의 세간살이의 전부였다. 반닫이 위쪽 벽에도 십자 고상이 걸려 있고 반닫이 위에도 성모상과 성경책이 놓여 있었지만 그가 보기엔 그런 것들은 아내의 신심과는 무관한 것들이었다. 아내는 몇 년 전 친구의 인도로 영세를 받긴 했지만, 영세 받을 때 별로 달가워하지 않던 그가 되레 그러려면 뭣하러 영세를 받았느냐는 핀잔을 줄 정도로 어쩌다 한 번씩이나 성당에 나갔다. 그 방에 있는 성물도 영세 때 대모로부터 받은 후 가까이 하는 걸 본 적이 없었다. 아마 자기만의 방을 꾸미려고 자기만의 물건을 찾다보니 그것밖에 없었으리라 싶어 아내의 빈곤이 측은하게 여겨졌다. 들어가 볼 엄두도 흥미도 나지 않아 문을 닫으려다 마지막으로 눈에 띈 것 때문에 그는 화들짝 놀랐다. 반닫이 위에 촛대도 없이 맨몸으로 서 있는 두 자루의 초 때문이었다. 아마 금년 부활절 때였을 것이다. 오래간만에 성당에 갔다온 아내가 가방에서 미사포랑 성가책이랑 꺼내 놓고 나서 백지에 싼 묵직해 보이는 걸 꺼내기에 마침 시장했던 그는 성당에서 먹을 걸 주었나 보다고 생각했다. 끌러 보니 아이들 팔뚝 굵기의 양초 두 자루였다.

"먹을 거나 주지 겨우 이런 걸 주어?"

"주긴요, 샀어요. 먹을 건 여기 있잖아요."

아내는 가방에서 껍질을 은종이 금종이로 장식한 달걀을 꺼내 놓으며 말했다.

"예전처럼 정전이 잦은 것도 아닌데 초는 뭣하러 사누. 얼마야?"

"한 자루에 천 원씩이에요."

"비싸긴."

"성당에서 파는 거니까 이익이 남아도 좋은 일에 쓰겠죠 뭐."

"그럼 이 달걀도 샀겠네."

"네에. 그것도 산 거예요. 오늘 당신 좀 이상하구려. 왜 그렇게 공짜를 바쳐요."

그러면서 그때 주섬주섬 치운 양초가 거기 있었다. 아내가 가르쳐 주진 않았지만 보통 양초가 아니라 축성 받은 성촉이라는 건 막연히 알고 있었으니 십자 고상 아래 성모상 앞에 있다는 게 조금도 놀라울 게 없었지만 언제 그렇게 불을 켰을까. 남아 있는 길이가 겨우 엄지손가락만밖에 안 됐다. 그는 보아서는 안 될 아내의 프라이버시를 훔쳐본 것처럼 민망했고 가슴이 울렁거렸고 부도덕감마저 느꼈다. 그러나 아내가 그 방에서 몰래 불 밝히고 뭘 하나까지 보고 싶다는 궁금증의 유혹은 사뭇 강렬했다. 그 후 며칠 동안 그는 망을 보듯 아내의 동정을 살피다가 마침내 좁다란 뒤란에서 불 밝힌 아내의 골방을 들여다볼 수가 있었다. 아내는 반닫이 위에 촛불을 밝혀 놓고 방바닥에 꿇어앉아 무엇인가를 간절히 빌고 있었다. 밖이 어두웠기 때문에 그는 구태여 몸을 숨길 필요 없이 아내를 관찰할 수가 있었다. 그는 일부러 택시 속 같은 데 흔히 걸려 있는 '오늘도 무사히'를 비는 소녀의 모습을 잡은 시선과 같은 각도에서 아내를 바라보려고 했다. 각도뿐 아니라 기도에 대한 그의 상상력도 그 소녀에 대한 심미안에서 크게 벗어나지 못했다. 기도할 때는 누구나 용모의 미추와는 상관없이 아름다워 보이려니 하는 기도에 대한 환상을 가지고 있었던 것이다.

아내의 얼굴은 웃는 것도 같고 우는 것도 같았다. 너무 처참하게 구겨져 있어서 갈가리 찢어진 사진처럼 그가 알고 있는 무뚝뚝하고도 도도한 아내의 얼굴로 다시 뜯어 맞출 수 있을 것 같지가 않았다. 기도라기보다는 너무도 비천한 아부였다. 도대체 무슨 잘못을 저질렀기에 저리도 비굴하게 빌붙는 것일까. 그가 있는 자리에선 십자 고상도 성모상도 잘 안 보였지만 신도 아내의 추악한 아부에는 얼굴을 돌리고 있을 것 같았다. 아내의 뜻밖의 얼굴은 그에게도 뜻밖의 천박한 상상력을 불러일으켰다. 혹시 아내가 그가 모르는 거액의 빚을 걸머지고 어쩔 줄을 모르는 거나 아닐까. 아니면 서방질을 하고 나서 잘못 걸려든 젊은놈한테 협박을 당하고 있든지. 그날 밤 그는 훔쳐본 아내의 얼굴 때문에 잠을 이루지 못했고 다음날도 어지러운 꿈자리처럼 그 얼굴은 그를 뒤숭숭하게 했다. 그가 애써 뜯어 맞출 필요 없이 아내의 얼굴이 평상시의 표정으로 돌아와 있는 것도 기분이 나빴다. 그는 아내의 이중성을 오래 견디지 못하고 어느 날 짐짓 자연스럽게 그 얘기를 할 꼬투리를 잡았다. 아내를 도와 오순도순 아침 설거지를 하고 나서였다. 담배를 피워물자 아내가 질색을 했다. 하루 한 갑씩 피던 걸 아내의 성화로 다섯 개비까지 줄였는데 아내는 아주 끊게 할 작정인 것 같았다. 콜록콜록 헛기침을 해가며 유난을 떨었다. 그는 부엌으로 난 아내의 골방문을 열면서 능청스럽게 말했다.

"이 방 이거 꾸며달랠 땐 언제고 당신 이 안에서 특별히 하는 일도 없잖아. 내가 끽연실로 쓸까 봐."

"끽연실 좋아하시네. 내가 왜 안 써요. 거긴 내 기도실이란 말예요. 함부로 담배 연기 피우지 말아요."

"기도실? 당신이 기도를 한단 말야? 성당에도 한 달에 한 번이나 갈까 말까 한 당신이."

"글쎄 말예요. 당신 보기에도 우습죠?"

아내가 기도에 대해 숨길 뜻이 전혀 없어 뵈는 게 그에게는 뜻밖이었다. 그래도 그는 기도의 제목까지 알아내기 위해 미리 꾸민 각본대로 엄지손가락 길이밖에 안 남은 초를 보고 깜짝 놀라는 시늉을 했다.

"이 초 이거 부활절날 사 온 그 초 아냐? 그러니까 당신 그 초가 이렇게 닳도록 기도를 했단 말야? 정말."

"그렇다니까요."

아내는 무안한 얼굴을 했지만 말 못 할 고민이 있는 것 같진 않았다.

"도대체 뭘 그렇게 매일 빌 게 있어. 남편한테도 의논 못 할 고민이 있단 얘기 아냐 그건."

"죽고 사는 건 사람의 소관이 아니니까요."

"그건 또 무슨 해괴한 소리야. 우리 둘 중의 하나가 죽을 병이라도 들었단 소리야 뭐야."

"그게 아니구요. 내가 허구헌날 비는 한 가지 소원은 우리 식구가 순서껏 죽게 해 달라는 거니까요."

"순서껏?"

"네, 우리 부부가 퍼뜨린 아들 딸들과 그애들이 짝을 맞아 다시 퍼뜨린 손자들 등 우리 직계 식구들 사이의 죽음만이라도 태어난 순서대로 이루어지이다라고 빌 때처럼 마음이 간절해질 때는 없다우. 그 밖의 욕심은 아예 부려 본 적도 없건만 너무 욕심 많다 하실 것 같아 내가 얼마나 열심히 알랑거리는지 아마 당신은 모를 거유."

그가 엿본 건 결코 아내의 비밀이 아니었다. 아내가 그에게 감추거나 속이고 있는 건 아무것도 없었다. 그에게 뭔가를 음흉하게 감추고 있는 건 그의 아내가 아니라 현재 그가 누리고 있다고 믿는 유유자적(悠悠自適)인지도 몰랐다.

그가 장가들 무렵의 처가 식구들은 참척을 두 번이나 겪은 노인들과 청상 과부들로 되어 있었다. 장인은 일제 말기에 군속으로 근무하던 일본 지방 도시에서 폭사를 했고 국군 장교이던 처남은 육이오 사변 중 전사를 했다고 했다. 처가 식구 중에서 부부가 해로하고 있는 건 아들과 손자를 차례로 앞세운 처조부모뿐 장모도 처남의 댁도 과부였다. 특히 혼인한 지 일년도 채 안 돼 그 지경을 당하고 유복자를 낳아 기르고 있는 처남의 댁은 아내와 동갑이어서 그 창창한 젊음이 볼수록 애잔했다. 자식이나 손자를 앞세우지 않은 노인이 오히려 드문 전시(戰時)라 그도 그런 처가 형편을 그닥 흉된다고 여기지 않았는데 아내는 그렇지 못했나 보다. 난리가 끝난 후에도 순서를 어긴 죽음은 그 집을 떠나지 않아 장모가 오십도 안 된 나이에 먼저 세상을 뜨고 나서 그 이듬해 팔순을 바라보는 처조부가 뒤따랐다. 친정어머니의 너무 이른 죽음에도 좀 면구스러울 정도로 태연하던 아내가 할아버지의 상중에는 통곡통곡하면서 단장의 넋두리까지 했다. 일 년만 일찍 돌아가셨으면 좀 좋아요. 네, 할아버지 왜 이제야 돌아가서요. 세상에 이런 해괴한 애통도 있을까. 그러나 몇 년만 더 살았으면 하고 아쉬워하는 애통보다 몇 배 더 애간장이 끊어지는 애통이어서 순서껏 죽지 못한 집안꼴에 대한 아내의 맺힌 한의 덩어리를 짐작할 수가 있었다. 그 후 처가에는 다시는 순서를 어긴 죽음이 생겨나지 않았고 유복자인 처조카가 자수 성가해서 가계를 잇고 있다. 아내만이 아직 그 상처를 가지고 있다는 건 국민 학교 때 만들었다는 조각보나 괘불 따위를 아직도 간직하고 있을 뿐 아니라 때때로 꺼내 보면서 어떤 감회까지를 이르집어내려고 시도하는 집요한 반추벽(反芻癖) 같은 거여서 그냥 내버려 둘 수밖에 없었다. 아내의 상처는 그의 탓이 아니었고 그가 어째 볼 수 있는 것도 아니었다. 다만 그런 아내가 측은했다.

아내가 돌아오고 있었다. 또박또박 스타카토로 디딤돌을 밟는 소리가 들렸다. 그는 어린애처럼 반색을 하며 미닫이를 열었다. 아내는 씩씩해 보였지만 시내에 나갔다 들어올 때의 버릇으로 지친 시늉을 했다.

"뭘 보고만 계슈. 이 보따리 좀 받으시잖구."

그는 얼른 댓돌로 뛰어내려가 아내의 보따리를 양손으로 받았다.

"주책없이 뭘 이렇게 많이 샀소."

"잔치 끝나고 친구들이 가락 시장에 구경 간다기에 따라가서 수삼도 좀 사고 과일이랑 생선도 좀 샀어요. 어찌나 시장이 큰

지 아마 이십 리 길은 돌아다녔나 봐."

"싸면 얼마나 싸다고 그 먼 데까지 갔다 와. 집에서 눈빠지게 기다리는 사람 생각은 쬐금도 안 하고, 쯧쯧."

그는 짐짓 아내를 나무라며 우쭐우쭐 앞장서 안으로 들어갔다.

"이 양반이 별걸 다 갖고 트집이셔. 당신은 내가 집에서 눈빠지게 기다린다고 퇴근 시간 전에 집에 오신 적 있수?"

"아, 돈벌이 나간 사람하고 돈 쓰러 나간 사람하고 같아?"

"돈 쓰는 일이 훨씬 더 어려워요. 알지도 못하고."

"내가 벌어 놨으니까 쓰지 어디서 거저 난 돈 쓰남."

"난 돈을 벌어 보기도 하고 써 보기도 했으니까 확실히 말할 수 있는데 쓰는 게 버는 것보다 얼마나 어렵다구요."

"알았어. 알았으니 괜히 기운 빼지 말아요."

그는 아내와의 입씨름이 즐거워서 생기가 나면서도 일단 한 번 져 주는 시늉을 했다. 그리고 보따리를 끌렀다. 옷을 갈아입고 난 아내가 민첩하게 사 온 것들을 분류해서 다듬고 썻고 저리면서 말했다.

"우리 동네가 그린벨트에서 해제된다고들 해요."

"공연한 소리. 땅값 좀 오르면 무슨 수가 나겠다고 이 동네 사람들은 꼭 남산골 샌님 역적 바래듯 그 희망에 산다니까."

"이 동네 소문이 아니라 오늘 그 방면에 유력한 남편 가진 친구한테 들은 거예요."

"선거 때마다 나는 헛소문 아니구?"

"아니라니까요. 그 친구는 우리가 이 집터 말고 밭뙈기라도 더 가지고 있는 줄 아는지 당신이 겉으로는 어수룩해 뵈도 선견지명이 있다고 그러대요. 약간은 샘이 나는 투로요."

"다시는 이사 같은 거 안 하고 싶은데."

"그린벨트 해제되면 사람들이 더 많이 모여 살게 되겠지, 사는 사람을 내쫓게야 될라구요."

"그럼, 나더러 저 숲을 불도저로 갈아엎고 집이 들어서는 꼴을 보란 말요. 말도 안 돼. 내 방에서 숲을 볼 수 없게 되다니."

"그래도 난 우리집 값이 오른다고 생각하면 신이 나요. 집을 줄여만 먹었는데 이번엔 늘여 갈 수가 있잖아요."

"오오라. 이제야 당신 본심이 드러나는군. 이 집 팔아서 서울에 아파트로 갈 수 있을까 해서 그러지. 꿈도 꾸지 말아요. 이까짓 집이 그렇게 오를 리도 없지만 그렇게 된다고 해도 안 갈 테니까."

그는 언성을 높여 역정을 냈다. 그의 눈앞에서 곧장 숲을 떠나 허공으로 빨려들어가던 새떼 생각이 났다. 예감에 있어선 미물일수록 영물이라니까 그들을 놀래킨 건 짐승이 아니라 미래의 불도저 소리였는지도 모른다. 이득을 본다는 계산보다는 길들이고 정들인 걸 억울하게 빼앗긴다는 상실감이 앞섰다. 아내는 당신 마음 내가 안다는 따뜻하고 너그러운 눈길로 그를 감싸며 다둑거리듯이 말했다.

"넘겨짚지 마슈. 내가 언제 아파트가 좋댔어요? 우리 이번엔 큰마음 먹고 더 멀리 나갑시다. 어데 간들 저만한 숲, 저만한 산 없겠수. 이 땅에서 마을 들어설 만헌 데는 다 엇비슷하게 생겼으니 염려 마세요."

"당신 그게 정말이오?"

"당신은 숲과 산과 개울물 보고 이 집에 반했다지만 난 시내에서 멀고 교통 불편한 게 첫눈에 듭다. 내 욕심이 훨씬 적으니 당신 좋고 나 좋은 고장 골라잡기도 쉬울 거 아뉴."

"그럴 리가. 교통이 불편해서 마음에 들었다는 건 억지야. 비꼬는 거라구."

"당신하고 나하고는 시내에서 멀찌거니 교통이 불편한 데 살아야 마음이 편해요. 내 말뜻 아직도 못 알아들으시겠수. 멀리 있는 자식은 엎으러지면 코닿을 데 있는 자식처럼 매일매일 기다리지 않아도 되잖아요. 자식들 쪽에선 또 얼마나 편하겠수. 부모님이 시골 사셔서 자주 못 찾아뵙는다는 핑계가 생겼으니 오잖는 자식 기다리는 것처럼 지치고 치사한 일이 있는 줄 아슈. 여기 와서 그 못 할 노릇 안 하니 살 거 같아요. 다시는 안 하고 싶은 게 그 노릇이라우."

아내가 쓸쓸하게 웃으며 그를 지그시 바라보았다. 그는 얼른 아내의 눈길을 피했다. 아내와의 공감(共感)을 들키고 싶지 않았다. 그는 아내의 장보따리에 손을 넣어 남은 걸 뒤져냈다. 구럭같이 생긴 망태 밑에는 푸성귀에서 떨어진 흙과 막대기가 달린 동그란 알사탕이 몇 개 더 있었다.

"그건 철우 몫이에요. 건드리지 마세요."

철우는 담 너머 집에 세들어 사는 젊은 부부의 첫아이였다. 한참 예쁠 때여서 즈이 엄마가 일손이 바쁠 때는 아내가 즐겨 데려다가 봐 주었다. 남편이 가구 공장에 다닌다는 철우 엄마는 여간 바지런하고 눈썰미 손재주도 있어서 일 년 내내 일거리가 떨어지지 않았다. 그 여자의 소원은 부부가 같이 벌어서 한시바삐 셋방이라도 좋으니 특별시내에서 살아 보는 거였다. 요새 그 여자는 앙고라 스웨터에다 반짝이는 구슬로 꽃이니 공작의 날개 같은 걸 수놓는 부업을 하고 있었다. 아내는 툭하면 그 집에 놀러갔다.

그 꽃 하나 놓는 데 얼마나 받수. 애개개 고거밖에 안 줘. 앞 가슴에 그 꽃이 들어가니까 값이 곱절은 더 나가 보이는데. 곱절이 뭐야. 이런 건 배우들이나 사 입는 몇십만 원짜리로 둔갑을 했구먼.

이렇게 그 여자의 작업을 신기해하고 나서 아기를 어르다가 슬며시 안고 나오는 것이었다. 아기는 어려서부터 막 길러서 혼자서도 보행기에 앉아서 잘 놀았다. 그러나 아내는 그 여자의 방의 경대랑 포마이카 상이랑 쌀통 라디오 텔레비전 등에 골고루 내려앉아 미세하게 꼼작대는 털먼지를 보면 불현듯 아기를 그 방에서 데려나오고 싶어졌다. 그 역시 아내가 그 집에 가서 오래 머물러 있는 것보다 아기를 데려오기를 바랐다. 아기는 순하지만 낯은 좀 가리는 편이어서 그에게 안기면 꼬집는 것처럼 울었기 때문에 그는 주로 아내와 아이가 어우러져 노는 걸 바라보기를 즐겼다. 어찌나 입을 헤벌리고 바라보았던지 여보 당신 침흘리고 있는 거 아뉴? 하고 놀리는 소리를 듣기도 했다. 아내는 아기의 군것질까지 대고 있었다. 과일 같은 건 집에 있는 걸 저며도 멕이고 갈아서도 멕이면 되는데 언젠가 한번 신장 개업한 쇼핑 센터에서 덤으로 얻어 온 막대기가 달린 알사탕을 아기가 환장을 하게 좋아하는 걸 보고 나서는 시내에 나갈 때마다 그걸 몇 개씩 사다 두고 아기가 보챌 때마다 하나씩 주고 있었다. 지난 여름이던가, 아기의 아랫니가 두 개 솟아오른 걸 보고 그가 밥풀이 붙어 있는 것 같다고 했더니 아내는 당신은 왜 그렇게 멋이 없으시우, 하고 구박을 하고 나서 분홍빛 언덕 위에 양이 두 마리 나타난 것 같다고 멋을 한껏 부렸었다.

그는 아내가 사 온 막대기사탕을 삼층장 서랍에다 갖다두면서 말했다.

"밥풀떼긴지 두 마리 양인지 당신이 그렇게 예뻐하던 이빨 썩으면 어쩔려고 맨날 이렇게 단 걸 사와요 사오길. 가뜩이나 애 봐준 탓은 있어도 낳나는 법은 없다는데."

"젖니니까 썩어도 상관없어요."

"당신 남의 애라고 너무 무책임헌 거 아냐?"

"글쎄요 잘 모르겠어요. 아무튼 낳나라고 봐주는 건 아녜요. 그냥 예뻐서 내 맘대로 예뻐하고 싶어서…… 왜 그러면 안 돼요?"

"그렇게 아기를 좋아하면서 왜 손자나 외손자들한테는 그렇게 서툴고 쓸쓸하게 굴어? 걔들 에미 애비가 당신 이러는 거 보면 속으로 섭섭해할 것 같아."

"중하기로 치면 내 손주를 남의 애에다 대겠어요. 그렇지만 예뻐하는 건 정작 내 손주한테는 잘 안 돼요. 주눅이 들어요."

"주눅이 들다니 거 참 별일이구먼."

"당신도 그러시면서 뭘 그래요. 즈이 에미 애비들이 하도 유난스럽게 제 새끼들을 위하니까 자연히 우리는 주눅이 들어 어쩔 줄을 모를밖에요. 비싼 그릇에 물 마시기도 겁이 나는 촌스러운 마음인지 모르지만 내 손주는 한번 안아 보려다가도 별안간 안는 법을 잊어버린 것처럼 쩔쩔매게 된다니까요. 당신이나 나나 참 변변치도 못하죠?"

"왜 나까지 싸잡아서 등신 취급을 할려고 그래. 나는 내 손주한테나 철우 녀석한테나 똑같이 쩔쩔매지만 당신은 그게 아니잖아."

"참 오늘 전화 온 데 없어요?"

아내가 딴청을 부렸다. 그가 없었다고 말하고 나서 돌아본

문갑 위에선 수화기가 대롱대롱 아래로 늘어져 있었다. 철우 짓이었다. 오늘도 아내는 아침나절에 한 차례 철우를 데려다 놀아 주고 나서 외출을 한 것이었다. 아내도 동시에 그것을 보았다.

"온종일 전화 벨 소리가 한 번도 안 들리면 한번쯤 들어와 보시잖구. 아이구 이 끈적거리는 것 좀 봐. 누가 제녀석 짓 아니랄까 봐."

수화기를 올려놓으려다 말고 아내는 질겁을 했다. 아마 사탕을 먹던 손으로 전화 장난을 한 모양이었다. 아내는 물수건으로 수화기를 닦으면서 뭐가 그렇게 좋은지 연방 싱글벙글이었다. 철우가 장난치는 모습이 눈에 선한 모양이었다. 알사탕한 개를 다 빨아먹고 나면 으레 철우의 열 손가락은 서로 엉겨붙을 만큼 끈끈해졌다. 녀석도 불편한 건 알아서 끙끙대며 아내 앞에 두 손을 내밀었다. 그럴 때 아내는 물이나 물수건으로 닦아줘도 될 것을 긴 혀를 내밀어 열 손가락의 것을 말끔히 핥아 먹었다. 너무 샅샅이 핥아서 꼭 단것에 걸신들린 사람 같았다. 아내도 아기도 그 일을 얼마나 즐긴다는 걸 표정으로 알수가 있었다. 매우 육감적인 교감이었다. 노소(老少)의 그런 천진한 쾌락을 바라보면서 그는 아릿한 슬픔을 맛보곤 했었다.

다 닦은 수화기를 올려놓자마자 벨이 울렸다. 온종일 괴었던게 한꺼번에 울리는 것처럼 사정없이 강렬한 소리였다. 아내는 수화기를 드는 대신 에그머니나, 하면서 한 걸음 물러앉았다.

"원 사람도 얼뜨긴. 전화 소리 생전 처음 들어 보나."

이러면서 대신 전화를 받는 그도 까닭없이 가슴이 내려앉아 목소리가 떨렸다.

"여보세요."

"사돈어른이시군요. 도대체 무슨 전화를 그렇게 오래 쓰세요. 큰일났어요. 아 이 노릇을……."

말끝을 못 맺고 엉엉 우는 소리가 났다. 옆에서 아내는 사색이 되고 그는 정신을 죽어라 가다듬고 울음소리를 뿌리치려 들었다.

"뉘십니까. 댁은 도대체 뉘십니까."

잘못 걸려온 전화일 가능성만이 유일한 희망이었다. 울음소리가 뚝 그치더니 악에 받친 듯한 쇳소리가 들렸다.

"보람이 외할머닙니다. 보람이 할아버님 아니신가요."

보람이는 그의 맏손자였다.

"예 그렇습니다만."

"시상에 이 판국에 사돈어른은 어쩌면 이렇게 태평이십니까. 오늘 보람이네 무슨 일 일어난 줄 아세요. 온 식구가 차 사고를 당했어요. 식구들을 다 태우고 나가서 고속 도론가 국도에서 타이탄을 들이받았대요. 아이고 내 딸 불쌍해 어쩌나. 그놈의 자가용이 웬수라니까."

"여보세요. 여보십시오. 암만해도 전화 잘못 거신 것 같습니다. 즈이 자식은 아직 자가용이 없거든요."

그는 아직도 그 유일한 희망에 매달려 있고 싶었다.

"이직 모르고 계셨군요. 한 보름 됐어요. 개네가 차 산 거."

그는 스르르 수화기를 떨어뜨리고 사색이 되어 떨고 있는 아내를 끌어안았다. 아까처럼 대롱대롱 매달린 수화기 속에서 울려 나오는 사돈마님의 울부짖음은 마치 귀에 바싹 갖다 댄 확성기 소리처럼 뇌수를 사정없이 짓이겼지만 무슨 뜻인지 하나도 알아들을 수가 없었다.

"죽은 사람은 운전자 하나래요. 딴 식구들은 다 중상이구요.

여기 영감님은 운전자가 에미였는지 애비였는지도 미처 확인해 보지 않고 달려가신 후 아직 연락이 없답니다. 에미도 운전을 하거든요. 면허도 먼저 땄으니 에미가 운전대 잡았는지도 모르죠. 저도 같이 갈 건데 댁에 연락이 안 돼 여태껏 전화통 붙들고 있느라고. 병원은 이천에 있는 한외과래요. 듣고 계십니까."

　그들은 오로지 전화기가 무서워 떨고 있는 것처럼 사색이 되어 겁먹은 눈으로 전화기를 바라다 볼 뿐 아무도 그걸 만지거나 올려놓을 엄두를 못 냈다.

심사 경위

조선일보사(朝鮮日報社)가 주관하는 동인문학상의 25회 수상자로 소설가 박완서(朴婉緒) 씨가 선정됐다. 제25회 동인문학상은 작년 7월부터 올해 6월 말까지 발표된 중단편 소설을 대상으로 예심과 최종심을 거쳤다.

조선일보사는 올해가 25번째의 수상자를 뽑는 해인 만큼 역대 수상 작가, 문학 평론가, 문예지 편집 주간 등 100명에게 수상작 추천을 의뢰, 가능한 한 문단의 광범위한 의견을 수렴했고, 7월 초부터 중순까지 각 추천인당 3편씩을 추천받은 뒤 다득표 순으로 전체에서 10편을 골랐다.

이 10편을 놓고 최종심 심사를 맡은 소설가 이호철(李浩哲) 씨를 비롯 평론가 유종호(柳宗鎬), 김우창(金禹昌), 김윤식(金允植), 김주연(金柱演) 씨 등이 1주일 동안 개별 심사를 한 뒤 8월 1일 코리아나 호텔 다뉴브에서 최종심을 가졌다.

수상작 후보로 최종심에서 논의된 작가와 작품은 박완서 씨의 「나의 가장 나종 지니인 것」, 최수철 씨의 「내 정신의 그믐」, 정

찬 씨의 「별들의 냄새」, 구효서 씨의 「테라스에 앉은 조라」, 공지영 씨의 「꿈」, 공선옥 씨의 「피어라 수선화」, 신경숙 씨의 「빈 집」, 윤대녕 씨의 「은어 낚시 통신」, 김소진 씨의 「파애」, 윤영수 씨의 「바람의 눈」 등이다.

심사 위원들은 박완서 씨를 제외한 후보 작가들이 현재 문단에서 가장 주목받는 30대 작가들이고, 현재의 완성도보다는 미완의 재능을 북돋아 준다는 취지에서 젊은 작가를 수상자로 고르기 위해 오랜 시간 난상 토론을 벌였으나 올해의 수상작으로 의견의 일치를 볼 만한 작품이 없다는 결론을 내렸다.

따라서 심사 위원들은 박완서 씨가 이순(耳順)을 넘긴 나이에도 불구하고 신인 작가 못지 않게 왕성하게 활동하는 몇 안 되는 작가라는 사실을 중시하면서, 「나의 가장 나종 지니인 것」이 문학의 보편적 감동과 원숙함의 경지를 보여준 작품이란 점에서 수상작으로 결정했다.

심사평

김우창
김윤식
김주연
유종호
이호철
(가나다 순)

재확인한 박완서 문학 업적

김우창

우리 문단에서 박완서 씨의 위치는 확고하다. 동인문학상은, 새삼스러운 감이 있는 대로, 이것을 다시 확인하고, 그의 업적을 그리는 일이 된다.

「나의 가장 나종 지니인 것」은 필자 자신의 깊은 고통의 체험에서 나온 것이면서, 동시에 보편적인 의미를 갖는 인간 체험의 한 국면을 독자와 나누고자 한다. 이 이야기가 깨우쳐 주는 것은 최소한도의 삶의 조건 하에서도 죽는 것보다는 사는 것이 나은 것이라는 사실이다.

이 극한의 깨우침이 그 깨우침의 위엄에 맞는 언어와 수법으로 이야기되었더라면 하는 아쉬움이 남는다. 푸념, 넋두리 또는 하소연이 위엄있는 깨우침을 전달하는 가장 적절한 방법은 아니다. 사람의 몸가짐 또는 말가짐 여하에 따라서는, 가장 고귀한 인간 체험도 가장 비천한 것이 된다.

다른 대상 작품들은 그 나름으로 우리 사회의 깊은 내면을 반영한다. 이 작품들을 통해서 우리는 우리 사회가 깊은 불행을 앓고 있음을 알 수 있다. 그러나 그것을 전달하려는 노력들은 있으나 그것이 분명하게 의식되고, 형식화되고 전달되었다고 할 수는 없다.

많은 작품들이 실험적이다. 문제가 미묘하니 만큼 이것은 자연스럽다. 그러나 비사실적 실험의 수법들이 믿을 만한 것이 못 되는 경우가 많다. 오늘날 우리의 언어에서 내용과 포장의 거리는 점점 멀어져 간다. 현란한 실험들이 포장하고 있는 것은 무엇인가?

상업 문화의 가장 큰 특징은 정직성의 결여 또는 그것의 상업화이다. 모든 문화의 작업에서 중요한 것은 엄정하고 객관적이어야 한다는 것이다. 실험도 심리도 의식의 흐름도 풍자도 우스개도 없어져 가는 이러한 규범의 테두리 안에서 근본적인 의미를 얻는다. 문학에서는 미치는 것도 엄정하고 객관적으로 미치는 것이다. (문학 평론가·고려대 교수)

어머니의 고통을 청춘의 글로

김윤식

  박완서 씨의 단편 「나의 가장 나종 지니인 것」은 노회한 작품이
지만 동시에 청춘의 글이기도 하다. 또한 작가모양 작중 화자가
회갑을 넘어선 여인이지만 동시에 어머니이기도 하다. 이 땅에서
살아 온 여인이자 어머니가 겪어야 했던 특별한 고통의 한 단면
을 그리는 방식의 하나는 무엇일까. 기량이라든가 자질에 앞서는
그 무엇이 있다고 나는 생각한다. 박씨 특유의 방식, 청춘의 글쓰
기가 그것이다.   (문학 평론가·서울대 교수)

노련한 소설쓰기의 극점

김주연

　논의의 대상이 된 열 편의 중단편들 가운데 김소진 씨의 「破愛」혹은 윤대녕 씨의 「은어 낚시 통신」이 수상작으로 괜찮으리라는 것이 나의 생각이었다. 무엇보다 이 두 작품은 발상이 새롭고, 문체가 단단하며, 작가로서의 대성 가능성을 엿보이게 함으로써, 충분히 격려할 만하다고 판단되었기 때문이다. 물론 수상작으로 결정된 박완서 씨의 「나의 가장 나중 지니인 것」이 결코 앞의 두 작품보다 떨어지는 작품은 아니다. 그렇기는커녕 이 단편은 이제 원숙기에 접어든 이 작가의 노련한 소설쓰기의 한 극점을 보여 주는 수작으로서 높이 평가될 수 있다. 다만 젊은 작가들을 고무해 주는 일이 동인문학상의 의의와 결부되는 일이라면 미완의 패기 쪽을 바라보는 선택도 있을 수 있었다는 점을 덧붙여 둔다.

(문학 평론가·숙명 여대 교수)

고통과 극한의 깨우침을 전달

유종호

작가의 성별이나 생물학적 연령과 같은 작품 외적인 요소는 모두 괄호 속에 가두어 두고 작품 자체만을 고려한다. 이것이 작품을 선택할 때 스스로에게 설득하는 최우선적인 규율이다. 이 자기 부과적인 규율을 언제나 완벽하게 준수하는 것은 아니겠지만, 그리 하려는 것이 나의 이상이고 지향이다.

따라서 새 얼굴의 작품을 고를 때는 그 도전성과 가능성에 역점을 둔다. 그러나 새 얼굴 아닌 익숙한 작가의 작품을 선택할 때는 작품의 완결성과 안정성에 주의가 집중된다. 그리하여 이번 계제엔 「나의 가장 나종 지니인 것」이 자연스럽게 나의 선택을 결정해 주었다.

죽음의 경험은 가장 아프고 고통스러운 사람살이의 피할 수 없는 사건이다. 이 작품의 화자는 어떠한 지상의 고통도 죽음을 통한 영이별보다는 견딜 만하다는 사실을 거의 생물적 비명으로 전해 주고 있다.

다시 한번 우리는 목숨과 생명의 유일성과 일회성을 확인하게 된다. 그것을 재확인시켜 주는 작가의 역량은 우리를 오랫동안 숙연하게 해준다. 기미(機微)의 포착과 표출에 뛰어난 작가의 기량이 돋보이는 작품이다.　　　　（문학 평론가·이화 여대 교수）

가장 소설다운 소설
이호철

후보작 열 편을 읽고 나서 무척이나 곤혹스러웠다. 혹여나, 혹여나, 설마 설마 하고 읽어 갔는데 '이거다' 싶은 것은 끝내 눈에 띄지 않았다. 아, 그 허탈감. 요즘 젊은 사람들이 왜 이 모양들인가. 와락 짜증이 났다.

모든 예술 작품이 다 그러하겠지만, 소설도 머리 끝의 요량(料量)으로만 되는 것은 아니다. 모태 속에서 아기가 일정 기간 자라나서 태어나듯이 하나의 유기체로 태어나는 것이다. 그런데 이번에 올라온 후보작 태반은 온몸으로 달아올라 '태어난' 것들이 아니라, 머리 끝의 얇은 요량으로만 깔짝 깔짝 썼거나 두드려 낸 것들이었다.

결국 장시간 고심고심한 논의 끝에 박완서 씨의 「나의 가장 나종 지니인 것」으로 의견이 모아졌다. 박완서 씨의 여늬 작품들과 비기더라도 썩 빼어나지는 않았지만, 이번 후보작 열 편 가운데서는 소설이라는 것에 가장 합당한 작품이 이 작품으로 보여졌다. (소설가)

계면쩍은 걸 어쩝니까
박완서

무더운 날이 줄기차게 계속되고 있다. 내 생전에 이렇게 견디기 힘든 더위는 처음이라고 아이들에게 말하고 나면 다음날은 더 기온이 올라가곤 한다. 전생애의 경험을 걸고 증거하고 싶은 게 겨우 금년 더위가 사상 초유라는 것밖에 없는 내 나이가 손자들 보기엔 얼마나 유구해 보일까. 아마 관상대의 역사만큼이나 길어 보였을 것이다. 나도 어렸을 때는 육십이 넘은 사람은 왜 살고 있는지 이상하게 여기곤 했었다. 죽을 일밖에 안 남아 있는 나이는 어린 마음에 불쌍하고 두렵게 비쳤다.

역시 더운 날, 가장 더운 시간에 동인문학상을 받게 되었다는 통보를 받았다. 솔직히 곤혹스러웠다. 상이 비켜갈 때가 충분히 되었다고 생각한 것은 문단 경력하고도, 작품에 대한 겸양이나 자만하고도 상관이 없다. 순전히 나이 때문이었을 것이다. 이 나이에 다시 상 받는 자리에 선다는 것이 얼마나 주책스러워 보일 것인가, 자신의 모습을 상상만 해도 정나미가 떨어졌다. 면하고 싶었지만 면할 수 있는 적당한 말이 떠오르지 않았다. 거부라는 말은 즉시 떠올랐지만 그런 말은 심사 위원이나 주최측을 황당스럽게 할 것 같았다. 잘난 척하는 것처럼 아니꼽게 보이기 십상인 껄끄러운 말이었다. 요컨데 면하되 우아하고 부드럽게, 그리고 깜쪽같이 면하고 싶었나 보다. 그런 말을 찾느라 우물대는 사이 상은 수락된 것이다. 우물대는 것처럼 편리하고 음흉스러운 짓은 없다. 상을 우물우물 받아들이고 나서도 줄창 상에 짓눌리는 것처럼 불편했다. 그리고 뒤늦게 사양이란 말이 떠올랐다. 그 즉시 사양이란 말만 떠올랐어도 상을 면할 수 있었을지도 모른다. '전 사양하겠어요. 상은 젊은 사람이 타야죠.' 이렇게 말할 수도 있었는데 그 흔한 말이 안 떠올랐던 것은 어쩌면 내 의식의 밑바닥에 상을 받고 싶은 마음이 잠재돼 있었음이 아니었을까? 나는 이렇게 한 마디 말에 운명을 맡겼다.

내 소설이 쉽게 읽힌다고 흔히들 말한다. 나는 독자들을 행간에 끌어들여 머뭇거리게 하고 싶은데 그냥 술술술 읽히는 모양이다. 그래서 좀 쓸쓸하다. 그러나 쉽게 읽히니까 쓰는 것도 쉽게 쓴 줄 아는 소리를 들으면 더 쓸쓸하고 슬퍼지기까지 한다. 수상작인 「나의 가장 나종 지니인 것」에 대해선 그런 말을 더 많이 들었다. 전화로 떠는 수다로 일관돼 있으니까, 쓰기가 훨씬 편했을 거라고, 하루나 이틀쯤 걸리지 않았겠느냐고, 걸린 시간까지 추측들을 한다. 소설을 쓸 때 특히 단편 소설을 쓸 때 내가 가장 참담한 고생을 하는 건 기발한 줄거리나 심오한 메시지를 위해서가 아니라 말 찾기이다. 거기 딱 들어맞는 운명적인 한 마디를 찾기 위해 몇날 며칠을 헤맬 적도 많다. '거부'에서 '사양'까지 몇 시간씩 걸리는 실력이니 오죽하겠는가. 그래서 단편 한 편 쓰고 나면 몸에 진이 다 빠져 버린 것처럼 느끼곤 한다. 그럼에도 불구하고 이 노릇을 그만두지 못하는 것은 살아 있는 한 놀고 먹을 수는 없고 뭔가 일을 하긴 해야겠는데 할 수 있는 일이 그 짓밖에 없기 때문이다. 또 그 짓에 진을 뺄 때 가장 살맛이 나니 그만하면 운명적이라 할밖에 없다. 그래서 죽는 날까지 현역이고 싶다고 흰소리 친 적까지 있는데 이즈음엔 그 생각도 바뀌고 있다. 만약 노망이 들고 나서도 쓰기를 멈추려들지 않는다면 얼마나 추악한 노후가 될 것인가. 보통 노인의 노망은 가정 내의 고통에 머물지만 작가의 노망은 사회적인 웃음거리와 지탄을 못 면할 것이다. 노망이 들수록 말이 많아진다던가? 그런 연유로 쓰는 일에 노익장(老益壯) 증세가 올까 봐 진정코 겁이 난다.

노망 들 걱정만 빼면 이순이 넘은 나이도 살맛이 아주 없는 것은 아니다. 잔잔한 날도 많았건만 들끓는 풍파를 헤치고 겨우 도달한 것 같은 이 평화와 자유도 지키고 음미할 만한 경지라고 생각한다. 과찬이나 과공도 평화를 해친다. 늙으면 조금 모자라게 먹어야 속이 편한 것처럼 칭찬이나 공경도 넘치는 것보다 모자라는 것이 훨씬 속 편하다. 아무리 좋은 것으로부터라도 과녁이 되는 것보다는 언저리에 수긋이 비켜나 있는 것이 좋다. 쓸쓸하기 때문이다. 노후의 평화의 진미는 쓸쓸함 속에 있다. 수상 소감이라고 잔뜩 노티만 내서 미안하다. 계면쩍어서 그런다고 양해해 주길 바란다.

박완서의 소설과 인생
가장 진실한 것에 대한 감동과 미학
엄광용

'전화 바꿨습니다. 어쩐 일이세요? 형님이 전화를 다 주시
구. 거는 건 언제나 제 쪽에서였잖아요. 말도 저만 하고 형님
은 듣기만 하셨죠. 여북해야 혼자서 마냥 지껄이다가 문득 형
님은 시방 수화기를 살짝 문갑 위에 올려놓고 딴 일을 보고 계
실 거다 싶은 생각이 들 적이 다 있었겠어요.'

작가 박완서 씨의 수상작 「나의 가장 나종 지니인 것」의 첫머
리다. 이 첫머리의 전화를 받고 있는 주인공의 위치는 바로 작가
의 위치이기도 하다. 듣는 저쪽의 '형님'이라는 위치는 아무리
수다를 떨어도 별 반응이 없는 절벽과도 같은 곳이다. 작가는 그
벽을 향하여 끊임없이 말을 토해 낸다. 지치지도 않고, 그야말로
보통 여자들이 전화기에 대고 스트레스 해소라도 하듯, 그렇게
여러 가지 사변적인 이야기와 신세 한탄과 그리고 가슴속의 울분

을 털어놓는다.

이 소설의 시작은 벌써부터 의미심장한 데가 있다. 작가 박완서 씨의 문학적 개성을 여실히 드러내 보여 주고 있기 때문이다. 어느 평론가는 이 작가의 소설을 '수다 문학'이라 부른 적이 있는데, 이미 이 소설도 시작부터가 그 수다의 조짐을 보이고 있는 것이다. 그리고 수다의 대상은 절벽 가슴이다.

박완서 씨의 소설은 비록 '수다'스러움으로 포장돼 있지만, 그 언어의 뒤에는 날카로운 비수가 숨겨져 있다. 그 비수는 무감각으로 길들여진 절벽 가슴을 간단없이 찔러 대면서, 나중에 가서는 그 대상 스스로가 절벽을 허물고 벅차도록 진한 감동의 가슴으로 울음을 토하게 만든다. 이것이 이 작가의 '수다 문학'이 가진 힘이다.

'수다'란 말을 하고 싶은 욕망에서 비롯된다. 작가는 가슴에 한이 맺힌 사람이다. 그 한을 풀어 내는 것이 문학인데, 박완서 씨는 사실 그 한을 너무 오랫동안 가슴속에 묻어 두고 살아왔다. 40세가 넘어서야 말문이 트인 그의 늦은 데뷔가 그렇다.

"물론 그 전부터 늘 머릿속에는 뭔가를 써야 한다는 강박 관념이 도사리고 있었지요. 그래서 언젠가는 소설을 쓰게 될 거라는 걸 예감했던 게 사실입니다. 하지만 우선은 마음의 여유가 없었어요. 딸 넷에, 아들 하나를 키우다 보니 어느새 불혹의 나이가 됐던 것이죠. 여중 시절 동창인 작가 한말숙 씨가 가끔 놀러와 글쓰기에 대한 자극을 주기는 했지만, 도무지 시간이 나질 않아 글쓸 엄두를 못 냈었죠. 그러다가 막내아이까지 학교에 다니게 되면서, 불쑥 나 혼자만의 자유로운 시간이 주어졌지요. 그때 먼저 떠오른 것은 박수근 화백의 전기 같은 것이었어요. 그래서 전기를 어떻게 쓰는지도 모르고 붙들었는데, 쓰다 보면 거짓말이 되고 그러는 거예요. 전기는 논픽션인데, 내 글은 픽션으로 치닫고 있었던 것이죠. 거짓말에 한수 더 떠서 내 얘기까지 끼어들려고 하는 거예요. 그래서 급기야는 애초의 전기를 쓰겠다는 생각을 바꾸어 소설을 쓰게 된 것이지요."

박완서 씨의 데뷔작 「나목」이란 장편 소설을 쓸 때의 이야기다. 그는 이 소설로 1970년 '여성동아' 장편 소설 모집에 응모해 당선됐다. 나이 40에 비로소 평범한 가정 주부에서 작가로 변신한 것이다.

그러나 박완서 씨의 늦깎이 데뷔에는 이유가 있었다. 가정 환경과 시대의 불운이, 태어난 이후 40년간 그를 문학적 글쓰기의 벙어리로 만들었다. 1931년 그는 경기도 개풍군 청교면 박적골에서 태어났다. 아버지 박영노 씨와 어머니 홍기숙 씨 사이엔 1남1녀가 있었는데, 그의 손위가 오빠였다. 그는 4세 때 아버지를 여의었기 때문에, 아버지에 대한 기억은 거의 없다고 한다. 어머니와 오빠는 먼저 서울에 자리를 잡았고, 그 역시 8세 때 학교 공부 때문에 고향 박적골을 떠나 서울로 오게 됐다. 이때의 기억들이 그의 소설 「엄마의 말뚝 1」에 아주 잘 표현되어 있다. 15세 때 해방을 맞았는데, 그는 당시 숙명 여중을 다니고 있었다. 학제가 변경되어 4년제 여고가 6년제 여중으로 바뀌었는데, 그는 여중 5학년 때 소설가 박노갑 씨를 담임 선생으로 맞으면서 문학에 눈을 뜨기 시작했다. 그 시절 문과반에 있던 친구들이 현재 작가 한말숙 씨와 시인 김양식 씨 등이다. 1950년 21세 때 서울대 국문과에 입학했다. 그러나 그 해 6월 20일 입학식을 끝내고 불과 사나흘 강의를 듣고는 전쟁이 일어나는 바람에, 끝내는 학교를 더 다니지 못했다. 전쟁으로 오빠와 숙부를 잃고, 노모와 올케, 연년생의 어린 조카 둘의 생계가, 졸지에 그의 책임하에 놓이게 됐다.

396

그는 생계를 해결하기 위해 미군 부대에 취직해 PX의 초상화부에 근무했다. 이때의 생활이 그의 소설 「공항에서 만난 사람」에 잘 묘사되어 있다. 그리고 이때 초상화부에 있으면서 그의 데뷔작인 「나목」의 모델 박수근 화백도 처음 알게 되었다. 24세 때 그는 직장에서 알게 된 남편 호영진 씨와 결혼했다. 그리고 딸만 내리 넷을 낳고 마지막으로 아들을 하나 얻었다. 그는 가정 주부로서의 삶을 나이 40세가 될 때까지 아주 충실히 이행해 왔다. 그러나 장편 소설 「나목」으로 데뷔하면서 그의 인생은 완전히 뒤바뀔 수밖에 없었다.

"사실 시댁은 굉장한 대가족이었어요. 그래서 시부모님 모시랴, 다섯 아이 낳아 키우랴 정신이 없었어요. 그때는 장차 내가 글을 쓰게 될 거라고 상상도 못 했어요. 그러다 어떻게 「나목」이 당선되어 문단에 늦깎이로 발을 들여 놓았는데, 그때 담당 기자가 하는 말이 '이제 작가로 데뷔했으니 앞으로 바빠지게 됐다'고 하더군요. 처음엔 그 말이 무슨 뜻인지도 몰랐지요. 그래서 멍충이처럼 그게 무슨 말이냐고 물었더니, 앞으로 원고 청탁이 쇄도하고 난리가 날 거래요. 그 소리를 들으니 덜컥 겁이 나더군요. 이제부터는 심사도 없이 바로 내 소설이 발표된다고 생각하니까 갑자기 두려운 생각이 들었어요. 도대체 소설이란 걸 써 놓은 게 없거든요. 「나목」이 첫 소설이었고, 단편 소설은 단 한 편도 써 보지 못했던 것이죠. 그래서 부랴부랴 단편 소설을 하나 썼지요. 당시 심사 위원 중에, 지금은 작고하신 작가 박영준 선생님이 계셨는데, 당선 인사 겸 급히 쓴 단편 소설 하나를 봐 주십사고 가져갔지요. 읽어 보시고는 됐다고 하시데요. 그래도 나는 마음이 안 놓여 한꺼번에 다섯 편의 단편 소설을 가지고 또 박영준 선생님을 찾아갔어요. 그때도 선생님은 다 읽어 보신 다음, 며칠 후

연락을 주셨는데 다 마음에 든다고 하시더군요. 그렇게 준비를 했는데, 데뷔 후 1년이 지나도록 원고 청탁이란 걸 한 번도 받아보지 못했어요. 그땐 정말 낙담도 많이 했어요."

박완서 씨가 「나목」 당선 이후 최초로 작품 발표를 한 곳은 데뷔 다음해인 1971년 '여성동아' 3월호였다. 미리 써 놨던 작품 중의 하나인 「세모(歲暮)」라는 단편 소설이었다. 그리고 그 해 9월에 '월간문학'에 「어떤 나들이」를 발표했다.

"당시엔 문학 잡지라는 것이 '월간문학'과 '현대문학'밖에 없었어요. 그러니 데뷔 후 1년 동안 원고 청탁이 오길 기다렸던 내가 바보였지요. 신인들에게까지 할애할 지면이 없었던 것이죠. 그런데 '월간문학'에 작품을 발표하고 나서 그 다음해에 '현대문학'에서 원고 청탁이 왔더라구요. '월간문학'이야 기관지나 다름없지만 당시 '현대문학'은 유일한 문예지였으니, 그때 기분이야 정말 말로 표현할 수 없을 만큼 기뻤지요."

박완서 씨가 1972년 '현대문학' 8월호에 발표한 작품은 「세상에서 제일 무거운 틀니」란 단편 소설이었다. 이 작품은 분단 시대의 냉전 구조를 다룬 것인데, 그 현실이 어떻게 인간들의 삶을 위축시키고 황폐화시키는가를 보여준 수작으로 평단의 주목을 받았다.

이때부터 정말 박완서 씨는 바쁘게 뛰는 작가가 됐다. 「나목」 당선 당시 담당 기자가 하던 말이 실감으로 느껴질 만큼 여기저기서 원고 청탁이 쇄도했다. 잡지에 장편 소설을 연재하는 한편, 문예지를 비롯한 각종 월간지에 단편 소설도 꾸준히 발표했다.

데뷔 5년이 지난 1976년에, 박완서 씨는 첫 창작집 『부끄러움을 가르칩니다』를 내놓았다. 1975년까지 발표한 모든 단편을 이 창작집에 수록했다. 그리고 이때부터 그는 더 이상 신인 작가가 아니었다. '문학사상'에「도시의 흉년」이, 동아일보에「휘청거리는 오후」가 연재되기 시작한 것도 바로 이때부터였던 것이다. 단편 소설도 한 해에 너댓 편 이상씩 발표할 만큼 왕성한 작품 활동을 전개했다. 특히 이 해 '창작과 비평' 가을호에 발표한「조그만 체험기」는 남편이 사업상 일로 어떤 사건에 연루되어 옥바라지 하던 체험을 소설화한 것인데, 검찰에서 문제를 삼아 언론에 보도되는 사건이 발생하기도 했다.

박완서 씨는 후에「나는 왜 작은 일에만 분개하는가」란 수필집에서 당시의 일에 대해 다음과 같이 술회한 바 있다.

'첫 눈에 띄게 크게 뽑은 여류 작가 P씨라는 활자 때문일까. 나는 그 사건을 여류에 대한 언론의 업수임으로 기억하고 있다. 결국「조그만 체험기」의 피해자는 여류와 수위로 압축되고 여성 문제가 못 가진 자, 힘 없는 자의 문제와 연계되어 있음은 그 밖에도 억압되어 있는 도처에 적용시킬 수 있다.'

단편 소설「조그만 체험기」는 사실 까마득히 높은 법원이란 담벽에 대한 분개이고, 여류로 재단해 버리는 사회의 불합리에 대한 분개였다. 그러니까 '작은 일에 대한 분개'가 아니고 사실은 '큰 체험기'라 해야 옳았다. 이 소설「조그만 체험기」는 그 다음에「배반의 여름」이란 앤솔러지에 묶여 나왔는데, 평론가 백락청 씨는 수록 작품 가운데 '가장 성공적인 작품 중의 하나'라고 극찬했다.

'뭐 외는 건 질색이에요. 특히 숫자는 안 돼요. 요전에 밖에서 집에다 전화 걸 일이 있었는데 전화 카드를 집어 넣고 나서 숫자판을 누르려는데 집 전화 번호가 생각나지 않지 뭐예요. 황당하더군요. 어둑어둑할 무렵이었어요. 차들은 헤드라이트를 켜고 질주하고, 길 건너 상가에 네온이 켜지기 시작하더군요. 수화기를 들고 망연히 서 있었죠. 뒤에서 기다리던 청년이 빨리 걸라고 재촉을 하더군요. 성질이 급하거나 버릇없는 젊은이 같지는 않았어요. 참을 만큼 참다가 나온 소리였을 거예요. 나한테 시간이 정지돼 있었다고 해서 남들까지 그랬을 리는 없으니까요. 저는 청년을 돌아보며 말했죠. 우리집 전화 번호 좀 가르쳐 줘요.'

이것은 소설 「나의 가장 나종 지니인 것」에서 일부러 아무렇게나 뽑아 본 대목이다. 박완서 씨의 빛나는 언어가 수다스러움 속에 숨어 있다. 문장과 문장 사이의 호흡이 급하게 연결된다. 그러면서 호흡이 별로 가쁘지 않고 오히려 자연스럽게 그 수다 속으로 빨려들어가는 묘미가 있다.

박완서 씨의 단편 소설은 주로 1인칭 화자 시점으로 되어 있다. 문장 자체가 누구에겐가 들려 주거나 호소하는 투로 느껴진다. 그래서 그의 소설은 강한 흡인력과 아울러 호소력에 의한 깊은 감동을 유발시킨다.

박완서 씨의 이러한 문체는 그냥 태어난 것이 아닐 것이다. 이러한 문체는 그가 살아 온 내력과 깊은 연관을 맺고 있을지도 모른다. 한창 감수성이 예민할 때 전쟁을 겪었고, 전후 가난했던 시절 적지도 않은 다섯 아이를 낳아 키우면서, 그는 느끼고 싶은 걸 가슴 안으로 다독였고, 말하고 싶은 걸 애써 참았던 것이다. 그렇게 40년이 흐른 후 작가로 데뷔하면서, 그 오랜 세월 동안 참아냈던 것들이 말이 아닌 글로 물고를 튼 것이다. 그래서 그의 문체는 말하는 투로, 여성 특유의 수다스러움으로, 변용되어 나타나고 있는 것인지도 모른다.

데뷔 10년 동안 박완서 씨는 엄청난 양의 작품 활동을 했다. 그는 신문 연재, 잡지 연재 등을 통해 장편 소설도 여러 권 갖게 됐다. 『목마른 계절』, 『도시의 흉년』, 『욕망의 응달』, 『휘청거리는 오후』, 『살아 있는 날의 시작』 등의 장편 소설이 잇따라 출간됐다. 중·단편 소설 부문에서도 중후한 작품들을 연속적으로 발표했다. 뿐만 아니라 수필집 『꼴찌에게 보내는 갈채』, 『혼자 부르는 합창』 등도 데뷔 10년 이전에 낸 책들이다.

1980년 데뷔 만 10년이 되는 해에 박완서 씨는 '한국문학' 6월호에 발표한 「그 가을 사흘 동안」이란 중편 소설로 한국문학작가상을 수상했다. 그리고 그 해 9월에 '문학사상'에 「엄마의 말뚝 1」을, 다음해인 1981년에 역시 '문학사상' 8월호에 「엄마의 말뚝 2」를 발표해 제5회 이상문학상을 수상하는 기쁨을 안았다.

"너무나 뼈아픈 기억들이기에 그 시절이 지금도 아픔으로 와 닿습니다. 좀더 거리감을 두고 쓰면 작품도 달라질 수 있을 터인데, 그 아픔을 잊으려면 아직도 더 많은 세월을 기다려야 할까 봐요. 「엄마의 말뚝」 시리즈는 내게 있어선 통곡과도 같은 고통의 기록이지요."

박완서 씨는 이 「엄마의 말뚝」이란 작품에 대해 지금까지도 특별한 애정을 갖고 있다고 한다. 문학상을 탄 수상작이래서가 아니라, 그의 숨김 없는 체험을 토대로 쓴 상처받은 이야기들이기 때문이다. 그는 당시 수상 연설 '미처 참아 내지 못한 고통'에서 다음과 같이 토로한 바 있다.

"제가 이번 수상작을 쓰고 나서 자신에게 정떨어지고 수치감마저 느꼈던 것도 자신의 어머니의 현재 진행중인 참담한 고통을 거리로 삼았대서가 아닙니다. 차마 그걸 거리로 삼아 소설을 만들 수 있을 만큼 자신의 어머니의 현재 진행중인 고통과 고투에 대해 여유를 둘 수 있었고 객관적일 수 있었고 냉담할 수 있었다는, 좋게 말하면 작가적 근성, 나쁘게 말하면 말 못 할 독종에 대한 혐오였습니다. 그러나 역시 그 이중성은 이 작품에서 너무도 허술하였습니다. 곳곳에서 흔들리고 있음을 감출 수가 없었고 그것이 도리어 저에게는 한 가닥의 위안이 되었댔습니다."

박완서 씨의 이러한 심적 고통은 6.25라는 전쟁의 상처에서 비롯된다. 그의 소설 중 많은 부분이 전쟁의 상처와 얼룩으로 짓뭉개져 있다. 개칠을 하거나 덧입히지도 않고 상흔 그대로가, 문장과 문장 사이에서 호흡과 호흡 사이에서, 때로는 참담한 핏빛으로 때로는 비수를 뽑는 듯한 비명 소리로 되살아나고 있다. 그래서 그의 소설을 읽다 보면 그 감정의 비늘까지도 생득적으로 일어서서 이가 시리고 저절로 진저리가 쳐질 때도 있다. '박완서 문학'의 백미는 '어머니'의 이미지가 강하게 도출될 때 그 진가가 발휘된다. 소설 「엄마의 말뚝」에서 작가는 화자로 어머니를 관찰하는 입장이지만, 그 글을 쓸 때의 작가는 그 자신이 바로 어머니가 되기도 하는 것이다. 작가는 실제 어머니와 자기 자신 속의 어머니를 공유하면서, 비로소 그 '어머니'란 이미지의 여성성과 생명성을 동시에 건져 올리고 있다.

한국문학 작가상을 받은 「그 가을 사흘 동안」이란 소설 역시 박완서 씨가 아끼는 작품 중의 하나다. 이 작품 역시 「엄마의 말뚝」에서 보여지는 여성성과 생명성이 동화 작용을 일으키면서 감동을 얻어 내고 있는 소설이다. 30년 동안 소파 수술만 전문으로 해 온 여의사가 마지막으로 병원을 문닫는 날 살아 있는 아기를 받아 보고 싶은 욕망은, 이 주인공으로 하여금 '삶'과 '죽음'을 한 저울에 올려놓고 갈등을 하게 만든다. 소파 수술은 '죽음'이지만, 이 여의사는 그 숱한 죽음 속에서 생명의 울부짖음 소리를 들었다. 그래서 마지막으로 단 한 번만 살아 있는 아기를 받아 보고 싶은 욕망이 생긴 것이다. 그것은 여성으로서 생명의 잉태에 대한 본능과 동일시 된다. 살아 있는 아기를 받아 냈으나 달이 차지 않아 죽어 가는 아이를 안고 인큐베이터가 있는 병원을 찾아 헤매는 여의사의 몸부림은, 그 '본능'이란 여성성과 생명성의 절묘한 결합으로 감동을 자아내게 만든다.

이 1980년대도 박완서 씨는 장편 소설을 꾸준히 써서, 『오만과 몽상』, 『그 해 겨울은 따뜻했네』, 『그대 아직도 꿈꾸고 있는가』 등을 책으로 발간했다. 특히 『그 해 겨울은 따뜻했네』는 영화로 제작돼 선풍을 일으켰으며, 『그대 아직도 꿈꾸고 있는가』는 여성 문제를 다룬 소설로 오랫동안 대형 서점의 베스트셀러 코너 1위 자리를 고수한 바 있다.

'형님, 우리가 참 모진 세상도 살아 냈다 싶어요. 어찌 그리 모진 세상이 다 있었을까요? 형님. 그나저나 그 모진 세상을 다 살아 내기나 한 걸까요? 형님은 당연히 비웃으시겠지만 세상이 정말 달라졌다면 그 달라지게 한 힘 중엔 우리 창환이 몫도 있다고 생각해요. 그래요, 허튼소리 같지만 저는 수도 없이 창환이의 부활을 경험했죠. 민가협 엄마들한테 세뇌받아서 그렇게 됐다는 식으로 말씀하지 마세요. 누가 누굴 세뇌해요. 그 지경 당하고도 하루하루를 죽은 목숨처럼 살지 않을 수 있는 유일한 방법이었을 뿐이에요.'

소설 「나의 가장 나종 지니인 것」에서 드디어 생때 같은 아들을 잃은 어머니의 강인한 삶이 내비치기 시작한다. 「엄마의 말뚝」에서의 화자가 이젠 어머니가 되어 말하고 있는 것 같다. 그 어머니의 목소리엔 억척스러움이 배어 있다. 어떤 고통도 참고 이겨 낸 '억척 모성'이, 그 말과 말 사이에 그 호흡과 호흡 사이에서 긴장감을 유지하며 강인한 삶의 모습으로 다시 태어나고 있는 것이다.

박완서 씨의 이러한 '억척 모성'은 생체험의 여과 과정을 거치지 않고는 나오기 힘든 절규에 가깝다. 그는 1988년, 그 악몽의 해에 남편과 외동 아들을 잃었다. 그때 그는 '문학사상'에 연재하던 「미망」이란 장편 소설도 중단하고 한동안 절필 상태에서, 두 죽음에 대한 충격으로 심한 심리적 상처를 부둥켜 안고 몸부림치며 살아야 했다. 특히 그는 아들의 죽음에 대해 「한 말씀만 하소서」란 일기에서 이렇게 어머니의 아픔을 호소하고 있다.

'베개가 젖도록 울었다. 죽음이 왜 무시무시한지, 아들의 죽음이 왜 이렇게 견디기 어려운지 정연한 논리로써가 아니라 폭풍 같은 느낌으로 엄습해 왔다. 하나의 죽음은 그에게 속한 모든 것, 사랑과 기쁨, 체험과 인식 등, 아무하고도 닮지 않은 따라서 아무하고도 뒤바뀔 수 없는 그만의 소중하고도 고유한 세계의 소멸을 뜻한다.'

그러나 그 소멸의 뜻을 알면서도 박완서 씨는 오래도록 아들의 소멸을 붙들고 몸부림쳐야만 했다. 미래가 잘려나간 과거의 뿌리를 붙든 채, 그는 아들에 대한 다음과 같은 기억을 끌어안고 살아야 했다.

"아들이 의과 대학에 다녔는데, 마취과를 선택하겠다고 하더군요. 그래서 내가, 왜 하필이면 마취과냐고 물었더니, 아들 대답이 이래요. '어머니, 마취과 의사는 주로 수술장에서 환자의 의

식과 감각이 없는 동안 환자의 생명줄을 쥐고 있다가, 무사히 수술이 끝나고 의식이 돌아오면 별 볼일이 없어지기 때문에 환자나 환자 가족으로부터 고맙다든가 애썼다는 치하를 받는 일이 거의 없지요. 자기가 애를 태우며 생명줄을 붙들어 준 환자가 살아나서자기를 전혀 기억해 주지 않는다는 건 얼마나 쓸쓸한 일이겠어요. 전 그 쓸쓸함에 왠지 마음이 끌려요.' 이러는 거예요. 그 아들에 그 에미 아니랄까 봐. 나 또한 그 아들의 마음을 알 것 같아 쾌히 승락했었지요."

이처럼 모자간의 생명 의식은 느낌으로 통하는 것인지도 모른다. 뱃속에 있을 때부터 탯줄로 서로의 느낌을 감지했듯이, 탯줄이 끊어지고도 그 의식은 통하고 있었던 것이다.

아무튼 박완서 씨는 남편과 아들을 한꺼번에 잃은 후 8개월만에 다시 글쓰는 책상 앞에 앉았다.

"우선 연재하던 「미망」부터 마무리 짓고 싶었어요. 나는 뭔 일을 하다가 놔두면 그게 머릿속에 남아 자꾸 방해를 놓아 다른 일을 못 하는 성미에요. 그래서 미진하나마 서둘러서 「미망」을 끝냈지요. 지금도 아쉬움이 남는 것은 「미망」의 마무리를 너무 서둘렀다는 거예요. 어쩌면 남편과 아들을 잊기 위해서 더 글쓰기에 몰입하고, 서두르고, 그랬는지도 모르지요."

박완서 씨는 그 후 열정적으로 단편 소설도 발표해서 1991년 환갑 기념으로 『저문 날의 삽화』란 소설집을 내기도 했다. 이 소설집에 실린 「여덟 개의 모자로 남은 당신」 등 몇몇 작품은 남편이 항암 주사를 맞으며 투병을 할 때, 간호하며 지켜보던 아내로서의 심정이 뼈를 깎는 고통으로 아로새겨져 있다.

남편과 아들을 잃은 후 방황하다 다시 중단된 소설을 마무리한 「미망」은 1990년 출판과 동시에 박완서 씨에게 대한민국문학상

우수상을 안겨 주었다. 그리고 이 작품은 묘하게도 다음해인 1991년 제3회 이산문학상까지 타게 되어, 작가로 하여금 남편과 아들을 잃은 두 죽음의 슬픔을 새삼 되돌아보게 해주기도 했다.

'여지껏 꿋꿋하게 잘 버티기에 그냥저냥 행복한 줄 알았더니 이제 와서 웬 약한 소리냐구요? 형님 보시기에도 제가 그렇게 아무렇지도 않아보입디까? 아무렇지도 않지 않은 사람이 아무렇지도 않아 보였다면 그게 얼마나 눈물겨운 노력의 결과였는지는 한번도 생각해 본 적 없으시죠. 형님도 아마 은하계란 말은 들어보셨을 거예요.'

소설「나의 가장 나종 지니인 것」에서 주인공인 화자는 데모 현장에서 각목에 맞아 희생당한 아들 창환이의 죽음을 잊기 위해 몸부림치던 자신의 모습을, 저 절벽 같은 전화기 저쪽의 '형님'에게 호소하고 있다. 화자는 아들의 죽음을 잊기 위해 은하계의 무수한 별무리와 태양계의 거리, 수치 등 자신에겐 아무 쓸모도 없는 것들을 주문처럼 외곤 했다고 비로소 고백한다.

박완서 씨가 남편과 아들을 잃은 후 얼마의 공백기를 거쳤다가 쏟아 놓은 소설들이, 모두 그러한 충격에서 벗어나기 위해 몸부림쳤던 심리의 드러남이었다. 그 두 사람의 죽음 이후 나온 그의 소설은 그래서 처절하다. 그의 나이가 이미 이순이기에, 그 죽음을 보는 관조의 세계는 더욱 웅숭깊고도 우울한 그림자를 드리고 있다. 소설집『저문 날의 삽화』는 그런 음울한 관조의 세계를 투명하게 직시하고 있어 도리어 섬뜩한 느낌조차 든다. 그는 죽음을 두려워하면서도, 오히려 그것을 가까이에서 키워서 친하게 지내려 하고 있다. 작용과 반작용이 공존하듯이, 삶과 죽음이 공존

하는 세계를 이순의 나이에 접어든 그의 문학은 보여 주고 있다. 그것은 어쩌면 죽음을 배척하면서 끌어안으려는 몸부림, 즉 충격적인 죽음을 극복하기 위한 통과 의례의 한 방법이었는지도 모른다.

그런데 박완서 씨는 1990년대를 넘어서면서 천천히 그 죽음의 언저리에서 벗어나고 있었다. 다시 그의 예전 소설의 중심부에 위치했던 '어머니'의 이미지가, 그의 창작 분화구에서 되살아나기 시작한 것이다. 1993년 '현대문학' 1월호에 발표하고, 그 해 현대문학상을 수상한 『꿈꾸는 인큐베이터』에서 그는 또 한번 여성성과 생명성의 건강함을 과시한다.

'저는 별안간 그 친구가 부러워서 어쩔 줄 몰랐어요. 남의 아들이 아무리 잘나고 출세했어도 부러워한 적이 없는 제가 말예요. 인물이나 출세나 건강이나 그런 것 말고 다만 볼 수 있고 만질 수 있고, 느낄 수 있는 생명의 실체가 그렇게 부럽더라구요. 세상에 어쩌면 그렇게 견딜 수 없는 질투가 다 있을까요? 형님. 날카로운 삼지창 같은 게 가슴 한가운데를 깊이 훑어 내리는 것 같았어요. 너무 아프고 쓰라려 울음이 복받치더군요.'

소설 「나의 가장 나종 지니인 것」은 이제 클라이막스로 진행하고 있다. '억척 모성'의 슬픔이 폭발하는 순간이다. 화자는 아들의 죽음에도 애써 의연하게 참아왔다. 그러나 어느 날 반신 불수가 된 친구 아들 문병을 갔던 화자는, 말도 못 하고, 제대로 움직이지도 못하지만 남의 손길이 닿으면 질겁을 하면서도 제 에미의 손길만 느껴지면 표정이 밝아지는 걸 보고, 그것이 너무도 부러웠던 것이다.

박완서 씨는 아마 이 부분을 쓰면서 울었을 것이다. 본인 스스로는 그런 내색을 전혀 비치지 않았지만, 그러나 작가의 마음에서 걸러지지 않은 슬픔은 결코 작품에서 감동의 차원에서 끌어올려질 수 없기 때문이다.

"이 소설을 쓰면서 아들에 대해 많은 생각을 한 건 사실이에요. 아무리 간접적인 경험의 글쓰기라 하더라도, 결국 작가의 생체험이 그 바탕을 이루지 않으면 안 되는 것 아닌가요?"

이것은 박완서 씨가 적어도 「나의 가장 나종 지니인 것」이란 소설의 화자와 동일시되고 있다는 걸, 간접 화법으로 들려준 것이 아닌가 하는 생각이 든다. 생때 같은 아들을 잃은 슬픔은 이제 마지막에 가서, 전화기 저쪽의 절벽 같은 '형님' 가슴마저 울려 놓고 만다. 이 소설의 마지막 장면은 그래서 절벽의 무너짐이며, 같은 감동으로의 화해를 모색하고, 같은 울먹임으로 가슴을 부둥켜안고 있다. 비록 가는 전화선이지만, 이들 두 사람을 하나의 가슴으로 굳게굳게 묶어 주는 장면이다.

'생때 같은 아들이 어느 날 갑자기 소멸했어요. 그 바람에 전 졸지에 장한 어머니가 됐구요. 그게 어떻게 아무렇지도 않은 일이 될 수가 있답니까. 어찌 그리 독한 세상이 다 있었을까요, 네? 형님. 그나저나 그 독한 세상을 우리가 다 살아 내기나 한 걸까요? 혹시 그놈의 꼬리라도 어디 한 토막 남아 숨어 있으면 어쩌나 의심해 본 적, 형님은 없죠? 형님 뭐라고 말씀 좀 해 보세요. 아니, 형님 지금 울고 계신 거 아뉴? 형님, 절더러 어찌 살라고 세상에, 형님이 우신대요? 형님은 어디까지나 절벽 같아야 해요. 형님은 언제나 저에게 통곡의 벽이었으니까요. 울음을 참고 살 때도 통곡의 벽은 있어야만 했어요.

통곡의 벽이 우는 법이 세상에 어디 있대요.'

  박완서 씨는 '억척 모성'으로 '통곡의 벽'까지도 울게 만들었다. 그가 가슴속에 지녀 온 '가장 나종 지니인 것'의 실체는 무엇일까. 그것은 '생명'이라는 존재가 아닐까. 생때 같은 아들을 잃고 나서 반신 불수의 친구 아들을 보고 부러움을 느끼는 '억척 모성'은, 그 생명의 존귀함을 역설적으로 보여 주고 있다. 현재 여기 이 자리에 '있다'와 '없다'는 엄청난 차이가 있는 것이다. 그것은 바로 '삶'과 '죽음'의 공존 의식이 아니라, 두 세계의 완벽한 이별을 뜻한다. 그래서 '있다'와 '없다'의 사이의 그 허망한 공간이, 결국 눈물 바다로 가득 채워지는 것이다.

  "지난 80년대는 힘든 시기였습니다. 그러나 그때 스러져간 젊은 목숨들이 결코 헛된 것이었다고 생각하지는 않습니다. 다만 없어진 생명에 대해서 가장 강하게 주장할 수 있는 것이 어머니들이기 때문에 이 소설에 어머니들을 대변자로 등장시켰을 뿐이지요. 그 어머니들을 통해, 생명은 무엇과도 바꿔치기 할 수 없는 귀중한 것이라는 걸 나타내 보려 했습니다."

  박완서 씨는 이 소설의 제목 「나의 가장 나종 지니인 것」을, 작고 시인 김현승 씨의 시 「눈물」 중 한 시행에서 따왔다고 한다. 그는 그러면서 나이 때문인지, 이번 동인문학상 수상에 대해 무척 수줍어했다. 그러나 우리 문단의 조로 현상을 볼 때 그의 건재함은 오히려 신선한 청량제가 될 것이다.

  "젊은 작가들의 좋은 작품들이 있는데도 불구하고 이 나이에 동인문학상을 수상하게 되어 좀 쑥스럽고 그렇습니다. 요즘 신세대 소설에 대해 느낀 점을 잠깐 말씀드린다면, 소설이란 것은 뭉

클한 감동이 있어야 하는데, 요즘 소설들은 읽는 즐거움에만 더 신경을 쓰는 것 같아요. 그리고 전통에 대해 반기를 드는 건 좋은데, 그것이 낯설게 하는 것에만 그치는 정도라면 그것도 문제라는 생각이 드네요. 너무 어려워도 안 되고, 너무 쉬워도 안 되고, 아무튼 중용을 지킨다는 게, 그래서 어려운 것 아닌가요?"

박완서 씨는 수상 소감과 함께, 아울러 요즘 젊은 작가들의 작품에 대한 견해를 짧게 언급했다.

이번에 제25회 동인문학상을 수상한 소설 「나의 가장 나종 지니인 것」은, 어쩌면 작가 박완서 씨의 인생을 몽타주 형식으로 그린 축소판이라고 할 수도 있을 것 같다. 그의 문학적 연대기를 그의 소설의 시작과 끝으로 재구성해 본 것도, 바로 그러한 이유 때문이다. (소설가)

제25회 東仁文學賞 수상 작품집
나의 가장 나종 지니인 것

저　　자	박완서 외
발 행 인	방상훈
발　　행	조선일보사 출판국
전산제작	태성기획
인　　쇄	조광출판인쇄주식회사

1994년 8월 15일 초판 1쇄 인쇄
1994년 8월 20일 초판 1쇄 발행

朝鮮日報社 서울특별시 중구 태평로 1가 61번지
　　　　　 출 판 부 · 724-6191~3
　　　　　 출판관리부 · 724-6211~5
　　　　　 출판판매부 · 724-6221~5
　　　　　 지 로 구 좌 · 3002021
　　　　　 등록 1970년 4월 10일 제 2-7호

값 6,000원　　　　　 ISBN 89-7365-041-6-03810